AF218723

ACCESO GRATIS *a la Lectura en la Nube*

Para visualizar el libro electrónico en la nube de lectura envíe junto a su nombre y apellidos una fotografía del código de barras situado en la contraportada del libro y otra del ticket de compra a la dirección:

ebooktirant@tirant.com

En un máximo de 72 horas laborables le enviaremos el código de acceso con sus instrucciones.

LA REFORMA DEL RECURSO DE CASACIÓN CONTENCIOSO-ADMINISTRATIVO

Procedimiento de selección de originales, ver página web:

www.tirant.net/index.php/editorial/procedimiento-de-seleccion-de-originales

LA REFORMA DEL RECURSO DE CASACIÓN CONTENCIOSO-ADMINISTRATIVO

Adaptado a la Ley Orgánica 7/2015, de 21 de julio
Incluye normas de estilo

Miguel Ángel Ruiz López

Letrado del Tribunal Supremo - Administrador Civil del Estado (s.e.)
Profesor Asociado de Derecho Administrativo de la Universidad Complutense de Madrid
(acreditado para el acceso al cuerpo de Profesores Titulares de Universidad)

tirant lo blanch

Valencia, 2016

© Miguel Ángel Ruiz López

© TIRANT LO BLANCH
  EDITA: TIRANT LO BLANCH
  C/ Artes Gráficas, 14 - 46010 - Valencia
  TELFS.: 96/361 00 48 - 50
  FAX: 96/369 41 51
  Email:tlb@tirant.com
  www.tirant.com
  Librería virtual: www.tirant.es
  DEPÓSITO LEGAL: V-1933-2016
  ISBN: 978-84-9143-120-6
  MAQUETA: Innovatext

Si tiene alguna queja o sugerencia, envíenos un mail a: *atencioncliente@tirant.com*. En caso de no ser atendida su sugerencia, por favor, lea en *www.tirant.net/index.php/empresa/politicas-de-empresa* nuestro Procedimiento de quejas.

«Es evidente, pues, que todos los regímenes que tienen
como objetivo el bien común son rectos, según la justicia
absoluta; en cambio, cuando atienden sólo al interés personal
de los gobernantes, son defectuosos y todos ellos desviaciones
de los regímenes rectos, pues son despóticos y la ciudad
es una comunidad de hombres libres»
(Aristóteles, *Política*, libro III).

«Del mismo modo que en los instrumentos de cuerda
o de viento, o en el mismo canto de varias voces, debe
guardarse un concierto que da por su mismo ajuste unidad
y congruencia a muy distintas voces, que los oídos educados
no toleran que se altere o desentone, y ese concierto,
sin embargo, se hace concorde y congruente por el gobierno
de voces muy distintas, así también, una ciudad bien
gobernada es congruente por la unidad de muy distintas personas,
por la concordia de las clases altas, bajas y medias, como
los sonidos. Y la que los músicos llaman armonía en el canto,
es lo que en la ciudad se llama concordia, vínculo de bienestar
seguro y óptimo para toda república, pues ésta no puede
subsistir sin la justicia»
(Marco Tulio Cicerón, *De re publica*, libro II).

A Leonardo, mi hijo

Índice

PARTE PRIMERA
ORIGEN Y EVOLUCIÓN HISTÓRICA DEL RECURSO
DE CASACIÓN CONTENCIOSO-ADMINISTRATIVO

Capítulo I
ORIGEN Y EVOLUCIÓN HISTÓRICA

Capítulo II
PERFILES GENERALES DE LA REFORMA
DE LA CASACIÓN CONTENCIOSO-ADMINISTRATIVA
EN LA LEY ORGÁNICA 7/2015, DE 21 DE JULIO

PARTE SEGUNDA
CONCEPTO Y NATURALEZA JURÍDICA
DEL RECURSO DE CASACIÓN CONTENCIOSO-ADMINISTRATIVO

Capítulo III
CONCEPTO Y PRINCIPALES CARACTERÍSTICAS

Capítulo IV
UNA APROXIMACIÓN ACTUAL
A LA NATURALEZA JURÍDICA DE LA CASACIÓN
CONTENCIOSO-ADMINISTRATIVA: SUS FINALIDADES
ESENCIALES EN EL ORDENAMIENTO JURÍDICO

PARTE TERCERA
RÉGIMEN JURÍDICO DEL RECURSO DE CASACIÓN
CONTENCIOSO-ADMINISTRATIVO

Capítulo V
PRESUPUESTOS SUBJETIVOS

Capítulo VI
PRESUPUESTOS OBJETIVOS

Capítulo VII
PROCEDIMIENTO

Prólogo

En el momento en que escribo estas líneas faltan sólo unos días para que entre en vigor la espectacular reforma de la Ley de la Jurisdicción Contenciosa-Administrativa de 13 de Julio de 1998 llevada a cabo por la Ley Orgánica 7/2015, de 21 de Julio, que ha dado un auténtico vuelco a la regulación del recurso de casación al abandonar el carril de la tradición y optar por un sistema, el del certiorari norteamericano, del que no tenemos prácticamente ninguna experiencia y para cuya aplicación no estamos en absoluto preparados ni los abogados, ni los propios Magistrados de la Sala 3ª del Tribunal Supremo, ni, por supuesto, los justiciables.

A partir de ahora el recurso de casación pasará a ser exclusivamente un instrumento técnico para la formación y depuración de la jurisprudencia, del que la justicia será un simple subproducto, algo secundario, que vendrá a resultar de la elección que la Sala 3ª del Tribunal Supremo haga de aquellos asuntos que, a su juicio, tengan interés casacional objetivo, esto es, que puedan dar lugar a una sentencia "interesante" de esas que pasan a los libros de Derecho Administrativo y se convierten en una referencia.

Dicho crudamente en eso consiste la reforma, por lo que es forzoso preguntarse si para hacer frente a la situación actual era necesario llegar a esos extremos.

Para ser sinceros, hay que empezar por reconocer que ya no podíamos seguir recorriendo el camino tradicional, es decir, endureciendo progresivamente la interpretación de las normas reguladoras de la admisión de los recursos de casación y elevando cada poco tiempo la summa gravaminis con el fin de quitarse de encima a cualquier precio el mayor número de recursos posibles para evitar que la Sala de lo Contencioso-Administrativo del Tribunal Supremo se viniera abajo por aplastamiento.

Las sucesivas reinterpretaciones de las normas reguladoras de la admisión da vergüenza sencillamente recordarlas. La última de ellas vino a convertir el escrito de preparación del recurso en un auténtico escrito de formalización, que era muy difícil elaborar en el corto plazo de diez días que el legislador dio para ello, porque su función no era la de adelantar el estudio de la cuestión de fondo, sino simplemente la de anunciar el recurso y acreditar el cumplimiento de los requisitos formales establecidos por la Ley. Sí, de los requisitos formales solamente, porque el texto del artículo 89.1 de la Ley que está a punto de pasar a mejor vida se limitaba a pedir, como es notorio, simplemente eso: "manifestar la intención de interponer el recurso, con sucinta exposición de la concurrencia de los requisitos DE FORMA exigidos". Pero... había que evitar la avalancha a cualquier precio y para ello ni la *voluntas legislatoris*, ni la *voluntas legis*, ni el artículo 3 del Código Civil, ni nada que se le parezca podría ser atendido. Los teóricos del Derecho, que tenemos muchos y buenos en nuestro país, tienen en ésta y en las interpretaciones que la precedieron una auténtica mina, sobre todo aquéllos que sostienen que la función de la interpretación de las normas no es descubrir el sentido de las mismas, sino, más bien adscribirlas un sentido.

Por aquí ya no se podía seguir transitando sin sonrojarse. Tampoco se podía seguir subiendo el umbral económico del recurso, que empezó con seis millones de pesetas (36.000 euros actuales) con la Ley 10/1992, de 30 de Abril, que pasaron a veinticinco millones de pesetas (150.000 euros) con la nueva Ley de Jurisdicción de 13 de Julio de 1998 y a cien millones de pesetas (600.000 euros) con la Ley de Medidas de Agilización procesal de 10 de Octubre de 2011. En menos de veinte años se multiplicó por 16, ni más ni menos. Seguir con esta progresión hubiera sido ridículo, sencillamente, además de inasumible por razones más que obvias.

Era, pues, necesario rectificar, encontrar una vía nueva, que no podía ser otra que ésta. Me parece poco prudente, sin embargo, la radicalidad de la reforma, que ha convertido el recurso de casación en algo rigurosamente excepcional, ya que el interés casacional objetivo sólo se presume en cinco supuestos concretos, que en realidad se reducen a dos (cuando la resolución se aparte deliberadamente de la jurisprudencia existente por considerarla errónea y cuando se declare nula una disposición general) o, para ser más exactos, a uno sólo, ya que también podría inadmitirse por auto motivado el recurso que se interponga contra una sentencia anulatoria de una disposición general cuando ésta (no está muy claro si la disposición general o la sentencia) "con toda evidencia, carezca de transcendencia suficiente" (artículo 88.3, in fine).

Hubiera sido más sensato, en mi opinión, empezar más modestamente presumiendo el interés casacional en los nueve supuestos que recoge el artículo 88.2 (a los que yo hubiera añadido un décimo cuya ausencia es sorprendente: los casos en los que se hubieren formulado votos particulares), dejando a salvo, como es natural, la posible destrucción de esa presunción por auto motivado del Tribunal de casación.

Hay un segundo aspecto que me gustaría resaltar aquí. Es el siguiente: como suele ocurrir siempre con las reformas unidireccionales que pretenden alcanzar a toda costa un objetivo, ésta ha supuesto también un coste para el sistema, en términos de coherencia al menos. Un ejemplo bastaría, para demostrar lo que acabo de decir: - los asuntos "menores", por llamar de un modo expresivo a aquéllos que son competencia de los Juzgados seguirán contando con doble instancia, como hasta ahora, ya que las Sentencias de los Juzgados pueden seguir siendo recurridas en apelación ante las Salas de la jurisdicción de los Tribunales Superiores de Justicia, pero con la nueva regulación todavía podrían tener una tercera oportunidad con el recurso de casación, ya que el nuevo artículo 86.1 dice que serán susceptibles de dicho recurso "las sentencias dictadas… en única instancia o en apelación por la Sala de lo Contencioso-Administrativo de la Audiencia Nacional y por las Salas de lo Contencioso-Administrativo de los Tribunales Superiores de Justicia". El "viejo" artículo 86.1 limitaba el recurso de casación, como es sabido, a "las sentencias dictadas en única instancia por la Sala de lo Contencioso-Administrativo de la Audiencia Nacional y por las Salas de lo Contencioso-Administrativo de los Tribunales Superiores de Justicia".

En cambio, los asuntos más importantes, esto es, los confiados a la Audiencia Nacional y a las Salas de lo Contencioso-Administrativo de los Tribunales Superiores de Justicia, seguirán resolviéndose en instancia única, con la particularidad de que antes tenían una segunda oportunidad en la casación abierta que el texto legal que dentro de unos días pasará a mejor vida regulaba, oportunidad que ahora desaparece porque la nueva casación sólo es admisible cuando el Tribunal de Casación entienda que el asunto tiene interés casacional objetivo.

Por decirlo gráficamente: con la reforma los asuntos "menores" han salido ganando; los "mayores", en cambio, han salido perdiendo. En los primeros las posibilidades de obtener justicia se duplican; en los segundos, todo hay que jugárselo a una carta. Esto no tiene sentido, me parece.

A lo dicho todavía hay que añadir otra ingrata consecuencia, a saber: como ya he dicho, en los asuntos "mayores" las Salas de los Tribunales Superiores de Justicia decidirán en única instancia y sólo en los casos en los que el Tribunal de casación aprecie la existencia de interés casacional objetivo podrá haber un segundo juicio. Pues bien, como esto último es rigurosamente excepcional, según hemos visto, lo que resultará en la generalidad de los casos es que la interpretación del Derecho estatal quedará en las manos de los diecisiete Tribunales Superiores de Justicia con el consiguiente riesgo de que, al cabo de un tiempo, una misma norma estatal tenga cinco, diez, doce o diecisiete interpretaciones distintas, esto es, que se convierta en cinco, diez, doce o diecisiete normas diferentes. Este es realmente un riesgo muy grave, que difícilmente podrá controlar la Sala 3ª del Tribunal Supremo, a menos que aplique sistemáticamente la clausula del "interés casacional objetivo" siempre que aprecie la existencia de alguna discrepancia entre su propia interpretación y la de cualesquiera de las distintas Salas territoriales de lo Contencioso- Administrativo.

No estoy en contra de la nueva regulación, entiéndase bien. Simplemente la considero exagerada, poco prudente. Creo que el año de vacatio legis que el Legislador ha acordado en este caso podía haberse empleado con más fruto si ese tiempo se hubiese dedicado a abrir un gran debate general sobre la masificación de la justicia administrativa y sus posibles soluciones, porque éste es un problema muy complejo y los problemas de este tipo requieren soluciones también complejas, que operen en el conjunto del sistema y no soluciones drásticas pero unidireccionales, como ésta.

Esa larga *vacatio legis* tampoco se ha aprovechado para reflexionar colectivamente sobre los pros y los contras de la reforma y sobre los problemas de todo orden que ésta puede plantear, porque ha transcurrido más bien en silencio, salvedad hecha de algunos estudios aislados. Sí lo ha aprovechado y muy bien además Miguel Ángel RUIZ LOPEZ, que se ha esforzado en este tiempo para que podamos disponer el mismo día de la entrada en vigor de la nueva regulación de un estudio de la misma serio y sereno, como lo es él mismo, de una guía enteramente fiable, porque su autor, que es hombre tan competente como modesto, sabe de lo que habla, ya que conoce desde dentro la Sala 3ª del Tribunal Supremo en la que trabaja como Letrado hace ya unos cuantos años.

Su libro no será de esos que se cubren de polvo en las estanterías de una biblioteca, porque su destino es el de permanecer encima de la mesa de trabajo al menos hasta que unos y otros, es decir, jueces y abogados, empecemos a sentirnos mínimamente cómodos en el nuevo escenario. Miguel Ángel RUIZ LÓPEZ va a ser, pues, nuestro compañero durante bastante tiempo. Debemos, pues, darle las gracias por su ayuda, como yo no dudo desde ahora en hacerlo.

Carriazo, 16 de Julio de 2016

Tomás-Ramón FERNÁNDEZ

Presentación

La idea de elaborar este libro se remonta a mis primeros años de servicio, en calidad de Letrado, en la Sala Tercera del Tribunal Supremo. La aplicación de los casuísticos criterios de inadmisión del recurso en múltiples materias, su evolución en el tiempo y el valioso intercambio de conocimientos en distintos foros universitarios y de la abogacía, hacían necesario sistematizar adecuadamente, en algún momento, todo ese caudal de enseñanzas para desentrañar públicamente el arcano en que ha acabado convirtiéndose la casación contencioso-administrativa.

La última reforma de la Ley de la Jurisdicción Contencioso-Administrativa, la enésima desde 1998, pero la más importante sin duda en lo que concierne al recurso de casación, exigía analizar esta regulación con todo detalle, prestando una especial atención a las resoluciones recurribles, la fundamentación jurídica del recurso, el instrumento del «interés casacional objetivo» para la formación de la jurisprudencia y las distintas fases que estructuran el procedimiento del recurso.

Este trabajo de investigación es al mismo tiempo un estudio de carácter teórico y práctico dirigido a los profesionales del Derecho (profesores, abogados, jueces y funcionarios de las distintas Administraciones, incluyendo la de Justicia). En él se condensan las aportaciones doctrinales más relevantes sobre la casación contencioso-administrativa, un análisis detallado de la Ley de la Jurisdicción -modificada por la Ley Orgánica 7/2015, de 21 de julio- y los pronunciamientos jurisprudenciales más destacados de los últimos años sobre el régimen jurídico de la casación en ese orden jurisdiccional.

No siempre la bibliografía sobre la materia permite conjugar las distintas perspectivas de análisis. Es común encontrar transcripciones literales de sentencias y autos desperdigados, desligados de los hechos, que, en vez de glosar la exposición ordenada y razonada de una institución jurídica o de una doctrina, convergen sin mucho sentido obligando al lector a indagar sobre su finalidad y alcance práctico.

El propósito de este libro es ofrecer una explicación de conjunto sobre el régimen jurídico del recurso de casación contencioso-administrativo. Son varias las novedades de gran alcance y muchas las de detalle; demasiados los conceptos jurídicos indeterminados recogidos en un puñado de artículos –empezando por el del interés casacional–, y no pocas las contradicciones, lagunas y otras tantas dificultades de interpretación que presenta el texto. Todas requieren la máxima atención y merecen aquí algunas reflexiones.

La profunda reforma de la casación contencioso-administrativa supondrá, sin lugar a dudas, un importante esfuerzo para la Sala Tercera y un reto de primer orden para todos cuantos se enfrenten a ella.

Paradójicamente, la apertura del ámbito objetivo de la casación que comporta la reforma procesal se verá condicionada doblemente y reducida a su mínima expresión mediante los exigentes requisitos procesales y las causas específicas expresivas del interés casacional. Conviene, desde ahora, conocer unos y otras desde un enfoque sistemático que permita su comprensión e interrelación por los operadores jurídicos, aunque es evidente que con el transcurso del tiempo se irán asentando los criterios de interpretación de los múltiples recovecos que presentan los preceptos de la Ley jurisdiccional.

Estas han sido las motivaciones de este trabajo y la preocupación que ha inspirado su elaboración. Ojalá estas páginas resulten útiles a quienes se aproximen a la casación y permitan contribuir al esclarecimiento de un recurso cuya cabal comprensión sigue estando al alcance de muy pocos.

Madrid, junio de 2016.

Abreviaturas

ATS/AATS	Auto(s) del Tribunal Supremo
BOCG	Boletín Oficial de las Cortes Generales
CC	Código Civil, aprobado por Real Decreto de 24 de julio de 1889
CE	Constitución española, aprobada el 27 de diciembre de 1978
LEC	Ley 1/2000, de 7 de enero, de Enjuiciamiento Civil
LOPJ	Ley Orgánica 6/1985, de 1 de julio, del Poder Judicial
LOREG	Ley Orgánica 5/1985, de 19 de junio, de Régimen Electoral General
LJCA	Ley 29/1998, de 13 de julio, Reguladora de la Jurisdicción Contencioso-Administrativa
LOTC	Ley Orgánica 2/1979, de 3 de octubre, del Tribunal Constitucional
RAP	Revista de Administración Pública
RC/RRCC	Recurso(s) de casación
RCA	Recurso contencioso-administrativo
RCIL	Recurso de casación en interés de la ley
RQ	Recurso de queja
REDA	Revista Española de Derecho Administrativo
STC/SSTC	Sentencia(s) del Tribunal Constitucional
STS/SSTS	Sentencia(s) del Tribunal Supremo

Parte Primera

Origen y evolución histórica del recurso de casación contencioso-administrativo

Capítulo I
Origen y evolución histórica

1. ANTECEDENTES DEL RECURSO DE CASACIÓN EN EL DERECHO FRANCÉS Y SU IMPRONTA EN EL DERECHO ESPAÑOL

La unidad y la igualdad en la aplicación del Derecho frente a la fragmentación del poder normativo y de los ordenamientos del sistema preconstitucional fue una de las grandes aportaciones de la etapa revolucionaria[1]. La unidad del poder judicial tuvo su mejor aliado, después de la Revolución Francesa, en el *Tribunal de cassation*, creado por la Ley de 27 de noviembre –1 de diciembre de 1790, que suele considerarse como la verdadera acta fundacional del recurso de casación en el Derecho francés[2]. En una interpretación estricta del principio de división

---

[1] *Vid.* GARCÍA DE ENTERRÍA, E. y FERNÁNDEZ RODRÍGUEZ, T. R.: *Curso de Derecho Administrativo*, vol. II, Civitas Thomson Reuters, Madrid, 14ª ed., 2015, págs. 566-568; FERNÁNDEZ TORRES, J. R.: *La formación histórica de la jurisdicción contencioso-administrativa (1845-1868)*, Civitas, Madrid, 1998, e *Historia legal de la jurisdicción contencioso-administrativa (1845-1998)*, Iustel, Madrid, 2007, y MUÑOZ MACHADO, S.: *Tratado de Derecho Administrativo y Derecho Público General*, vol. II, BOE, Madrid, 1ª ed., 2015, págs. 164-165. Asimismo son obras destacadas los libros de GARCÍA DE ENTERRÍA, E.: *Revolución Francesa y Administración contemporánea*, Thomson-Civitas, Madrid, 4ª ed., 1994, y *La lengua de los derechos. La formación del Derecho Público europeo tras la Revolución Francesa*, Civitas, Madrid, 3ª ed., 2009, así como el ensayo de SANDEVOIR, P.: «Études sur le recours de pleine juridiction: l'apport de l'histoire a la théorie de la justice administrative», Librairie Générale de Droit et de Jurisprudence, 1964.

[2] Sobre el origen y evolución del recurso de casación en Francia pueden consultarse los trabajos de MONTOYA MARTÍN, E.: *El recurso de casación contencioso-administrativo: en especial las causas de inadmisibilidad*, McGraw-Hill, Madrid, 1997, págs. 2 y ss., y, en especial, la obra de IGLESIAS CANLE, I. C.: *El recurso de casación contencioso-administrativo*, Tirant lo Blanch, Valencia, 2000, págs. 43 y ss. Era ajena a la institución casacional en sus orígenes la función uniformadora e integradora, característica de la jurisprudencia. El Tribunal de Casación francés no atendía al derecho de los litigantes (*ius litigatoris*) ni examinaba el fondo del asunto, sino que mediante un complejo mecanismo de

de poderes[3], dicho Tribunal obedecía inicialmente a la finalidad de garantizar la primacía de la ley (*ius constitutionis*) frente al poder creador de las resoluciones judiciales arbitrarias o frente la pura y simple inobservancia de la ley, confiriendo así al recurso de casación primigenio un destacado matiz político. La evolución posterior convierte a la ya por entonces *Cour de cassation* en un órgano de control jurisdiccional positivo, que no sólo cumple la función de defender la ley sino que añade la de uniformar la interpretación jurisprudencial[4].

En España, el origen del recurso de casación está ligado al nacimiento del Tribunal Supremo en 1812, precisamente creado con el nombre de «Supremo Tribunal de Justicia» (artículo 259)[5], que contempla el denominado recurso de nulidad «contra las sentencias dadas en última instancia para el preciso efecto de reponer el proceso devolviéndolo» (artículo 261.9º). Más que de una casación en sentido propio, el recurso de nulidad se caracterizaba por ser un recurso jurisdiccional por vicios procesales. Por Real Decreto de 26 de septiembre de 1835 se aprobó el Reglamento provisional para la administración de justicia en lo respectivo a la real jurisdicción ordinaria, que entre las atribuciones del Supremo Tribunal de España e Indias incluía el conocimiento de «los recursos de nulidad, que según lo que establezcan las leyes se interpusieren de las sentencias ejecutorias dadas por las Audiencias» (artículo 90.5ª); recursos que según el Decreto de 4 de noviembre de 1838 habían de basarse en una «infracción clara y terminante» de la ley (artículo 3º)[6]. Apreciada la nulidad, el proceso

---

reenvío confiaba al Tribunal de instancia (*a quo*) la adopción de una nueva resolución, susceptible a su vez de una nueva casación y un posible reenvío. En caso de persistir en la contravención de la ley el Tribunal de instancia, se reservaba al poder legislativo el dictado de un *référé obligatoire* al objeto de sentar, con carácter vinculante, la interpretación correcta de la ley.

3   *Vid.* BOUAZZA ARIÑO, O.: *El recurso de casación contencioso-administrativo común*, Thomson Reuters Civitas, Madrid, 2013, págs. 21-24.

4   *Vid.* HINOJOSA MARTÍNEZ, E.: *El nuevo recurso de casación contencioso-administrativo*, Bosch, Barcelona, 2016, pág. 34, y MARTI DEL MORAL, A. J.: *El recurso de casación contencioso-administrativo. Estudio jurisprudencial de los motivos de casación*, McGraw Hill, Madrid, 1997, págs. 2-3.

5   *Vid.* MARTÍNEZ ALCUBILLA, M.: *Diccionario de la Administración española*, Madrid, 5ª ed., 1894, tomo IX, voz «Tribunal Supremo», págs. 928-931.

6   En este punto es de interés la lectura del «Comentario al decreto de 4 de noviembre de 1838, sobre recursos de nulidad», de Joaquín Francisco PACHECO,

se devolvía a la Audiencia respectiva, pero a diferencia del *référé* francés no existía un conflicto entre el juez y el legislador, sino una simple depuración de una decisión viciada[7].

La denominación de casación en el recurso aparece por vez primera en los procesos penales. En concreto, en los artículos 96 y ss. del Real Decreto de 20 de junio de 1852, sobre jurisdicción de Hacienda y represión de los delitos de contrabando y defraudación. Posteriormente, la Real Cédula de 30 de enero de 1855, sobre organización y competencia de los Juzgados y Tribunales de la isla de Cuba, introdujo el recurso de casación «por violación de ley expresa y vigente de Indias, o de una doctrina legal recibida a falta de ley por la jurisprudencia de los Tribunales relativa al fondo o sustancia de la cuestión resuelta por el fallo que se pretenda anular» (artículo 194). Poco después se aprobó la Ley de Enjuiciamiento Civil de 5 de octubre de 1855, que configura el recurso de casación civil por infracción de ley o de doctrina admitida por la jurisprudencia de los Tribunales, así como de las infracciones procesales, manteniendo las sucesivas leyes procesales civiles, hasta la actualidad, la exclusión de los hechos del ámbito del recurso en que se hubiese fundado el juzgador *a quo*.

La evolución posterior del recurso de casación en los órdenes jurisdiccionales civil y penal no se compadece, sin embargo, con los perfiles que son propios y característicos del recurso de casación contencioso-administrativo –y de la razón de ser del sometimiento de la Administración al Derecho en su más amplio sentido–, no obstante algunas semejanzas de base con la casación civil[8] –que se ha tomado como modelo–, y del carácter supletorio de la Ley de Enjuiciamiento

---

Madrid, Ramón Rodríguez de Rivera, 1847, disponible en la biblioteca virtual de Andalucía.

[7]   *Vid.* FAIRÉN GUILLÉN, V.: «Sobre la recepción en España del recurso de casación francés», *Anuario de Derecho Civil*, julio-septiembre, tomo X, 1957, pág. 685.

[8]   Es ilustrativo el examen de las analogías y diferencias entre el recurso de casación civil y el contencioso-administrativo efectuado por IGLESIAS CANLE (2000: 139 y ss.). Puede verse asimismo el trabajo de TOVAR MORAIS, A.: *El recurso de casación civil y el contencioso-administrativo*, Aranzadi, Pamplona, 1993, y MARTI DEL MORAL (1997: 2 y ss.). Entre las innumerables obras dedicadas al recurso de casación civil ocupa un destacado lugar CALAMANDREI, P.: *La cassazione civile*, Storia e legislazione, vol. I, Turín, 1920, también publicado en Argentina: *La casación civil*, 3 vols., Buenos Aires, 1945.

Civil que aún en la actualidad se sigue predicando del mismo. A esta cuestión habrá de dedicarse el siguiente apartado.

2. LA INTRODUCCIÓN DEL RECURSO DE CASACIÓN EN EL ORDEN JURISDICCIONAL CONTENCIOSO-ADMINISTRATIVO Y LA POSICIÓN DEL TRIBUNAL SUPREMO EN EL ORDENAMIENTO CONSTITUCIONAL DEL ESTADO

El recurso de casación tiene su origen en las jurisdicciones civil y penal, donde experimenta una dilatada evolución. Como se ha visto, el recurso de casación es un instrumento de control político, obra de los revolucionarios franceses, al servicio de la división de poderes y de la primacía de la ley, que pretende garantizar su efectivo cumplimiento por parte del Poder judicial. Eso explica que la casación se establezca inicialmente en aquellas jurisdicciones y no en la contencioso-administrativa, donde la admisión de un recurso de tal naturaleza fue tardía. El carácter retenido de esa jurisdicción explica que la casación fuese perfectamente prescindible; mas cuando la jurisdicción contencioso-administrativa se torna delegada, el recurso hará su aparición[9].

La primera previsión legal, tanto en Francia como en España, concebía el recurso de casación contencioso-administrativo como un medio de revisión de las sentencias del Tribunal de Cuentas que incurriesen en una infracción de las formas o de la ley, en materia de enjuiciamiento contable, por motivos tasados[10]. A partir de ahí lo cierto

---

[9]   *Vid.* COSCULLUELA MONTANER, L.: «El recurso en interés de ley», *RAP* nº 100-102, vol. II, 1983, pág. 1.242. Específicamente hizo su aparición en Francia el recurso de casación en interés de ley, reconocido en el artículo 44 de la Ley de 3 de marzo de 1849, que extendía la institución a las decisiones dictadas por la Sección del Contencioso-Administrativo del Consejo de Estado. Contra lo que pueda pensarse, entre ese recurso y la casación ordinaria o común existen paralelismos, como es el caso de los motivos de anulación basados en la violación de las formas o de la ley y en la incompetencia, como señala IGLESIAS CANLE (2000: 74-76).

[10]   Sobre el detalle del sistema de recursos contra las decisiones del Tribunal de Cuentas, de conformidad con la Ley de 25 de agosto de 1851, *vid.* IGLESIAS CANLE (2000: 76-81).

es que siguen caminos separados, puesto que en Francia el recurso consigue adquirir un sesgo propio que lo separa de la casación civil, mientras que en España aquella coincidencia de partida pronto se desdibuja y hay que esperar hasta el último tercio del siglo XX para una más depurada construcción de este medio impugnatorio.

No obstante, la Ley de 13 de septiembre de 1888, conocida como la Ley de Santamaría de Paredes, contenía en su artículo 79, apartados 1° y 2°, un recurso de revisión que incluía entre sus motivos algunos típicamente casacionales, como la incongruencia interna y omisiva y la contradicción con otras resoluciones respecto a los mismos litigantes «acerca del propio objeto y en fuerza de idénticos fundamentos»[11]. Otro tanto puede decirse de la benemérita Ley de 27 de diciembre de 1956, reguladora de la jurisdicción contencioso-administrativa, que contiene una regulación del recurso de apelación, en su modalidad extraordinaria o en interés de la ley[12], y un recurso de revisión[13] que constituyen un antecedente de la institución de la casación en esa jurisdicción.

Con todo, es lo cierto que el recurso de casación contencioso-administrativo surge con ocasión del despliegue del ordenamiento procesal a partir de la Constitución española de 1978, que se separa de las soluciones adoptadas en lo referido a la organización del poder judicial por la Constitución de 1931, cuyo artículo 14, párrafo 11,

---

[11]   *Vid.* a este respecto GONZÁLEZ PÉREZ, J.: «El recurso de revisión contencioso-administrativo», *RAP* n° 13 (1954), págs. 123 y ss.

[12]   Este recurso fue introducido en el orden jurisdiccional contencioso-administrativo por el Decreto-ley de 8 de mayo de 1931 y recogido en la Ley de 18 de marzo de 1944 y en el texto refundido de 8 de febrero de 1952, siempre con una finalidad análoga a la casación civil consistente en la fijación de doctrina legal, sin afectar a la situación jurídica individual controvertida. A este respecto pueden verse los trabajos de COSCULLUELA (1983: 1.244 y ss.) e IGLESIAS CANLE (2000: 85 y ss.).

[13]   Como señala GONZÁLEZ RIVAS, J. J.: *El recurso de casación en la jurisdicción contencioso-administrativa*, Aranzadi, Pamplona, 1996, pág. 53, la modificación operada en el artículo 102.1.b) por la Ley 10/1973, de 17 de marzo, extendió su ámbito de aplicación desde la identidad de actos impugnados, con el que se venía identificando el objeto del proceso, a supuestos sustancialmente iguales, en lo que constituye «la función típica del Tribunal Supremo en la fijación de la uniformidad de la aplicación de la ley». En este sentido, *vid.* HINOJOSA (2016: 42).

atribuía al Estado las competencias legislativas y ejecutivas en relación con la «jurisdicción del Tribunal Supremo, salvo las atribuciones que se reconozcan a los Poderes regionales». El Estatuto catalán de 1932 situó entonces en la cúspide de la organización judicial regional el Tribunal de Casación de Cataluña, con «jurisdicción propia sobre las materias civiles y administrativas cuya legislación exclusiva esté atribuida a la Generalidad», siendo traspasada a dicho Tribunal «la jurisdicción actual del Tribunal Supremo en materia civil y administrativa» por Decreto de 24 de octubre de 1933. Una solución prácticamente idéntica adoptó el Estatuto vasco de 1936[14].

Nada de esto puede convenirse en relación con la Constitución vigente, que lejos de configurar un poder judicial propio de las regiones, consagra el principio de unidad jurisdiccional en diversos preceptos diseminados por el Título VI (artículo 117.1, «la justicia emana del pueblo», que conforme al artículo 1.2 es titular de la soberanía; artículo 117.5, «el principio de unidad jurisdiccional es la base de la organización y funcionamiento de los Tribunales»; artículo 122.1, que establece que la Ley Orgánica del Poder Judicial «determinará la constitución, funcionamiento y gobierno de los Juzgados y Tribunales» y que los jueces y magistrados de carrera «formarán un Cuerpo único»; artículo 122.2, «el Consejo General del Poder Judicial es el órgano de gobierno del mismo»; artículo 123.1, el Tribunal Supremo, con jurisdicción en toda España, «es el órgano jurisdiccional superior en todos los órdenes, salvo lo dispuesto en materia de garantías constitucionales», quedando consagrada la garantía institucional del Tribunal Supremo), y ya fuera de ese Título el artículo 149.1.5ª atribuye al Estado competencias plenas en materia de «Administración de Justicia», y, finalmente, el artículo 152.1 insiste en la unidad e independencia del poder judicial y señala 1°) que los Tribunales Superiores de Justicia culminarán la organización judicial en el ámbito territorial de la Comunidad Autónoma, pero con una expresa salvedad («sin perjuicio de la jurisdicción que corresponde al Tribunal Supremo»), y 2°) que «las sucesivas instancias procesales, en su caso, se agotarán ante órganos judiciales radicados en el mismo territorio

---

14   *Vid.* MUÑOZ MACHADO, S.: *Derecho Público de las Comunidades Autónomas*, vol. II, Iustel, Madrid, 2ª ed., 2007, págs. 34-35.

de la Comunidad Autónoma», pero con la cautela «sin perjuicio de lo dispuesto en el artículo 123». También el Tribunal Constitucional ha confirmado este planteamiento cuando afirma que «la relación con la Comunidad Autónoma no es una relación orgánica, sino una relación territorial que deriva del lugar de su sede, y que las competencias de los órganos jurisdiccionales continúan siendo competencias del Poder Judicial único existente en el Estado» (STC 25/1981, de 14 de julio).

Pese a la clara dicción literal de todos estos preceptos y la interpretación que de los mismos efectuó tempranamente el Tribunal Constitucional, es sabido que los primeros Estatutos de Autonomía se adelantaron a la Ley Orgánica del Poder Judicial dotándose de un Tribunal Superior de Justicia e incluso atribuyéndole competencias, en lo que el Tribunal Constitucional calificó de «cláusulas subrogatorias» conformes a la Constitución, a partir del artificio de separar del núcleo de la Administración de Justicia la denominada «administración de la Administración de Justicia» (SSTC 56/1990, 62/1990, 105/2000 y 253/2005, entre otras). Asimismo, hace años que distintas iniciativas legislativas han venido promoviendo la creación de un poder judicial autonómico. Dicho así puede resultar exagerado y simplista, pero un repaso de los trabajos parlamentarios coetáneos al último proceso de reforma estatutaria permite constatar un interés permanente en reforzar el componente autonomista en el poder judicial, o, lisa y llanamente, integrar el poder judicial en la organización territorial del Estado. Es sumamente reveladora, en esta línea, la exposición de motivos del caducado Proyecto de Ley Orgánica por el que se adapta la legislación procesal a la Ley Orgánica 6/1985, de 1 de julio, del Poder Judicial, se reforma el recurso de casación y se generaliza la doble instancia penal[15], que con el pretexto (tan recurrente) de «agilizar la respuesta del Tribunal Supremo a las demandas de los ciudadanos» explica que la reforma pretende acentuar «la incidencia que sobre el poder judicial tiene la organización territorial del Estado» y que, a tal fin,

«la modificación de las atribuciones de los Tribunales Superiores de Justicia pretende convertir a estos órganos, como impone el artículo 152.1 de la CE, en la culminación de la organización

---

15   BOCG (Congreso de los Diputados), núm. A-69-1, de 27 de enero de 2006.

judicial en el ámbito territorial de la Comunidad Autónoma. Debe tenerse en cuenta que las consecuencias del modelo territorial de descentralización política previsto en la Constitución se proyectan sobre la organización judicial de la mano precisamente de los Tribunales Superiores de Justicia, al introducir en la organización de la Comunidad Autónomas a un órgano judicial que ostenta el grado máximo, en el que culmina la organización judicial, y en el que se agotarán las "sucesivas instancias judiciales", ex artículo 152.1, párrafo primero, de la CE».

La finalidad de esta reforma no era otra que limitar la competencia del Tribunal Supremo a la unificación de doctrina, eliminando el recurso de casación común contra las resoluciones dictadas en única instancia por las Salas de lo Contencioso-Administrativo de los Tribunales Superiores de Justicia, con el correlativo refuerzo de la posición de estos últimos, ya que la interpretación del Derecho estatal –y, por descontado, autonómico– contenida en las resoluciones de las Salas de lo Contencioso-Administrativo de los Tribunales Superiores de Justicia, no susceptibles ya de recurso, pasaría a tener carácter firme[16].

El problema se planteó después mediante la técnica de organizar estatutariamente las competencias del Tribunal Supremo en relación con el Estatuto de Autonomía de Cataluña (aprobado por la Ley Orgánica 6/2006, de 19 de julio), que en su nuevo artículo 95.2 parece querer limitar la competencia del Tribunal Supremo a la unificación de doctrina en los siguientes términos:

«El Tribunal Superior de Justicia de Cataluña es la última instancia jurisdiccional de todos los procesos iniciados en Cataluña, así como de todos los recursos que se tramiten en su ámbito territorial, sea cual fuere el derecho invocado como aplicable, de acuerdo con la Ley Orgánica del Poder Judicial y sin perjuicio de la competencia reservada al Tribunal Supremo para la unificación

---

[16]   Este Proyecto de Ley fue comentado por GÓMEZ-FERRER RINCÓN, R.: «Recurso de casación y unidad del ordenamiento jurídico», *RAP* nº 174 (2007), págs. 599 y ss. Este autor señala en la nota al pie nº 2 que esta iniciativa legislativa fue esencialmente la propuesta realizada por F. LEDESMA BARTRET en su trabajo «Tribunal Supremo y jurisdicción contencioso-administrativa», en *Diagnosis de la jurisdicción contencioso-administrativa. Perspectivas de futuro*, Cuadernos de Derecho Judicial, Consejo General del Poder Judicial, 2006.

de doctrina. La Ley Orgánica del Poder Judicial determinará el alcance y contenido de los indicados recursos»[17].

El precepto en cuestión suscitaba serias dudas desde la perspectiva constitucional, ya que ni la Constitución exige que el legislador *acentúe* la incidencia de la organización territorial del Estado sobre el poder judicial, ni es posible que los Estatutos de Autonomía vinculen o condicionen al legislador estatal, toda vez que le incumbe la determinación de las competencias del Tribunal Supremo[18]. Frente a la alegación contenida en el recurso de inconstitucionalidad promovido contra el Estatuto catalán, en el sentido de que su artículo 95.2 lleva a cabo un indebido desarrollo del artículo 152.2 de la Constitución al determinar directamente las competencias del Tribunal Superior de Justicia, infringiendo por ello los artículos 122 y 149.1.5ª y 6ª de la CE, y que es además contrario al artículo 123 de la CE, en la medida en que contrae la competencia del Tribunal Supremo a la unificación de doctrina, la STC 31/2010, de 28 de junio, en una de

---

[17]   Se expresa en similares términos el artículo 140.2 de la Ley Orgánica 2/2007, de 19 de marzo, de reforma del Estatuto de Autonomía para Andalucía, si bien matiza la redacción del Estatuto catalán con el inciso menos comprometedor «sin perjuicio de la competencia reservada al Tribunal Supremo».

[18]   *Vid.* GÓMEZ-FERRER MORANT, R.: «Los principios de unidad y autonomía en la Constitución de 1978: Problemas actuales», en J. M. Jover Zamora (dir.): *La Historia de España de Menéndez Pidal. XLIII. La España de las Autonomías*, Espasa Calpe, Madrid, 2007, págs. 58 y 59, donde señala que «los Estatutos de Autonomía no pueden condicionar ni vincular en modo alguno al Estado en orden al ejercicio de las competencias que le reserva la Constitución, y, en concreto, de las que reserva a la regulación por ley orgánica, no estatutaria, de la competencia exclusiva del Estado. Ello es también obvio desde una perspectiva principialista. Cuando el Estado dicta leyes orgánicas de su competencia exclusiva, tales leyes son plasmación del principio de unidad y del interés general de la Nación; y cuando el Estado aprueba por ley orgánica un Estatuto de Autonomía está valorando la corrección del ejercicio a la autonomía de carácter limitado, que adquiere su sentido dentro del principio de unidad de la Nación, de conformidad con la Constitución. Esta precisión es importante, porque la fuerza expansiva del principio de autonomía puede llevar a intentar indebidamente a que el Estado quede comprometido, al aprobar los Estatutos, a modificar determinadas leyes orgánicas de su exclusiva competencia en virtud del contenido de los propios Estatutos». Por lo que se refiere a los límites a los mandatos al legislador, contenidos en los Estatutos, *vid.* MUÑOZ MACHADO, S.: *Tratado de Derecho Administrativo y Derecho Público General*, vol. VI, BOE, Madrid, 1ª ed., 2015, págs. 176 y ss.

las múltiples interpretaciones conformes a la Constitución contenidas en sus fundamentos jurídicos, considera que el artículo 95.2 no
atribuye al Tribunal Superior de Justicia el conocimiento de todos
los posibles recursos tramitados en su territorio, ni hace de ella la
última instancia de todos los procesos en todo caso[19], sino que tan
sólo le reconoce –dada su posición como órgano jurisdiccional con
el que culmina la organización judicial del Estado en Cataluña– la
condición de última instancia posible a los fines de cumplir con el
mandato constitucional de que las sucesivas instancias procesales
se agoten ante órganos judiciales radicados en Cataluña (artículo
152.1 de la CE), «sin excluir con ello que, en su caso, ese agota-
miento pueda realizarse en órganos judiciales inferiores del mismo
territorio, lo que siempre corresponderá determinar a la Ley Orgánica del Poder Judicial, norma que el mismo art. 95.2 EAC asume
como la competente para determinar "el alcance y contenido de los
indicados recursos"».

3. EL RECURSO DE CASACIÓN CONTENCIOSO-ADMINISTRATIVO EN EL SISTEMA PROCESAL POSTERIOR A LA CONSTITUCIÓN DE 1978

El estudio del sistema procesal en vigor ha de partir necesariamente del marco constitucional en lo relativo al control jurisdiccional de
la actividad administrativa y del ejercicio de la potestad reglamentaria
(artículo 106.1); la consagración del Tribunal Supremo como órgano jurisdiccional superior en todos los órdenes, salvo lo dispuesto en
materia de garantías constitucionales (artículo 123.1); la articulación
de sus relaciones con los Tribunales Superiores de Justicia de la Comunidad Autónoma respectiva (artículo 152.1), y el control de la administración autónoma y sus normas reglamentarias, que se atribuye

---

[19]   En este punto puede afirmarse que los Tribunales Superiores de Justicia no son
       necesariamente los supremos intérpretes del Derecho autonómico respectivo,
       pues no hay que olvidar el papel constitucional del Tribunal Supremo como
       garantía de la unidad jurisdiccional. *Vid.* ALONSO MAS, Mª J.: «El acceso al
       recurso de casación en el orden contencioso-administrativo: una oportunidad
       perdida», *RAP* nº 197 (2015), págs. 144-145, y GÓMEZ-FERRER RINCÓN
       (2007: 624 y ss.).

explícitamente a la jurisdicción contencioso-administrativa [artículo 153.c)].

Estas previsiones constitucionales son desarrolladas en la Ley Orgánica 6/1985, de 1 de julio, del Poder Judicial, que reordena los órganos de la jurisdicción contencioso-administrativa y sus competencias objetivas, incidiendo en la ordenación del sistema de recursos contemplado en la Ley de 1956 mediante la configuración de un sistema de doble instancia ante los Tribunales Superiores de Justicia, por una parte, y mediante un sistema de instancia única para todas aquellas materias no comprendidas en el supuesto anterior o excluidas del recurso de apelación ante los Tribunales Superiores de Justicia, por otra. Es en este contexto en el que hace su aparición el recurso de casación contencioso-administrativo. Así, los apartados 2, 3 y 4 del artículo 58 atribuyen al conocimiento de la Sala de lo Contencioso-Administrativo del Tribunal Supremo el conocimiento de los recursos de casación que se interpongan contra las sentencias dictadas por la Sala de lo Contencioso-Administrativo de la Audiencia Nacional[20], de los recursos de casación que establezca la ley contra las sentencias dictadas en única instancia por las Salas de lo Contencioso-Administrativo de los Tribunales Superiores de Justicia en recursos contra actos y disposiciones procedentes de órganos de la Administración del Estado, y de los recursos de casación que establezca la ley contra las sentencias dictadas en única instancia por esas mismas Salas en relación con los actos y disposiciones de las Comunidades Autónomas, siempre que el recurso se funde en infracción de normas no emanadas de los órganos específicos de aquellas[21].

---

[20] Creada por el Real Decreto-ley 1/1977, de 4 de enero, con la finalidad de aliviar las competencias del Tribunal Supremo como órgano jurisdiccional de primera instancia, declara su exposición de motivos que el Tribunal Supremo «sigue manteniendo una excesiva competencia en única instancia que entorpece su regular funcionamiento, dificulta la fijación de una doctrina orientadora, a pesar del encomiable esfuerzo de sus Magistrados, y da respuesta tardía, en muchos casos, a la demanda de justicia, con quebranto de los intereses en litigio y en perjuicio también de una buena Administración, necesitada de que el pronunciamiento judicial sea próximo a la disposición o acto impugnado».

[21] Este precepto fue impugnado por las Comunidades Autónomas de Cataluña y el País Vasco, dando lugar a la STC 56/1990, de 29 de marzo. Reprochaban que la LOPJ utilizara como criterio para la intervención del Tribunal Supremo el de la procedencia de la norma y no el de la materia en cuestión. El Tribunal Cons-

En virtud de este precepto, la Sala de lo Contencioso-Administrativo del Tribunal Supremo se convierte en un tribunal de casación con la función específica de uniformar la aplicación e interpretación del Derecho que realizan los órganos de instancia, aunque junto con dicha función mantiene una competencia como órgano jurisdiccional de única instancia en relación con los actos y disposiciones de las más altas instancias del Estado, tales como los órganos colegiados del Gobierno y el Consejo General del Poder Judicial, así como los recursos contra las resoluciones del Tribunal de Cuentas[22].

---

titucional salió al paso de tales alegaciones justificando el criterio seguido por la LOPJ «en cuanto la intervención del Tribunal Supremo mediante el recurso de casación cuando se funda en infracción de normas estatales supone que se elaborará una interpretación y jurisprudencia unitaria sobre tales normas en todo el territorio nacional, por un órgano judicial de ese alcance. A lo que ha de añadirse que el precepto orgánico viene de hecho a interpretar extensivamente las disposiciones estatutarias, al excluir de la casación ante el Tribunal Supremo las Sentencias de los Tribunales Superiores de Justicia en relación con actos y disposiciones de las Comunidades que se funden en infracción de normas emanadas de órganos de aquéllas, no sólo en materias en que les corresponde la legislación exclusiva sino también en las que son de competencia compartida o concurrente. Por otra parte, resulta irrelevante el argumento referido a la eventualidad de que la Comunidad no haya desarrollado normativamente la materia cuya competencia tiene atribuida, si se considera que en tal caso la aplicación de la norma estatal resulta de la propia cláusula de supletoriedad del artículo 149.3 C.E., sin que por ello el derecho estatal deje de serlo para convertirse en norma de la Comunidad Autónoma, sino que conserva su propio carácter y le sigue siendo predicable la necesidad de uniformidad en la interpretación a que responde la doctrina elaborada en casación.

Finalmente, el precepto de la Ley Orgánica impugnado no establece el régimen del recurso de casación en el orden contencioso-administrativo, limitándose únicamente a determinar la competencia para resolverlo y remitiéndose en lo demás a lo que la ley establezca, por lo que no puede apreciarse en dicha norma la desnaturalización del recurso a que alude el Consejo Ejecutivo de la Generalidad de Cataluña».

22 El artículo 58.1 de la LOPJ le atribuye el conocimiento, «en única instancia, de los recursos que se promuevan contra actos y disposiciones emanadas del Consejo de Ministros, o de sus Comisiones Delegadas del Gobierno de los recursos contra los actos y disposiciones procedentes del Consejo General del Poder Judicial y contra los actos y disposiciones de los órganos competentes del Congreso de los Diputados y del Senado, del Tribunal Constitucional, del Tribunal de Cuentas y del Defensor del Pueblo en materia de personal y actos de administración». A decir de IGLESIAS CANLE (2000: 91), con esta regulación se corría el riesgo de lastrar al Tribunal Supremo apartándolo de su función específica de

En cualquier caso, el recurso de casación no se puso en marcha inmediatamente. La ordenación establecida quedó diferida a la aprobación de la Ley de Planta, en virtud de la disposición transitoria 34ª de la LOPJ, manteniéndose mientras tanto la organización y el sistema de competencias objetivas existente. También era precisa una Ley jurisdiccional que determinara la modalidad o modalidades del recurso de casación, los motivos, el procedimiento, los efectos de la sentencia, etc. En este sentido, la puesta en marcha de la casación contencioso-administrativa quedó condicionada a la aprobación de la Ley de Planta y de una nueva Ley de esa Jurisdicción. La disposición adicional primera de la LOPJ fijó el plazo de un año para que el Gobierno remitiera a las Cortes Generales sendos proyectos de ley. Pero este plazo no se cumplió, aprobándose posteriormente la Ley 38/1988, de 28 de diciembre, de Demarcación y Planta Judicial, que no contempló específicamente un proceso para la casación contencioso-administrativa[23].

Por su parte, la regulación del recurso de casación contencioso-administrativo fue introducida finalmente en virtud de la Ley 10/1992, de 30 de abril, de Medidas Urgentes de Reforma Procesal, que, entre otros aspectos, modifica los artículos 93 a 102 de la Ley de la Jurisdicción Contencioso-Administrativa de 1956. Se declararon derogadas las normas reguladoras del recurso de apelación en ese orden jurisdic-

---

aplicación e interpretación del Derecho. Es lo cierto, sin embargo, que resulta coherente que el Tribunal Supremo mantenga el control jurisdiccional de los actos y disposiciones de esas altas instituciones del Estado, en correspondencia con su posición constitucional y con el relevante papel que está llamado a desarrollar dentro de la lucha de poderes entre órganos jurisdiccionales por asumir competencias.

[23]   En los autos de 20 y 22 de marzo de 1990, dictados de forma respectiva en los recursos 280/1989 y 393/1989, el Tribunal Supremo consideró que la inexistencia de un proceso casacional específico no podía ser suplido por la Ley de Enjuiciamiento Civil, manteniendo pues el recurso de apelación en el orden contencioso-administrativo mientras no se regulara específicamente el recurso de casación. Puede verse un análisis de estos autos en GONZÁLEZ PÉREZ, J.: «La casación en el proceso administrativo», REDA nº 66 (1990), págs. 173 y ss.; GONZÁLEZ RIVAS (1996: 56-60); IGLESIAS CANLE (2000: 100-104); MARTI DEL MORAL (1997: 9-11); MONTOYA MARTÍN (1997: 17-19), y PULIDO QUECEDO, M.: «¿Existe el recurso de casación en materia contencioso-administrativa?», REDA nº 66 (1990), págs. 313 y ss.

cional. Se reguló el recurso de casación en sus modalidades ordinaria o común, de unificación de la doctrina y en interés de la ley. También se modificó el recurso de revisión, eliminando los motivos que en la anterior regulación se calificaban de materialmente casacionales. Y, en fin, se remitió a lo dispuesto en la Ley 7/1988, de 5 de abril, de Funcionamiento del Tribunal de Cuentas, en lo que concierne al recurso de casación en materia de responsabilidad contable.

La exposición de motivos de la Ley 10/1992 revela que se trata de una reforma parcial y precipitada, pues declara que es necesario abordar «sin mayor dilación» la regulación del recurso de casación en el orden jurisdiccional contencioso-administrativo, pero al mismo tiempo reconoce que deberán practicarse en el futuro las actuaciones necesarias para adecuar ese procedimiento. Se trata de una ley que, siguiendo en lo esencial el modelo del recurso de casación civil[24], pretende adaptar la anterior regulación –contenida en la Ley de 27 de diciembre de 1956– a la previsión del artículo 58 de la LOPJ, sorteando así la incertidumbre creada a raíz de la publicación de la Ley de Demarcación y Planta Judicial. Pero las medidas que adopta en ese orden jurisdiccional son insuficientes[25], pues precisamente la base de la organización jurisdiccional, los Juzgados provinciales de lo Contencioso-Administrativo, ingeniados por la LOPJ, no se constituyeron, lo que, unido a la súbita desaparición del recurso de apelación[26], lastraría indefectiblemente el adecuado funcionamiento del

---

[24]   *Vid*. CORDÓN MORENO, F.: «Algunas cuestiones sobre el recurso de casación en el proceso administrativo», en VV.AA.: *El recurso de casación*, Consejo General del Poder Judicial y Generalidad de Cataluña, Barcelona, 1994, págs. 95 y ss.

[25]   *Vid*. IGLESIAS CANLE (2000: notas 114 y 115).

[26]   La apelación estaría ausente del cuadro de recursos contra las resoluciones judiciales hasta la entrada en vigor de la Ley 29/1998, de 13 de julio, Reguladora de la Jurisdicción Contencioso-Administrativa, que pone en funcionamiento los Juzgados provinciales y los Juzgados Centrales, contra cuyas resoluciones cabe apelar, en los supuestos previstos en la Ley, ante las Salas de lo Contencioso-Administrativo de los Tribunales Superiores de Justicia y de la Audiencia Nacional. Sobre la incidencia de la supresión del recurso de apelación en el recurso de casación contencioso-administrativo, *vid*. IGLESIAS CANLE (2000: 110-116). Entre las consecuencias más destacadas se encontraba que el justiciable debía conformarse en la mayoría de los casos con una sola decisión judicial, sin ulterior recurso, en coherencia con la doctrina constitucional que se consolidó

sistema de justicia administrativa, a pesar de que la reforma procesal, como tantas otras que la han sucedido en el tiempo, pretendiera abordar el aumento de la litigiosidad y conjurar el retraso judicial en la impartición de justicia, de acuerdo con las exigencias del artículo 24 de la CE. Un retraso que, por otra parte, es tributario del vertiginoso ritmo al que se suceden los cambios normativos en la disciplina del Derecho Administrativo, de la falta de previsibilidad y certeza en las resoluciones judiciales y de las malas prácticas de las distintas Administraciones Públicas.

Así pues, aunque sea parcial el cumplimiento de la LOPJ, lo cierto es que con esta reforma procesal el Tribunal Supremo adquiere carta de naturaleza como tribunal de casación y revisión, incidiendo en la necesaria rapidez de la justicia para evitar su propio colapso[27], si bien a costa de intentar restringir el acceso al recurso elevando su cuantía y estableciendo un trámite previo de admisión. Lo que tenía visos de constituir una reforma provisional ha marcado a la postre la tendencia del legislador hasta nuestros días[28]. Y es que, posiblemente, la razón de ser de este giro copernicano en la configuración del sistema de recursos en la jurisdicción contencioso-administrativa se encuentre en la doctrina jurisprudencial emanada del Tribunal Constitucional sobre el derecho a la tutela judicial efectiva, que en lo atinente al derecho a la revisión de las resoluciones jurisdiccionales no goza, según una reiterada doctrina del Tribunal Constitucional[29], de la protección

---

rápidamente dando por buena la configuración meramente legal del derecho a los recursos, sin posibilidad de doble instancia.

[27] *Vid.* MARTÍN REBOLLO, L.: «Los recursos de casación y revisión en la jurisdicción contencioso-administrativa tras la Ley 10/1992, de 30 de abril, de medidas urgentes de reforma procesal», *REDA* nº 76 (1992), págs. 537-538.

[28] Hasta el punto de que la doctrina más autorizada ha encontrado en el recurso de casación contencioso-administrativo introducido en la reforma de 1992 un serio obstáculo para garantizar la depuración del ordenamiento jurídico y la tutela judicial efectiva, postulando un retorno al sistema de apelación, menos formalista y efectivo, que garantice el derecho de los justiciables a una segunda instancia [*vid.* GARCÍA DE ENTERRÍA, E. y FERNÁNDEZ RODRÍGUEZ, T. R.: *Curso de Derecho Administrativo*, vol. II, Civitas Thomson Reuters, en distintas ediciones anteriores a la del año 2015, como la 12ª ed., 2011, pág. 696)].

[29] Particular importancia reviste en este punto el trabajo de BORRAJO INIESTA, I; DÍEZ-PICAZO GIMÉNEZ, I. y FERNÁNDEZ FARRERES, G.: *El derecho a la tutela judicial y el recurso de amparo. Una reflexión sobre la jurisprudencia*

constitucional prevista para el derecho a la tutela judicial consagrado en el artículo 24.1 de la CE, a diferencia del derecho a obtener una resolución razonada y fundada, sino que constituye, dejando a salvo la materia penal, un derecho de configuración legal, al que no resulta aplicable el principio *pro actione*, o al menos no con la misma intensidad que en el acceso a la primera respuesta judicial[30].

La Ley 10/1992 asegura en su exposición de motivos que el recurso de casación se inserta «dentro de la línea típica de estas acciones de impugnación cuya finalidad básica es la protección de la norma y la creación de pautas interpretativas uniformes que presten la máxima seguridad jurídica conforme a las exigencias de un Estado de Derecho»,

---

constitucional, Civitas, Madrid, 1995, que resume la doctrina jurisprudencial que ha conducido a atemperar las dificultades derivadas del incremento incesante de las demandas de amparo desde la propia garantía constitucional del derecho a la tutela judicial efectiva. Los autores postulan una interpretación estricta del acceso a los recursos, centrada en las inadmisiones arbitrarias, que es la que ha acabado por imponerse en el Tribunal Constitucional, superando otra línea jurisprudencial, entonces antagónica, más favorable a la admisión de los recursos (en especial, págs. 56-61).

[30]   Ello no obstante, si bien es cierto que el recurso de casación está sometido a rigurosos requisitos de admisión de naturaleza formal, no puede aplicarse de modo rigorista o desproporcionado en relación con los fines que preserva el proceso casacional. La declaración de inadmisión de un recurso de casación sólo puede fundarse en la concurrencia de una causa legal, basada en la aplicación de un precepto concreto de la Ley procesal, observando a estos efectos las exigencias constitucionales inherentes al contenido esencial del derecho fundamental de tutela proclamado en el artículo 24.1 CE, siendo de indudable aplicación, al amparo del artículo 10.2 CE, lo dispuesto en el artículo 6.1 del Convenio Europeo de Derechos Humanos, que exige que los órganos judiciales contencioso-administrativos apliquen las causas de inadmisión respetando el principio de proporcionalidad entre las limitaciones impuestas al derecho de acceso a un Tribunal para que examine el fondo del recurso y las consecuencias derivadas de su aplicación (por todas, sentencias del Tribunal Europeo de Derechos Humanos de 9/11/2004, caso Sáez Maeso contra España, y de 7/6/2007, recaída en el caso *Salt Hiper, S.A.* contra España). Más recientemente, se ha repetido en distintas sentencias de dicho Tribunal que vulneran el derecho a la tutela judicial efectiva las interpretaciones en exceso formalistas de la legalidad ordinaria que impiden el examen del fondo del asunto. *Vid.* MESTRE DELGADO, J. F.: «La configuración del recurso de casación en torno al interés casacional», en J. Mª BAÑO LEÓN (coord.): *Memorial para la reforma del Estado, Estudios en homenaje al profesor Santiago Muñoz Machado*, vol. I, Centro de Estudios Políticos y Constitucionales, Madrid, 2016, nota 7.

pero esa finalidad casacional encubre una remozada consideración jurídico-formal del recurso de casación que ya no abandonará a este recurso, toda vez que el Tribunal Supremo considerará una mera cuestión de legalidad ordinaria la interpretación de los requisitos formales que condicionan la admisión del recurso de casación, aunque se trate de una interpretación que no resulte la más favorable en el ejercicio del derecho a los recursos, incluso de aquéllos que están bien fundados en cuanto al fondo. La situación no es extraña si se repara en la utilización del trámite de admisión de forma semejante a como el Tribunal Constitucional ha venido reduciendo el número de recursos de amparo a lo largo de estos últimos tiempos y, en especial, desde la reforma introducida por la Ley Orgánica 6/2007, de 24 de mayo, que instaura el concepto jurídico indeterminado de la «trascendencia constitucional».

En síntesis, el recurso de casación que contempla la Ley 10/1992 procede, con carácter general, contra las sentencias de la Audiencia Nacional y de los Tribunales Superiores de Justicia, dictadas en única instancia, con exclusión de las emitidas en relación con las cuestiones de personal (salvo que afecten a la extinción de la relación de servicios de funcionarios de carrera), de las recaídas en asuntos cuya cuantía no exceda de seis millones de pesetas, de las dictadas en los recursos relativos a la prohibición o de propuesta de modificación de reuniones, de las dictadas en recursos contencioso-electorales y de las procedentes de los Tribunales Superiores de Justicia cuando el recurso se funde en la infracción de normas emanadas de los órganos de las Comunidades Autónomas. Se contempla un supuesto de inclusión, ya que el recurso de casación cabe, en todo caso, contra las sentencias que versen sobre recursos indirectos contra reglamentos. También son susceptibles de recurso de casación los autos dictados en los procesos que hubieran de terminar por sentencias susceptibles de casación, cuando los mismos declaren la inadmisión del recurso contencioso-administrativo o hagan imposible su continuación, pongan término a la pieza separada de medidas cautelares o recaigan en incidentes de ejecución siempre que resuelvan cuestiones no decididas, directa o indirectamente, en aquélla o que contradigan lo ejecutoriado[31].

---

[31]   Un estudio sobre las resoluciones recurribles y el trámite de admisión, conforme a la Ley 10/1992, puede verse en GONZÁLEZ RIVAS (1996: 66-83).

En cuanto a las líneas generales del procedimiento, el recurso se prepara ante la Sala de instancia, que emplaza a las partes ante el Tribunal Supremo siempre que cumplan los requisitos que establece la Ley. En el término del emplazamiento se interpone el recurso de casación y se estudia su admisibilidad o inadmisibilidad. De admitirse el recurso, la parte recurrida presenta el escrito de oposición y, finalmente, se fija la fecha para la vista o para la votación y fallo.

La Ley 29/1998, de 13 de julio, Reguladora de la Jurisdicción Contencioso-Administrativa, contempla por fin los Juzgados unipersonales y restaura el recurso de apelación. Mantiene las tres modalidades del recurso de casación y añade una variante del recurso de casación para la unificación de la doctrina y en interés de la ley ante los Tribunales Superiores de Justicia, trasladando de esta manera las finalidades características de la institución casacional al ámbito autonómico.

La Ley jurisdiccional respeta, en líneas generales, la ordenación positiva del recurso de casación contemplada en la Ley 10/1992, pero introduce algunos cambios importantes alimentados por la experiencia de esos últimos años, entre los cuales destaca el sustancial incremento de la cuantía mínima requerida en la casación común, que se fija en veinticinco millones de pesetas, a la vista de que no se había conseguido «reducir la abrumadora carga de trabajo que pesa sobre la Sala de lo Contencioso-administrativo del Tribunal Supremo». Se permite asimismo la rectificación de la cuantía de oficio o a instancia de parte y se introduce la carencia de interés casacional como nueva causa de inadmisión, condicionada a que el asunto no afecte a un gran número de situaciones o no posea el suficiente contenido de generalidad.

Entre otras novedades que consagra la Ley 29/1998 cabe destacar las referidas a la recurribilidad de las sentencias y autos referidos al nacimiento de la relación de servicio de funcionarios de carrera; la recurribilidad de los autos de ejecución provisional de sentencias y de los que acuerdan la extensión de efectos, en materia tributaria y de personal, de una sentencia firme que hubiera reconocido una situación jurídica individualizada; la introducción del trámite de audiencia para poner de manifiesto a las partes alguna posible causa de inadmisión; la votación por unanimidad para adoptar la inadmisión del recurso por haberse desestimado en el fondo otros recursos sustancialmente iguales, por carencia manifiesta de fundamento o por carencia de interés casacional; la posible integración de los hechos admitidos como probados por el Tribunal de instancia que, habiendo sido omitidos por el mismo, estuvieran suficientemente justificados según las actuaciones y cuya toma en consideración resultara necesaria para apreciar la infracción de las normas del ordenamiento jurídico o de la jurisprudencia, incluso la desviación de poder; la regulación más precisa de la ejecución provisional y la excepción a la regla del vencimiento objetivo en la condena en costas si la inadmisión se acuerda por carencia de interés casacional.

El innegable éxito alcanzado por los Juzgados provinciales de lo Contencioso-Administrativo movió al legislador a ampliar su esfera de competencias. La Ley Orgánica 19/2003, de 23 de diciembre, introdujo una notable reforma en la Ley Orgánica 6/1985, de 1 de julio, del Poder Judicial, incorporando una disposición adicional decimocuarta que modifica la Ley jurisdiccional de 1998 y atribuye a tales Juzgados todos los actos de las entidades locales –excluida la actividad normativa y los instrumentos de planeamiento urbanístico–, así como determinadas actuaciones de la Administración autonómica en materia sancionadora y de responsabilidad patrimonial y las resoluciones sobre extranjería de la Administración periférica del Estado. Esta ampliación competencial no solamente afectó a los procesos iniciados a partir de la entrada en vigor de aquella Ley Orgánica, sino también a los procesos que se encontraban pendientes ante las Salas de lo Contencioso-Administrativo de los Tribunales Superiores de Justicia, en los que tales Salas conocieron de asuntos en los que la competencia correspondía a los Juzgados, con arreglo a la nueva ordenación de sus competencias. El Tribunal Supremo decidió equiparar el régimen de impugnación de tales resoluciones al establecido para las sentencias dictadas en segunda instancia por las referidas Salas, con la consecuencia de que dichas sentencias no han tenido acceso a la casación[32].

---

[32] La STC 119/2008, de 13 de octubre, se pronunció sobre esta doctrina del Tribunal Supremo. La recurrente en amparo consideraba que la interpretación realizada para inadmitir el recurso de casación había vulnerado su derecho a la tutela judicial efectiva, cuando, además, la sentencia que pretendía recurrir le había negado legitimación y, por tanto, una resolución sobre el fondo de la cuestión. El

A lo largo de estos años no solamente se ha elevado periódicamente la *summa gravaminis* para acceder al recurso de casación, sino que se ha intensificado notablemente el rigor formal en el trámite de admisión, como tendrá ocasión de explicarse más adelante. Durante estos años de crisis económica y financiera el legislador, incapaz de ofrecer una respuesta de fondo alternativa a la mera limitación cuantitativa del recurso, ha adoptado medidas con una finalidad claramente restrictiva del acceso a los recursos, elevando de 150.000 a 600.000 euros la cuantía para acceder a la casación contencioso-administrativa, de conformidad con la Ley 37/2011, de 10 de octubre, de Medidas de Agilización Procesal[33]. Más vacilante ha sido el legislador a la hora

---

TC llega a la conclusión de que el auto recurrido es fruto de una «interpretación finalista de la regulación legal referible inmediatamente a la cuestión suscitada (…) que permite, contemplando en términos de totalidad el recurso de casación, limitar los asuntos que pueden acceder al mismo». Se avala así una interpretación que durante esos años ha sustentado la inadmisión de centenares de recursos de casación. Los Tribunales Superiores de Justicia acumularon dos instancias aunque en realidad actuaron en una sola, sin posibilidad de casación.

[33] Circunstancia que obviamente ha reducido los asuntos susceptibles de cuantificación que tienen acceso a la casación: tributos, responsabilidad, expropiación forzosa, etc., en lo que se ha calificado de «verdadera barrera cuantitativa trasversal a cualquier materia» de dudosa constitucionalidad (*vid.* PAREJO ALFONSO, L.: «Diseño legal y realidad práctica del recurso de casación en el orden contencioso-administrativo: una reflexión a los veinte años de su implantación», en la obra colectiva *Por el derecho y la libertad: libro homenaje al profesor Juan Alfonso Santamaría Pastor*, vol. I, Iustel, Madrid, 2014, págs. 943 y 947-949). Téngase en cuenta que la Ley 10/1992 fijaba en seis millones de pesetas la cuantía del recurso. La Ley jurisdiccional de 1998 la elevó a veinticinco millones de pesetas, o sea, a 150.000 euros. Con la Ley 37/2011 vuelve a multiplicarse por cuatro la cuantía hasta situarse en 600.000 euros, o sea, casi cien millones de las antiguas pesetas. Dejando al margen los asuntos de cuantía indeterminada, el incesante incremento de la cuantía es inversamente proporcional al protagonismo del Tribunal Supremo en la unificación de los criterios de interpretación y aplicación del Derecho, ya que muchos asuntos se quedan en última instancia en los Tribunales Superiores de Justicia y en la Audiencia Nacional, cuyas decisiones nunca llegan al Tribunal Supremo, viéndose afectados los ciudadanos, que ven cercenado su derecho a litigar en asuntos que sólo están al alcance de grandes empresas y de las Administraciones Públicas. Por otra parte, la experiencia demuestra lo ineficaz que puede resultar el incremento del umbral de la casación tras sucesivas reformas, si la carga de trabajo sigue siendo más o menos la misma, por la razón elemental de que la cuantía de muchos de los recursos contencioso-administrativos es indeterminada (*vid.*, en este sentido, SANTA-

de extender a las personas físicas la tasa judicial que grava la interposición del recurso de casación, estando exentas en la actualidad en virtud del Real Decreto-ley 1/2015, de 27 de febrero[34].

La última reforma legislativa en la casación contencioso-administrativa, introducida por la Ley Orgánica 7/2015, de 21 de julio, viene presidida por una circunstancia que había permanecido casi inédita hasta ahora, esto es, la ausencia del interés casacional como determinante de la inadmisión del recurso. Se examinará en las páginas sucesivas de forma singular por su trascendencia y por la sustancial transmutación que opera esta reforma en la historia del recurso de casación en el orden contencioso-administrativo.

MARÍA PASTOR, J. A.: «De nuevo sobre el arbitrismo del legislador las reformas del proceso contencioso-administrativo hechas por la Ley 37/2011, de 10 de octubre», en E. García de Enterría y R. Alonso García (coord.): *Administración y justicia: un análisis jurisprudencial: liber amicorum Tomás-Ramón Fernández*, vol. I, Civitas Thomson Reuters, Madrid, 2012, pág. 2.159.

[34] Otro tanto cabe decir del reconocimiento a los funcionarios públicos de la posibilidad de comparecer por sí mismos en defensa de sus derechos estatutarios (artículo 23.3 de la Ley jurisdiccional), que fue suprimida por la Ley 10/2012, de 20 de noviembre –la misma que extendió a las personas físicas el ámbito subjetivo de la tasa judicial–, y que posteriormente la Ley 42/2015, de 5 de octubre, ha recuperado expresamente y con la redacción original.

Capítulo II
Perfiles generales de la reforma de la casación contencioso-administrativa en la Ley Orgánica 7/2015, de 21 de julio

1. ANTECEDENTES DE LA REFORMA: ESPECIAL REFERENCIA A LA PÉRDIDA DE IDENTIDAD DEL RECURSO DE CASACIÓN CONTENCIOSO-ADMINISTRATIVO ANTE LA INSUFICIENCIA DE LA RESPUESTA DEL LEGISLADOR. LA BÚSQUEDA DE NUEVOS HORIZONTES MEDIANTE LA TÉCNICA DEL INTERÉS CASACIONAL

Un examen de las últimas reformas legislativas expuestas revela que la introducción del recurso de casación en este orden jurisdiccional como un recurso extraordinario ha obedecido a un proceso de homologación o decantación –incluso de simple imitación– con otros órdenes jurisdiccionales. Aunque ha permitido servir de instrumento de tutela judicial de derechos de intereses públicos y privados, así como, indirectamente, a la formación de jurisprudencia, la teoría y la práctica de la casación revelan que se ha distanciado notablemente de su aludida función constitucional. A partir de la doctrina constitucional que concibe el derecho a la revisión de las resoluciones judiciales como un derecho de configuración legal[35], lo cierto es que el legisla-

---

[35]   *Vid*. BORRAJO, DÍEZ-PICAZO y FERNÁNDEZ FARRERES (1995: 43 y ss.). La STC 37/1995, de 7 de febrero, lo expresa claramente: «el derecho a poder dirigirse a un juez en busca de protección para hacer valer el derecho de cada quien, tiene naturaleza constitucional por nacer directamente de la propia Ley Suprema. En cambio, que se revise la respuesta judicial, meollo de la tutela, que muy bien pudiera agotarse en sí misma, es un derecho cuya configuración se difiere a las leyes. Son, por tanto, cualitativa y cuantitativamente distintos». Y continúa señalando que «el sistema de recursos se incorpora a la tutela judicial en la configuración que le de cada una de esas leyes de enjuiciamiento reguladoras

dor ha tenido vía libre para limitar el acceso a la casación mediante el establecimiento de estrictos requisitos, cuanto no de medidas que desincentivan la interposición del recurso. Cada reforma del legislador ha pretendido introducir más restricciones que la anterior. Así lo demuestra el incremento exponencial de la fijación de la cuantía de la casación desde los seis millones iniciales en 1992 a los cien millones casi veinte años después. También que se hayan excluido de la casación las sentencias de los Tribunales Superiores de Justicia que se fundamentan en la infracción del Derecho autonómico y del Derecho local. O, en el ámbito de la práctica jurisprudencial, el mayor rigor formal en la interpretación de los requisitos procesales que condicionan el acceso a la casación, comenzando por el escrito de preparación con el anuncio de los motivos de casación y la justificación de las infracciones, y continuando con el escrito de interposición, que se exige que contenga unos motivos específicos y diferenciados. La Sala Tercera ha elaborado un vasto cuerpo de doctrina al interpretar las distintas causas de inadmisión mediante miles de autos que, en su conjunto, conforman un singular arcano, casuístico y complejo.

Es obvio que en esta progresiva y drástica reducción del número de recursos con posibilidad de acceder a casación ha pesado mucho la concepción de la justicia como servicio público, susceptible de aplicar indicadores de organización y gestión, como la eficacia y la eficiencia[36], y que en tiempos de turbulencia económica el legislador justifica

---

de los diferentes órdenes jurisdiccionales, sin que ni siquiera exista un derecho constitucional a disponer de tales medios de impugnación, siendo imaginable, posible y real la eventualidad de que no existan, salvo en lo penal (SSTC 140/1 985, 37/1988 y 106/1988). No puede encontrarse en la Constitución ninguna norma o principio que imponga la necesidad de una doble instancia o de unos determinados recursos, siendo posible en abstracto su inexistencia o condicionar su admisibilidad al cumplimiento de ciertos requisitos. El establecimiento y regulación, en esta materia, pertenece al ámbito de libertad del legislador (STC 3/1983)». En este sentido, el legislador ni siquiera está obligado, según el Tribunal Constitucional, a establecer un sistema de recursos en nuestro ordenamiento procesal, así que con mayor razón puede introducir limitaciones en el derecho de acceso a los recursos.

[36]   Vid. FERNÁNDEZ FARRERES, G.: «Sobre la eficiencia de la jurisdicción contencioso-administrativa y el nuevo recurso de casación "para la formación de jurisprudencia"», *REDA* nº 174 (2015), págs. 94-95, y PAREJO ALFONSO (2014: 942). En la Ley 10/1992, de 30 de abril, de Medidas Urgentes de Reforma Proce-

sin mayor dificultad medidas de corte restrictivo en aras de intentar solucionar los problemas derivados de la carga de trabajo que soportan los órganos jurisdiccionales, como ha sido el caso paradigmático de la Sala de lo Contencioso-Administrativo del Tribunal Supremo. El legislador ha preferido sacrificar la tutela de los derechos particulares, satisfechos con una única instancia no susceptible de revisión ulterior, y desplazar el centro de gravedad de la institucional casacional a la tutela del ordenamiento jurídico objetivo, si bien de una manera incompleta, pues el Tribunal Supremo no desempeña en toda su extensión, ni de forma exclusiva, la función de unificador de los criterios de interpretación y aplicación del Derecho, habida cuenta de la exclusión del Derecho autonómico y local y de la atribución a los Tribunales Superiores de Justicia y a la Audiencia Nacional del control de la aplicación del Derecho estatal y comunitario europeo por parte de los Juzgados unipersonales, provinciales y centrales[37].

En efecto, una consecuencia de toda esta deriva reduccionista de la casación es el papel del Tribunal Supremo en el ordenamiento constitucional, cuya función principal es reducir a la unidad el ejercicio

---

sal, que importa las líneas generales de la casación civil a la casación contencioso-administrativa, convirtiéndola en un dique de contención como consecuencia de las limitaciones y restricciones que introduce para la operatividad del recurso, ya es posible advertir en su exposición de motivos el objetivo de conseguir «un resultado que revista la deseada funcionalidad» y «un más eficaz funcionamiento de la Administración de Justicia». La Ley 37/2011, de 10 de octubre, de Medidas de Agilización Procesal, se refiere a la necesidad de «asegurar la sostenibilidad del sistema y garantizar que los ciudadanos puedan disponer de un servicio público de calidad». Y la última de las reformas, la Ley Orgánica 7/2015, de 21 de julio, que modifica la LOPJ y la Ley de la Jurisdicción Contencioso-Administrativa, también se expresa en parecidos términos: «La sociedad actual exige un alto grado de eficiencia y agilidad en el sistema judicial, pues no puede olvidarse que una Justicia eficaz, además de garantizar el respeto de los derechos fundamentales de todos y de facilitar con ello la paz social, es un elemento estratégico para la actividad económica de un país y contribuye de forma directa a un reforzamiento de la seguridad jurídica y, en paralelo, a la reducción de la litigiosidad».

37　Vid. SANTAMARÍA PASTOR, J. A.: *La Ley Reguladora de la Jurisdicción Contencioso-Administrativa. Comentario*, Iustel, Madrid, 2010, págs. 867-869, quien apunta que la configuración del recurso de casación lo convierte en una singular especia de «apelación bis» o «apelación restringida en aras del objetivo pragmático de evitar la congestión de asuntos en la Sala Tercera del Tribunal Supremo».

de la jurisdicción por parte del conjunto orgánico constituido por los juzgados y tribunales en los que se estructura el poder judicial. La función uniformadora de la jurisprudencia, complementaria del ordenamiento jurídico según el artículo 1.6 del Código Civil, y paralelamente la mayor seguridad jurídica y la predictibilidad de las decisiones jurídicas, quedan seriamente comprometidas desde el momento en el que importantes cuestiones sustantivas y procesales no tienen acceso al Tribunal Supremo, obligando en cambio a examinar otras tantas que en nada contribuyen a la formación de la jurisprudencia.

Ante la insuficiencia de ese modelo casacional y el replanteamiento de su virtualidad misma, una vez comprobado que no ha bastado con reemplazar la apelación por la casación, ni que el marcado carácter extraordinario de esta última ha permitido aliviar tampoco el número de resoluciones, tanto de admisión como sobre el fondo, que dicta anualmente la Sala Tercera, el legislador ha otorgado prioridad al criterio de la relevancia o «interés casacional» del asunto[38], que se erige en la piedra angular del nuevo modelo de casación contencioso-administrativa que alumbra la reforma de la Ley Orgánica 7/2015, de 21 de julio.

Hace algún tiempo que se viene apelando desde distintas instancias a la necesidad de reformar el recurso de casación en esta línea, potenciando el interés casacional como criterio determinante de la admisión[39].

---

[38] MESTRE DELGADO (2016: 1.016-1.020) explica que la incorporación del interés casacional responde a la necesidad de acomodar el número de recursos de casación de que conoce el Tribunal Supremo, y que la experiencia de estos años demuestra que no se pueden tramitar y resolver en un plazo razonable por mucho que el legislador haya establecido rigurosos requisitos de admisibilidad y otras medidas complementarias, o que la propia Sala haya configurado criterios de interpretación de tales requisitos aún más rigurosos. Todos ellos son «remedios concretos, aunque sin integrarse en un modelo o sistema ordenado y coherente, para hacer frente a un problema concreto, que no era otro que el elevadísimo número de recursos presentados, y la imposibilidad real de resolverlos (...) no ya sólo en un plazo razonable, sino especialmente con la exigible y deseable calidad».

[39] Vid. GÓMEZ-FERRER RINCÓN (2007: 631 y ss.), que reseña los antecedentes más destacados del interés casacional hasta el Proyecto *non nato* de reforma de la jurisdicción contencioso-administrativa de 27 de enero de 2006 y las reacciones que se derivaron del mismo. Se sigue en la exposición hasta esa fecha.

En este sentido, en el Libro Blanco de la Justicia, aprobado por el Pleno del Consejo General del Poder Judicial de 8 de septiembre de 1997, se señalaba lo que sigue:

> *«La Sala Tercera del Tribunal Supremo soporta un volumen de trabajo de unos 12.000 recursos de casación al año, a los que hay que sumar los aproximadamente los aproximadamente 1.500 recursos de que conoce en única instancia. Este desmesurado número de asuntos no parece propio de tan alta instancia judicial. Se considera por ello esencial limitar el acceso a la casación en función del "interés casacional" u otro concepto jurídico indeterminado similar, aunque ello presuponga sujetar la resolución de inadmisión a la decisión unánime de todos los magistrados de cada sección. Dicha limitación se observa como especialmente necesaria en cuanto al acceso de los recursos de cuantía indeterminada. Por contra, ha de superarse definitivamente el criterio meramente cuantitativo para el acceso a la casación, abriendo el citado recurso a cualquier materia o cuantía cuyo interés justifique un pronunciamiento del Tribunal Supremo».*

Al año siguiente, la Ley de la Jurisdicción Contencioso-Administrativa incorporó a su artículo 93.2.e) una causa de inadmisión que se ha aplicado de forma puntual en estos años, consistente en la carencia de interés casacional en los asuntos de cuantía indeterminada que no se refieran a la impugnación directa o indirecta de una disposición general, cuando el recurso estuviere fundado en la infracción de las normas del ordenamiento jurídico o de la jurisprudencia que fueran aplicables para resolver las cuestiones objeto de debate y se apreciase que el asunto no afecta a un gran número de situaciones o no posee el suficiente contenido de generalidad. En estos casos, el artículo 93.4 exigía unanimidad en el auto por el que se declara la inadmisión del recurso.

Otro tanto puede decirse del Pacto de Estado para la Reforma de la Justicia, firmado por el Gobierno, por el Partido Popular y por el Partido Socialista en 28 de mayo de 2001, donde se señalaba lo siguiente:

> *«Se afrontarán las reformas necesarias para lograr un funcionamiento más ágil y eficaz del Tribunal Supremo y que potencien su función como órgano jurisdiccional superior y garante de la unidad de doctrina en todos los órdenes jurisdiccionales. A tal fin,*

también se reformará el recurso de casación, aproximando su regulación en las diferentes leyes reguladoras del proceso y atendiendo a la noción de "interés casacional"»[40].

Posteriormente, en el caducado Proyecto de Ley Orgánica por el que se adapta la legislación procesal a la Ley Orgánica 6/1985, de 1 de julio, del Poder Judicial, se reforma el recurso de casación y se generaliza la doble instancia penal[41], se contemplaba la posibilidad de impugnar las sentencias de la Sala de lo Contencioso-Administrativo de la Audiencia Nacional cuando presentaran interés casacional, no obstante haberse dictado la sentencia en un asunto cuya cuantía no exceda de 300.000 euros o fuera indeterminada. Y otro tanto sucedía con las sentencias dictadas en única instancia por las Salas de lo Contencioso-Administrativo de los Tribunales Superiores de Justicia, que podían ser susceptibles de recurso de casación para la unificación de doctrina cuando la contradicción entre sentencias presentara interés casacional, no obstante haber recaído la sentencia recurrida en un asunto cuya cuantía no excediera de 150.000 euros. Como puede verse, se promovió un doble filtro en el acceso a la casación. Se estableció un suelo para el acceso a la casación, que constituiría un límite cuantitativo que no operaba en el supuesto de que el asunto presentara interés casacional, definido en el Proyecto por referencia a la contradicción con «la doctrina del Tribunal Constitucional o la jurisprudencia del Tribunal Supremo», así como por la afectación «a un número de situaciones trascendiendo del caso objeto de recurso».

Poco después, 21 magistrados de la Sala Tercera del Tribunal Supremo firmaron un documento, de fecha 31 de octubre de 2006[42], en el que, por referencia a ese mismo Proyecto de Ley Orgánica, propu-

---

[40]   No estará de más recordar que en la casación civil se acababa de introducir este mecanismo tan sólo un año antes por la Ley 1/2000, de 7 de enero, de Enjuiciamiento Civil (apartados 2 y 3 del artículo 477). *Vid.* LÓPEZ SÁNCHEZ, J: *El interés casacional*, Civitas, Madrid, 2002, y BLASCO GASCÓ, F. D.: *El interés casacional. Infracción o inexistencia de doctrina jurisprudencial en el recurso de casación*, Aranzadi, Pamplona, 2002.

[41]   Boletín Oficial de las Cortes Generales (Congreso de los Diputados), núm. A-69-1, de 27 de enero de 2006.

[42]   Está publicado en *La Ley. Revista Jurídica Española de Doctrina, Jurisprudencia y Legislación*, vol. V, 2006, págs. 1793-1797.

sieron potenciar el concepto de interés casacional. En dicho documento señalaban que

> *«el remedio, prácticamente inédito, que proponemos para alcanzar una pronta decisión jurisdiccional del Tribunal Supremo, sin menoscabo de su función constitucional, es el uso del interés casacional como razón única para que la Sala Tercera de dicho Tribunal conozca de las impugnaciones de sentencias pronunciadas por cualquier órgano jurisdiccional del orden contencioso-administrativo, cuya definición o concreción puede reservarse el legislador o ser encomendada al propio tribunal como en otros sistemas judiciales de comprobada eficacia y prestigio».*

Con esta propuesta se trataba de superar el modelo casacional basado en la limitación por razón de la cuantía o de la materia, al convertirse el instrumento del interés casacional en la

> *«razón única para que la Sala Tercera de dicho Tribunal conozca de las impugnaciones de sentencias pronunciadas por cualquier órgano jurisdiccional del orden contencioso-administrativo».*

No es casual que se plantearan estas medidas por entonces, ya que en relación con el trámite de admisión del recurso de amparo ante el Tribunal Constitucional, la Ley Orgánica 6/2007, de 24 de mayo, instauró el concepto jurídico indeterminado de la «especial trascendencia constitucional», cuyas similitudes con el interés casacional ya se han hecho notar en la doctrina[43].

Más adelante, el Proyecto de Ley de Medidas de Agilización Procesal[44], que fue presentado por el Gobierno 11 de marzo de 2011,

---

43   *Vid.* FERNÁNDEZ FARRERES (2015: 127-129), quien considera que «el recurso de amparo ha abandonado en gran medida su función garantista de carácter subjetivo de los derechos fundamentales para "objetivizarse", para configurarse definitivamente como un recurso objetivo que, ante todo, se orienta a la fijación de doctrina constitucional al servicio de la aplicación adecuada de los preceptos constitucionales que reconocen y garantizan tales derechos». Añade que la casación contencioso-administrativa es una «réplica sin más» de este recurso de amparo «objetivizado», cuya finalidad reconoce que no es otra que descargar de asuntos a un Tribunal que conoce otros muchos asuntos. También lo apunta MESTRE DELGADO (2016: 1.012-1.013), cuando señala que «ha servido de inspiración, siquiera remota, para la nueva regulación del recurso de casación, con la finalidad de construirlo con nuevos criterios estructurales».

44   *Vid.* BOCG. Congreso de los Diputados nº A-117-1 de 18 de marzo de 2011.

pretendía introducir modificaciones de calado en la Ley de la Jurisdicción: por un lado, elevar la *summa gravaminis* para acceder al recurso de casación (que pasaría de 150.000 a 800.000 euros) y, por otra parte, convertir en determinante de la inadmisión del recurso la ausencia del interés casacional, prevista por entonces en el artículo 93.2.e) de la LJCA, «por plantear cuestiones reiteradamente resueltas por el Tribunal Supremo o no afectar a un gran número de situaciones o no poseer el suficiente contenido de generalidad». Como es sabido, a resultas de la tramitación parlamentaria esta última reforma no prosperó, pero la cuantía del recurso escaló hasta los 600.000 euros.

Pues bien, descritos estos antecedentes, fácilmente puede advertirse que el legislador acabaría por implantar tarde o temprano el criterio del interés casacional en el orden contencioso-administrativo. Tras una tramitación parlamentaria rápida (el proyecto de ley tuvo entrada en el Congreso el 27 de febrero de 2015), el Boletín Oficial del Estado de fecha 22 de julio publicó la Ley Orgánica 7/2015, de 21 de julio, de modificación de la Ley Orgánica del Poder Judicial. Su disposición final tercera modifica la Ley de la Jurisdicción de 1998 y recoge una nueva y detallada regulación del recurso de casación contencioso-administrativo. Su entrada en vigor quedaba diferida al transcurso del plazo de un año, esto es, al 22 de julio de 2016.

La finalidad de esta reforma es hacer de la Sala Tercera del Tribunal Supremo un verdadero tribunal de casación que siente jurisprudencia allí donde sea necesario objetivamente, de forma rápida y precisa, con la finalidad de cumplir su función uniformadora y de servir, por tanto, a la interpretación del ordenamiento jurídico. La exposición de motivos lo expresa en estos términos: .

> «*Con la finalidad de que la casación no se convierta en una tercera instancia, sino que cumpla estrictamente su función nomofiláctica, se diseña un mecanismo de admisión de los recursos basado en la descripción de los supuestos en los que un asunto podrá acceder al Tribunal Supremo por concurrir un interés casacional. Así, la Sala de casación podrá apreciar que en determinados casos existe interés casacional objetivo, motivándolo expresamente en el auto de admisión. El recurso deberá ser admitido en determinados supuestos, en los que existe la presunción de que existe interés casacional objetivo*».

Antes de examinar esta reforma en las páginas sucesivas, preciso será señalar que el texto de la reforma tiene su origen en gran medida en el documento titulado «Informe explicativo y propuesta de Ley de Eficiencia de la Jurisdicción Contencioso-Administrativa», de marzo de 2013, elaborado por la Sección Especial de la Comisión General de Codificación, presidida por F. Velasco Caballero. Dicha Sección Especial fue creada por la Orden Ministerial de 11 de julio de 2012[45] y sus propuestas se materializan casi al pie de la letra en el texto de la reforma. Lo pretendido es dejar atrás un modelo de casación cuyas restricciones por razón de la materia y de la cuantía no permiten examinar un buen número de materias o asuntos. Se entiende que la casación ha dejado de servir primariamente a la creación de jurisprudencia y solamente tutela intereses y derechos (de alto nivel económico), alejando al Tribunal Supremo de su función unificadora en la aplicación del Derecho. Es significativo señalar que el nuevo modelo de casación que contempla la Ley Orgánica 7/2015 recoge, en gran medida, el sentir de buena parte de los magistrados del Alto Tribunal, como corroboran los debates que han tenido lugar en su seno en estos años. A partir de ahora habrán de hacer realidad esta reforma.

2. PRINCIPALES CARACTERÍSTICAS DE LA REFORMA

Es de gran calado la reforma que introduce la disposición final tercera de la Ley Orgánica 7/2015, de 21 de julio, en la Ley de la Jurisdicción Contencioso-Administrativa. Introduce cambios sustanciales en el régimen del recurso de casación que se irán desgranando a lo largo de este trabajo. Conviene ahora referirse a los más importantes como anticipo de las páginas que siguen.

2.1. *La reducción a la unidad de las distintas modalidades de casación*

El recurso de casación no ha sido único en el orden contencioso-administrativo, sino una mera rúbrica que encubría cinco modalidades diferentes. Junto al recurso de casación común u ordinario,

---

[45]   Pueden consultarse en detalle las cuestiones que aborda dicho Informe, publicado por el Ministerio de Justicia, en FERNÁNDEZ FARRERES (2015: 96-99).

existían dos recursos escasamente operativos: el *recurso de casación para la unificación de doctrina*, cuyo umbral ha venido siendo sensiblemente inferior (treinta mil euros), reconduciéndose los motivos por los que el mismo puede interponerse a la unificación de los criterios jurisprudenciales, y el *recurso de casación en interés de la Ley*, cuya función consistía en fijar la doctrina legal respecto de las sentencias que se estimen gravemente dañosas para el interés general y erróneas. A estas últimas modalidades había que añadir sus variantes autonómicas.

La reforma operada por la Ley Orgánica 7/2015 pretende simplificar la tipología de recursos casación, reduciendo a la unidad las modalidades existentes, zanjando así la diversificación que había alcanzado el instituto casacional en aras de la eficiencia en la jurisdicción contencioso-administrativa. La nueva regulación contempla un régimen jurídico unitario de los requisitos del recurso, la tramitación y la resolución del mismo, con la particularidad de que si el recurso se funda en la infracción de normas emanadas de la Comunidad Autónoma será competente una Sección de la Sala de lo Contencioso-Administrativo que tenga su sede en el Tribunal Superior de Justicia[46]. Este recurso de casación autonómico, cuya redacción es deficiente, no impide que el Tribunal Supremo pueda conocer del Derecho autonómico en distintas situaciones a las que se hará referencia más adelante, referidas fundamentalmente a la reproducción del Derecho estatal de carácter básico y la invocación de jurisprudencia recaída sobre Derecho estatal que, aunque no tenga carácter básico, sea idéntico al Derecho autonómico.

---

[46]   El régimen jurídico de este recurso de casación autonómico se construye sobre la base del régimen general del recurso de casación ante el Tribunal Supremo, lo cual plantea numerosas «disfunciones y dificultades interpretativas», como ha destacado RAZQUIN LIZARRAGA, J. A.: «El recurso de casación en la jurisdicción contencioso-administrativa tras la Ley Orgánica 7/2015», *Revista Vasca de Administración Pública* nº 104 (2016), pág. 142. Un estudio sobre el régimen jurídico de este recurso autonómico puede verse en HINOJOSA (2016: 299-325).
Cabe llamar la atención sobre el hecho de que dicha modalidad o variante autonómica del recurso de casación se integrará en las páginas sucesivas en el marco general del recurso de casación configurado en los artículos 86 a 93 de la LJCA, sin perjuicio de destacar algunas peculiaridades que le son propias desde el punto de vista organizativo, de las resoluciones recurribles y del Derecho autonómico aplicable.

El que se haya suprimido el recurso de casación para la unificación de la doctrina ha de saludarse positivamente. De eficacia más que modesta, no permitía una casación de lo resuelto por el Tribunal Superior de Justicia, sino una interpretación única del Derecho aplicado a partir de la contradicción entre sentencias en términos sumamente restrictivos y casi imposibles, ya que exigía una identidad sustancial en las partes, en los hechos, en los fundamentos y en las pretensiones[47]. Se configuraba con carácter subsidiario con respecto a la casación común y se aplicaba a las sentencias dictadas en única instancia por las Salas de lo Contencioso-Administrativo del propio Tribunal Supremo, de la Audiencia Nacional y de los Tribunales Superiores de Justicia[48].

Otro tanto puede decirse del recurso de casación en interés de la ley, de carácter subsidiario respecto de las otras modalidades de casación y de naturaleza aún más excepcional y restrictiva, tanto por la limitación normativa de los sujetos legitimados para su interposición como por sus efectos. Se trataba de un recurso que suscitaba desigual

---

[47]   En cualquier caso dicho recurso solamente procedía cuando la sentencia –excluidas las de los Juzgados y las dictadas en apelación– a la que se imputa contradicción con otras, no fuese susceptible de recurso de casación común, su cuantía fuera superior a treinta mil euros, y siempre que no versara sobre las materias excluidas en aquélla o se limitada a aplicar normativa autonómica sin estar afectado el Derecho estatal o el de la Unión Europea. SANTAMARÍA PASTOR, J. A., señala que dicho recurso constituía «una mala importación del proceso laboral cuyo requisito primordial de admisión (...) llevaba inexorablemente a un alto nivel de inadmisiones» [*vid.* «Una primera aproximación al nuevo sistema casacional», *RAP* nº 198 (2015), pág. 13].

[48]   En contra del parecer del Informe de la Sección Especial de la Comisión General de Codificación, la nueva regulación omite esta modalidad de casación, de manera que las sentencias de la Sala Tercera del Tribunal Supremo no serán susceptibles de revisión por esta vía. A este respecto, FERNÁNDEZ FARRERES (2015: 102), considera lógico que así sea, dados los presupuestos y la finalidad misma del nuevo modelo, pero manifiesta su escepticismo con respecto a la uniformidad jurisprudencial en el seno de las distintas Secciones de la Sala Tercera, que se quedan sin este correctivo y que habrán de acudir a la previsión contenida en el artículo 264.1 de la LOPJ, en virtud del cual la diversidad de criterios interpretativos de la ley en asuntos sustancialmente iguales por distintas Secciones se puede reconducir a la unidad mediante la convocatoria de un Pleno de carácter jurisdiccional, que conozca de uno o varios de dichos asuntos para unificar el criterio.

interés en la doctrina[49], pues si bien fijaba con un valor normativo vinculante la única interpretación correcta de una norma, las senten-

---

[49] Aunque reconoce que constituye «el instrumento óptimo de que el Tribunal Supremo disponía para fijar doctrina legal», SANTAMARÍA (2015: 13-15) refiere que la restricción tan acusada de los sujetos legitimados para interponer este recurso conllevaba su «escaso interés desde el punto de vista de la formación de jurisprudencia sobre temas transversales», sin contar con los esfuerzos inútiles, las más de las veces, para convencer a la Sala Tercera de lo erróneo de la resolución impugnada y de la lesión de los intereses generales, que había de reputarse de «gravemente dañosa» para los mismos. Desde luego no ha estado exenta de críticas doctrinales esta modalidad de casación, avalada no obstante por la STC 37/2012, de 19 de marzo, al reconocerle efectos vinculantes sobre los órganos judiciales en grado. Entre esas críticas, *vid.* ALONSO MAS, Mª J.: «La necesaria reforma de la justicia administrativa», en J. Mª BAÑO LEÓN (coord.): *Memorial para la reforma del Estado, Estudios en homenaje al profesor Santiago Muñoz Machado*, vol. I, Centro de Estudios Políticos y Constitucionales, Madrid, 2016, pág. 1.009, por el cuestionable encaje de las sentencias resultantes en el sistema de fuentes al que los propios órganos judiciales se someten. BOCANEGRA SIERRA, R.: «La potestad legislativa del Tribunal Supremo», en la obra colectiva *Por el derecho y la libertad: libro homenaje al profesor Juan Alfonso Santamaría Pastor*, vol. I, cit., concluye que «las sentencias que dictan leyes, que vinculan a los jueces y tribunales inferiores al modo en el que lo hacen las leyes no pueden ser sino abiertamente inconstitucionales, porque al no estar los tribunales sujetos más que a la ley y al Derecho, este sometimiento de los órganos jurisdiccionales a las sentencias superiores con las técnicas de la ley quebranta notoriamente la independencia judicial» (pág. 1.078). Por su parte, DOMÉNECH PASCUAL, G.: «Creación judicial del Derecho a través del recurso de casación en interés de la ley. Una crítica desde la perspectiva económica y evolutiva», en la misma obra colectiva que se acaba de citar, considera que lo criticable no es tanto el hecho de que se atribuya poder normativo a un órgano jurisdiccional cuanto que se reserve «la legitimación para interponerlo a ciertas Administraciones Públicas; la intangibilidad de la situación jurídica derivada de la sentencia recurrida; que solo vincule con carácter general la doctrina sentada en las sentencias estimatorias, y la extraordinaria fuerza que tiene dicha vinculación (…) lo cual, a su vez, hace que este recurso constituya un campo abonado para la proliferación de doctrinas desequilibradas, sesgadas hacia las posturas defendidas por las Administraciones Públicas y que no tienen debidamente en cuenta los intereses legítimos con los que muchas veces estas últimas chocan; intereses que a la postre quedan desprotegidos y menoscabados» (pág. 933). Distinto es que el juez pueda apartarse de esa doctrina legal vinculante por razones de constitucionalidad, planteando la correspondiente cuestión de inconstitucionalidad, como sostiene ARAGÓN REYES, M.: «La STC 37/2012, de 19 de marzo. Cuestión de inconstitucionalidad sobre la jurisprudencia del Tribunal Supremo», *Estudios Jurídicos en Homenaje al Profesor José María Miquel*, coord. por Luis Díez-Picazo y Ponce de León, vol. I, Dykinson, Madrid, 2014, págs. 301-307.

cias resultantes dejaban intacta la fuerza de cosa juzgada de la resolución judicial objeto de impugnación.

Algunas de las circunstancias que permiten apreciar la existencia de interés casacional objetivo por el tribunal de casación –ya sea el Tribunal Supremo o el Tribunal Superior de Justicia– recuerdan de lejos a estas modalidades de casación: en particular, los apartados a) y b) del artículo 88.2 de la LJCA. Más adelante se tendrá ocasión de volver sobre ello, pero no parece que ninguna de ellas quede subsumida en la nueva casación, cuyo alcance y naturaleza jurídica difieren del modelo anterior y de las consecuencias que el ordenamiento jurídico anudaba a las mismas.

En consecuencia, la nueva casación en el orden contencioso-administrativo reduce a un único modelo todas aquellas variantes, con la singularidad, ya adelantada, de instaurar un recurso de casación por infracción del Derecho autonómico en el artículo 86.3 de la LJCA. Con esta configuración el legislador ha dado un paso más en su empeño de establecer una delimitación –un tanto artificiosa– entre la infracción del Derecho estatal y el Derecho autonómico. La imagen del recurso de casación como un recurso que resuelve el máximo órgano jurisdiccional del Estado, en aras de uniformar los criterios de aplicación e interpretación del Derecho, es una imagen ideal que no se compadece con la realidad. Las cuestiones que afectan al Derecho autonómico tan sólo son enjuiciadas por el Tribunal Supremo en ocasiones excepcionales, como se estudiará en otro apartado. *De facto*, los Tribunales Superiores de Justicia tienen la última palabra en la interpretación y aplicación del Derecho autonómico, por más que sea difícil separar dónde acaba el Derecho estatal y dónde empieza el autonómico. Mientras que el legislador no tome conciencia de la necesidad de preservar la función unificadora del Tribunal Supremo mediante un instrumento procesal idóneo para garantizarla, lo cierto es que se mantendrá un ambiente jurídico proclive a un distanciamiento aún mayor con los principios y derechos constitucionales implicados: unidad, seguridad jurídica, igualdad y tutela judicial. Existiendo, como existen, fuertes argumentos, constitucionales y de autoridad, que imponen el respeto de las resoluciones vinculantes que dicte el Tribunal Supremo, lo cierto es que ni las casaciones autonómicas que venían resolviendo los Tribunales Superiores de Justicia, ni tampoco el ambivalente juicio de aplicación de la norma estatal o autonómica, pueden desplazar la función principal de asegurar la certeza y la conformación de la legalidad por el único órgano judicial situado en la cúspide del sistema.

Ciertamente, no cabe aducir que la función unificadora del Tribunal Supremo haya sido suplida en estos años por la existencia de cauces de impugnación que se constriñen específicamente a la interpretación de las normas emanadas de la Comunidad Autónoma, como son el recurso de unificación de doctrina autonómico o el recurso en interés de ley autonómico (artículos 99 y 101 de la Ley jurisdiccional, derogados también en la reforma del año 2015). Del recurso para la unificación de doctrina se excluían expresamente las sentencias contra las que cupiese recurso de casación ante el Tribunal Supremo, quedando descartada, por tanto, la tramitación simultánea o sucesiva de ambos recursos. Y en cuanto al recurso en interés de ley, solamente se admitía contra sentencias dictadas en instancia única por los Juzgados de lo Contencioso-Administrativo, quedando fuera de su ámbito las sentencias de las Salas de los Tribunales Superiores de Justicia.

2.2. La ampliación del ámbito objetivo del recurso: las resoluciones recurribles ante la Sala Tercera del Tribunal Supremo

Se prevé la posibilidad de que el recurso de casación pueda interponerse, potencialmente al menos, contra todas las sentencias, ya sean dictadas en única instancia o incluso en segunda instancia, cualquiera que sea el órgano jurisdiccional que las dicte, esto es, las Salas de lo Contencioso-Administrativo de los Tribunales Superiores de Justicia y de la Audiencia Nacional e incluso las sentencias dictadas por los órganos unipersonales de la jurisdicción (Juzgados provinciales y centrales), bien que en supuestos limitados en estos casos, toda vez que el recurso se abre a las sentencias dictadas en única instancia por tales órganos unipersonales cuando dichas sentencias «contengan doctrina que se reputa *(sic)* gravemente dañosa para los intereses generales y sean susceptibles de extensión de efectos» (artículo 86.1 de la LJCA).

Quiere ello decir que la reforma implica una generosa ampliación de las sentencias que pueden tener acceso al recurso de casación[50]. No

---

[50]   *Vid.* en este sentido la valoración de FERNÁNDEZ FARRERES (2015: 101-103) y de SANTAMARÍA (2015: 14-18).

solamente se elimina el criterio de la cuantía –que como se ha visto no había hecho sino incrementarse tras cada nueva reforma–, sino también el límite material que suponía la exclusión de las sentencias que versaran sobre cuestiones de personal, cuya delimitación jurídica no había sido pacífica por otra parte[51]. También se elimina la exclusión de las sentencias dictadas en única instancia por los Juzgados (provinciales y centrales), al igual que la exclusión de las sentencias dictadas en apelación por los órganos colegiados de la jurisdicción.

Se mantiene, no obstante, la exclusión de las sentencias dictadas en el procedimiento para la protección del derecho fundamental de reunión y en los procesos contencioso-electorales (artículo 86.2 de la LJCA). Siguen siendo susceptibles de recurso de casación las sentencias dictadas en materia de responsabilidad contable del Tribunal de Cuentas (artículo 86.4 de la LJCA).

En relación con las resoluciones que adoptan la forma de autos las novedades no son tantas. En apariencia, el régimen de impugnación de los autos apenas experimenta variación. Son recurribles ante la Sala de lo Contencioso-Administrativo del Tribunal Supremo los autos dictados por las Salas de los Tribunales Superiores de Justicia y de la Audiencia Nacional en los mismos términos que las sentencias y en los supuestos tasados que contemplaba la redacción anterior de la Ley jurisdiccional. El matiz que introduce la nueva redacción del artículo 87.1 es que son recurribles los autos «con la misma excepción e igual límite dispuestos en los apartados 2 y 3 del artículo anterior»,

---

[51] Hasta la entrada en vigor de la nueva casación eran susceptibles de recurso de casación las sentencias, en materia de personal, dictadas en única instancia por los órganos colegiados de la jurisdicción (las Salas de los Tribunales Superiores de Justicia y de la Audiencia Nacional), pero siempre que versaran sobre el nacimiento o la extinción de la relación de servicios de funcionarios de carrera, quedando excluidas todas las demás cuestiones de personal. Tal vez el caso paradigmático en estos últimos años, el que mejor ilustra la calificación jurídica de las cuestiones de personal, sea el de las relaciones de puestos de trabajo, que conforme a la última doctrina jurisprudencial del Tribunal Supremo –contenida en la STS de 5/2/2014, RC 2986/2012– no constituyen disposiciones de carácter general (que en la anterior casación tenían acceso, en todo caso, al recurso), sino que son meros actos administrativos, por lo que, consiguientemente, las resoluciones recaídas en relación con las relaciones de puestos de trabajo quedaban excluidas del recurso de casación, al no afectar al nacimiento o extinción de la relación de servicio de funcionarios de carrera.

quedando claro, por una parte, que no son recurribles ni los autos recaídos en el procedimiento de protección del derecho fundamental de reunión ni en los procesos contencioso-electorales, que constituyen así la «excepción» material a la recurribilidad de las sentencias y de los autos. Por otra parte, también parece indudable que el «límite» al que se refiere el artículo 87.1 equivale a la exigencia del denominado «juicio de relevancia» del escrito de preparación del recurso, que se extiende ahora a los autos dictados por las Salas de lo Contencioso-Administrativo de los Tribunales Superiores de Justicia (artículo 86.3 de la LJCA).

La relación de autos susceptibles de casación sigue siendo tasada y comprende los mismos supuestos que antes, con la diferencia de que los autos de extensión de efectos se incorporan como un supuesto más en el apartado e) del artículo 87.1, desapareciendo la locución «en todo caso» de la redacción precedente, que individualizaba tales autos sin exigirles cumplir los requisitos del anterior artículo 86.1, con tal de cumplir los previstos en los artículos 110 y 111. Todo ello hace suponer que se unifica el tratamiento de los autos en sede casacional, siendo exigible el aludido «juicio de relevancia».

En una interpretación *a contrario sensu* parece desprenderse del tenor literal del artículo 87.1 que no son susceptibles de recurso los autos dictados por los órganos unipersonales de la jurisdicción. Se volverá sobre ello más adelante.

Por supuesto, sobre las sentencias y autos susceptibles de casación operará el mecanismo del interés casacional objetivo, que constituye el criterio definitivo de acceso al recurso, el filtro cualitativo y parámetro de todo recurso de casación, que, como contrapartida, viene a sustituir a los anteriores límites por razón de la materia y, especialmente, de la cuantía, con la finalidad de seleccionar los asuntos susceptibles de contribuir a la formación de la doctrina jurisprudencial.

2.3. La exigencia de que el recurso presente «interés casacional objetivo para la formación de la jurisprudencia»

La admisión del recurso de casación no se hace depender ya de la invocación de motivos tasados –cuya delimitación exacta no siempre es cómoda para los litigantes– ni de los férreos requisitos atinentes a la materia sobre la que versa el pleito o a la cuantía del asunto en cuestión, sino que su admisión no sólo se condiciona a la invocación de cualquier infracción normativa o jurisprudencial, sino al cumplimiento de un presupuesto necesario que consiste en que el recurso presente interés casacional para la formación de doctrina jurisprudencial. Esta es la novedad principal de la reforma de 2015. El legislador configura un cualificado requisito o presupuesto de admisibilidad con el que franquear el acceso a la casación.

Ese concepto jurídico indeterminado del interés casacional lo tilda la nueva redacción del artículo 88 de la LJCA de «objetivo», intensificando de esta manera la defensa del *ius constitutionis* frente a la garantía del *ius litigatoris*[52]. Lo primordial no es ahora la tutela de derechos o intereses legítimos, sino convertir la casación en un instrumento al servicio de la «formación de jurisprudencia» por parte del tribunal de casación, que a través de sus autos de admisión –y en algunos supuestos en los de inadmisión–, debe dejar sentada una interpretación del interés casacional según resulte del examen del propio ordenamiento jurídico. Con ello se pretende dotar de seguridad jurídica, certeza y predictibilidad al ordenamiento jurídico otorgando un poder de selección discrecional al tribunal de casación que habrá de redundar, en la filosofía de la reforma, en el logro de la eficiencia en la jurisdicción[53], en un

---

[52]   *Vid.* HINOJOSA (2016: 50) y SANTAMARÍA (2015: 22). Por su parte, MESTRE DELGADO (2016: 1.020-1.021) reconoce que en la nueva casación contencioso-administrativa predomina la finalidad interpretativa y de formación de doctrina jurisprudencial, «en detrimento de la tutela de derechos concretos de los ciudadanos y de las resolución de conflictos jurídicos», si bien individualiza distintos contenidos puntuales de la reforma (los recursos contra autos y la facultad de integrar los hechos), que en su conjunto entorpecen que el recurso de casación cumpla con su finalidad institucional de formar doctrina jurisprudencial y, en particular, el objetivo de reducir los asuntos de los que conoce el Tribunal Supremo. Para remediar esa objeción considera que «no deberían establecerse supuestos específicos» mediante el sistema de lista que establece el artículo 88 de la LJCA, sino que el tribunal de casación habría de seleccionar con libertad. Ciertamente puede decirse que el tribunal podrá seleccionar los recursos con entera libertad, estén o no incursos en alguno de los supuestos contemplados en la Ley.

[53]   Como contrapartida, con este modelo hay que asumir el inconveniente de que la protección de los derechos e intereses legítimos de los litigantes queda relegada, y que en no pocos casos los conflictos que enfrenten a los ciudadanos con la Administración quedarán resueltos en una sola instancia, en mayor medida –podría

planteamiento que emparenta, al menos en parte, con los sistemas jurídicos de la *common law*[54].

De la aplicación e interpretación del Derecho por las resoluciones que dictan los órganos jurisdiccionales deriva la necesidad de esclarecer su alcance y su significado último en relación con las cuestiones controvertidas en el proceso. A esa circunstancia responde la introducción del interés casacional en el orden jurisdiccional contencioso-administrativo. Es cierto que el anterior artículo 93.2.e) de la Ley jurisdiccional permitía apreciar la carencia de interés casacional «por no afectar a un gran número de situaciones o no poseer el suficiente contenido de generalidad», como se ha señalado ya, pero esta causa de inadmisión ha permanecido prácticamente inédita, salvando contados sectores de actividad administrativa[55]. Otro tanto cabe señalar del anterior artículo 93.2.d) de la LJCA, que permitía al Tribunal inadmitir el recurso de casación en los casos de carencia manifiesta de fundamento del mismo, que en la práctica servía para declarar la improsperabilidad *a limine* del recurso cuando a resultas del juicio sobre la admisibilidad o inadmisibilidad del recurso pudiera anticiparse la consecuencia de su desestimación ulterior por la Sala[56].

La configuración del recurso de casación en este orden presentaba deficiencias notables y el legislador ha pretendido buscar una solución alternativa que pretende conciliar distintos intereses: poner fin a la situación de parálisis de la Sala Tercera derivada del aluvión de asun-

---

añadirse– de lo que sucede en la actualidad. *Vid.* GÓMEZ-FERRER RINCÓN (2007: 636).

[54] Cfr. AHUMADA RUIZ, Mª Á.: «El "certiorari". Ejercicio discrecional de la jurisdicción de apelación por el Tribunal Supremo de los Estados Unidos», *Revista Española de Derecho Constitucional* nº 41 (1994), págs. 89 y ss.; LÓPEZ SÁNCHEZ (2002: nota 27) y MORENILLA RODRÍGUEZ, J. M.: *La organización de los tribunales y la reforma judicial en los Estados Unidos*, Instituto de Cultura Hispánica, Madrid, 1968.

[55] En ese sentido, pueden verse los AATS de 18/2/2016 (RC 2534/2015), 4/2/2016 (RC 2296/2015), 21/1/2016 (RRCC 2916/2015 y 1943/2015), 14/1/2016 (RC 2385/2015) y 3/12/2015 (RC 1261/2015), en los que se aplica la carencia de interés casacional en materias tales como nacionalidad, marcas o licencias de armas.

[56] Así lo manifiesta acertadamente FERNÁNDEZ FARRERES (2015: 109) y lo corroboran, entre otros tantos, los AATS de 14/4/2016 (RC 1189/2015); 10/3/2016 (RRCC 2873/2015 y 3120/2015), 18/2/2016 (RC 2669/2015) y 4/2/2016 (RC 2076/2015).

tos que ingresa cada año, y conciliar su posición constitucional en el ordenamiento jurídico como supremo órgano jurisdiccional salvo en materia de garantías constitucionales (artículo 123 de la CE), con su labor cotidiana en la admisión y resolución de los recursos de los que conoce en grado de casación, que constituye una labor concebida teóricamente para complementar el ordenamiento jurídico en la aplicación e interpretación de la ley (artículo 1.6 del CC).

A este respecto, una primera consideración sobre el alumbramiento del interés casacional ha de partir necesariamente de la situación de sobrecarga de la Sala Tercera. No hay más que atender al hecho de que al final del año 2015 estaban en trámite 9.453 asuntos. Siguen siendo muchos, pero es cierto que en tan sólo diez años se ha reducido la situación de pendencia a más de la mitad (desde los cerca de 25.000 asuntos del año 2004), y que el tiempo de resolución de los recursos también se ha acortado de forma considerable hasta alcanzar los 13,4 meses como término medio en el año 2015[57]. Puede decirse a día de hoy que la Sala se ha puesto al día y que los plazos de tramitación y resolución son razonables tratándose de la última instancia jurisdiccional, de la que se esperan resoluciones ejemplares e impecables. Los esfuerzos desplegados por los magistrados de la Sala Tercera y por los Letrados del Gabinete Técnico han permitido que se haya contenido y reducido sensiblemente el número de asuntos pendientes de admisión y resolución.

Ciertamente ha coadyuvado a alcanzar esta situación la configuración misma de la casación contencioso-administrativa como un recurso extraordinario, la derivación a los Tribunales Superiores de Justicia de las cuestiones atinentes al Derecho autonómico y la intensificación de las exigencias formales en la doctrina jurisprudencial de la Sala. También otros tantos factores como la coyuntura económica,

---

[57]   Los datos están tomados de los resúmenes de la estadística judicial que publica la página web del Consejo General del Poder Judicial. http://www.poderjudicial. es/cgpj/es/Temas/Estadistica-Judicial/Analisis-estadistico/La-Justicia-dato-a-da-to/ Han sido analizados en fechas recientes por SANTAMARÍA (2015: notas 3 a 7), poniendo de relieve que el número de asuntos ingresados en la Sala Tercera del Tribunal Supremo guarda un claro paralelismo con la situación económica española. El número de asuntos tocó fondo en el año 2013, con 5.150 asuntos ingresados.

el establecimiento de barreras cuantitativas tales como las elevadas tasas judiciales, los costes anudados a la casación (las minutas del abogado y del procurador y la condena en costas) y, sin duda, el coste de oportunidad y el juicio de riesgo/beneficio que siempre caracteriza toda decisión de emprender acciones judiciales ante la incertidumbre que, por lo general, caracteriza las resoluciones de los órganos jurisdiccionales, desde los más modestos juzgados provinciales a las más altas instancias.

En cualquier caso, contra lo que se suele pensar, las estanterías no se han ido aliviando porque la inadmisión haya constituido la regla. Se ha inadmitido en una proporción menor a los recursos que han resultado ser admitidos y, como es lógico, siempre en aplicación de alguna de las causas legales establecidas, sometidas luego al tamiz de la Sala, que a través de su Sección Primera, compuesta por el Presidente de la Sala y por los distintos Presidentes de Sección, las ha aplicado de forma circunstanciada y rigurosa, elaborando un cuerpo de doctrina de miles de autos a lo largo de estos años. Proporcionalmente y desde una perspectiva analítica de conjunto, ha sido menor el impacto de la inadmisión.

Es cierto que se han criticado los resortes del modelo de casación que se deja atrás. Baste citar en este sentido la restricción de los motivos de casación, la limitación de la cuantía o el extremado rigor formal que ha llevado a la Sala Tercera del Tribunal Supremo a convertir la preparación del recurso en una fase con sustantividad propia, determinante de la suerte de la casación, mediante un examen puramente superficial sobre el fondo, centrado en examinar los requisitos de admisión del recurso[58]. Sin embargo, no han fructificado los esfuerzos del legislador por establecer frenos y cortapisas ante el elevado número de asuntos que soporta la Sala año tras año, que las más de las veces han sido soluciones de urgencia, poco meditadas y desconectadas de una visión de conjunto de la planta de la jurisdicción contencioso-administrativa[59]. Tampoco parecen haber

---

[58]   Alfonso PÉREZ MORENO lo expresó gráficamente al referirse al «angosto acceso por la aduana establecida para la admisión del recurso» [vid. su Prólogo a la obra de MONTOYA MARTÍN (1997: XVI)].

[59]   Paradigmática resulta, en este sentido, la Ley 37/2011, de 10 de octubre, cuyo título «medidas de agilización procesal» constituye todo un eufemismo. Cuadru-

contribuido a una disminución sustancial de los asuntos pendientes los criterios restrictivos que ha aplicado la Sala para racionalizar sus esfuerzos y no prolongar los plazos de resolución de los recursos, pues solamente en el año 2015 se han dictado más de tres mil sentencias, sin contar los centenares de autos recaídos en el trámite de admisión y la resolución de los recursos contencioso-administrativo directos que también se confían a la competencia objetiva de la Sala en virtud del artículo 12.1 de la LJCA.

El régimen jurídico de la casación ha seguido basado en el cumplimiento meramente formal de los requisitos de admisión como presupuesto para el estudio de los motivos alegados y el dictado de una resolución sobre el fondo. De poco ha servido la doctrina constitucional que rebaja la calificación del derecho a los recursos a la categoría de derecho disponible por el legislador. Tampoco los límites materiales y formales del recurso para aliviar la carga de recursos. Las sentencias han llegado años después, cuando no pocas veces se había derogado ya la norma aplicada, atendiendo al principio *tempus regit factum*, en un ordenamiento tan contingente y variable como es el ordenamiento jurídico-administrativo. De conformidad con ese modelo de casación bastaba con que el asunto cumpliera los requisitos formales que venían disciplinando el acceso a la casación para que se repartiera a la Sección competente *ratione materiae* y recayera al cabo sentencia. Operaban así los condicionantes procesales con cierto automatismo, llevando a la Sala a admitir irremediablemente un buen número de asuntos cada año, por más que tales asuntos no requiriesen en la mayoría de los casos una labor de esclarecimiento que contribuyera a complementar el ordenamiento jurídico mediante una doctrina jurisprudencial precisa y no contradictoria.

Es por todo ello que el legislador ha optado por hacer depender la admisión del recurso de casación del criterio del interés que revista el asunto para la formación de la doctrina jurisprudencial, erigiéndose así en el eje central de la reforma. Para la admisión del asunto no basta ya con que no concurra causa de inadmisión, sino que ahora debe

---

plica el límite casacional, que pasa de 150.000 a 600.000 euros con la finalidad declarada de «limitar el uso abusivo de instancias judiciales», con el pretexto de combatir la alta litigiosidad.

estar presente como presupuesto necesario la existencia de interés casacional para que el recurso se admita.

Se trata de un interés que trasciende el puramente individual de
las partes litigantes, proyectándose sobre la función misma que de-
sarrolla el Tribunal Supremo como tribunal de casación[60]. El interés
casacional se erige en un filtro mucho más efectivo a la hora de reducir de forma sensible el número de asuntos que acceden al Tribunal
Supremo que las tradicionales barreras cuantitativas, el carácter tasado de los motivos esgrimibles o el establecimiento de otros requisitos
materiales y formales, toda vez que es el propio Tribunal el que se-
lecciona los asuntos sobre los que ha de pronunciarse. La exposición
de motivos de la Ley Orgánica 7/2015, de 21 de julio, lo justifica en
atención a que «la casación no se convierta en una tercera instancia,
sino que cumpla estrictamente su función nomofiláctica».

El interés casacional que la reforma califica de «objetivo» en realidad se trata de un concepto jurídico indeterminado que se define por
su finalidad de formar jurisprudencia, según resulte de la necesidad de
complementar el ordenamiento jurídico, permitiendo así que el Tribunal concentre sus esfuerzos en garantizar la uniformidad del mismo,
al tiempo que los principios constitucionales de seguridad jurídica,
igualdad y unidad, siendo selectivo en la admisión de los recursos
para elaborar resoluciones de calidad en un tiempo reducido.

2.4. *La permanencia del acusado rigor formal del recurso de casación*

Ya se ha venido expresando que, a la vista de la práctica jurisprudencial de la Sala Tercera del Tribunal Supremo, la casación contencioso-administrativa se caracteriza por el acusado rigor formal en la
interpretación de los requisitos procesales que condicionan el acceso
a la casación, que no ha hecho sino intensificarse con el curso de los

---

[60]   Señala acertadamente BLASCO GASCÓ (2002: 36) que el interés casacional
va más allá del *ius litigatoris* y es la circunstancia que justifica la recurribilidad
de una determinada resolución, definiéndolo concretamente como «el criterio o
criterios de política legislativa que establece el legislador para acceder al recurso
de casación».

años[61]. Basta con referirse a los criterios casuísticos con los que se ha venido determinando la cuantía a efectos casacionales, que operan con sustantividad propia en múltiples sectores de actividad administrativa y que, a su vez, se modulan en atención a las reglas de la acumulación subjetiva y objetiva de acciones (apartados 2 y 3 del artículo 41 de la LJCA). También se pueden mencionar los requisitos formales que deben reunir los escritos de preparación e interposición. El incumplimiento del requisito del juicio de relevancia, derivado de los antiguos artículos 86.4 y 89.2 de la LJCA, ha comportado la inadmisión a *limine* de miles de recursos de casación a los que se reprochaba no haber justificado el carácter relevante y determinante de las infracciones normativas y/o jurisprudenciales que se imputan a la resolución recurrida, o no haber indicado las normas o la doctrina jurisprudencial que se entiende infringida o los cauces procesales concretos que se pretenden hacer valer con motivo de la formalización ulterior del recurso, y no ya sólo en relación con las sentencias (y autos) de los Tribunales Superiores de Justicia, sino también en el caso de las resoluciones dictadas por la Sala de lo Contencioso-Administrativo de la Audiencia Nacional[62].

Otro tanto sucede con el escrito de interposición, que debía encauzarse siguiendo una exacta correlación con el escrito de preparación y a través de motivos de casación tasados[63], sin posibilidad de mez-

---

[61] Son múltiples las críticas doctrinales que se han hecho eco de este acusado formalismo. Vid. ALEGRE ÁVILA, J. M.: «La casación en lo contencioso-administrativo y la tutela judicial efectiva», *Justicia Administrativa* n° 9 (2000), págs. 5-40; ALONSO MAS (2015: 254-255); BOUAZZA (2013: 29-30 y 152 y ss.); CHINCHILLA MARÍN, C.: «Nuevos criterios para la admisión del recurso de casación contra sentencias y autos de la Audiencia Nacional», *Justicia Administrativa* n° 52 (2011), págs. 25-50; GONZÁLEZ PÉREZ, J.: *Comentarios a la Ley de la Jurisdicción Contencioso-Administrativa*, Civitas Thomson Reuters, Madrid, 8ª ed., 2016, págs. 876-877; FERNÁNDEZ FARRERES (2015: 108); FERNÁNDEZ TORRES, J. R.: «¿Formalismo exacerbado o simple defensa de la legalidad?», *Revista de Urbanismo y Edificación* n° 33 (2015), págs. 183 y ss.; PAREJO ALFONSO (2014: 949 y ss.), y SANTAMARÍA (2010: 866-867).

[62] Vid. PAREJO ALFONSO (2014: 949 y ss.), quien examina el desarrollo en distintas fases de una interpretación de signo formalista «conducente –en palabras del autor– a una aplicación progresivamente restrictiva de los requerimientos legales al acceso al recurso».

[63] AATS de 7/5/2015 (RC 3478/2014) y 20/3/2014 (RC 3381/2013).

clar unas infracciones con otras[64], de invocar simultáneamente varios motivos de casación en un mismo apartado del escrito[65], de articular motivos de forma subsidiaria o *ad cautelam*[66] o de ampararse en un cauce equivocado[67], no obstante la existencia de supuestos de difícil delimitación en la práctica. El carácter insubsanable que se predica de estos requisitos procesales determinaba otro importante filtro para los litigantes, si no estaban familiarizados debidamente con la doctrina sentada a lo largo del tiempo.

La configuración del recurso de casación como un recurso extraordinario ha propiciado una interpretación restrictiva de estos requisitos procesales. La inadmisión de los recursos por las expresadas causas ha permitido al Tribunal Supremo filtrar los asuntos de que conoce, consciente de que el derecho a los recursos tan sólo es incompatible con resoluciones de inadmisión arbitrarias. Sin embargo, esos esfuerzos tampoco han sido suficientes, medidos en términos de eficacia, para reducir de forma significativa el *stock* de asuntos pendientes y acortar los plazos de resolución de los recursos. Además, debe señalarse que las Salas de instancia, que son los órganos jurisdiccionales que estaban llamados a examinar el cumplimiento de los requisitos que la Ley procesal anuda al escrito de preparación, tan sólo en contadas ocasiones han aplicado ese filtro sobre la admisibilidad del recurso, teniendo por preparados los recursos y remitiendo las actuaciones sin más preámbulos.

Con estos antecedentes lo lógico habría sido que la Ley Orgánica 7/2015 hubiera suprimido el trámite de preparación del recurso ante el órgano que dicta la resolución recurrida, y que correspondiera al tribunal de casación –ya sea el Tribunal Supremo o los Tribunales Superiores de Justicia– la tramitación completa de la admisión del recurso[68], no ya sólo por la inutilidad procesal del escrito de prepara-

---

[64]   AATS de 18/2/2016 (RC 2922/2015) y 21/1/2016 (RC 2050/2015).

[65]   AATS de 9/7/2015 (RC 570/2015) y 11/9/2014 (RC 559/2014).

[66]   AATS de 12/11/2015 (RRCC 208/2015 y 66/2015).

[67]   AATS de 10/3/2016 (RC 2855/2015) y 18/2/2016 (RC 2851/2015).

[68]   Esta era una de las propuestas contenidas en el «Informe explicativo y propuesta de Ley de Eficiencia de la Jurisdicción Contencioso-Administrativa», de marzo de 2013, elaborado por la Sección Especial de la Comisión General de Codificación. Finalmente ha sido desoída por el legislador sin una aparente justificación.

ción, sino porque la nueva casación se orienta primordialmente a la formación de doctrina jurisprudencial y se centra en estudiar el fondo de los asuntos, lo cual parecería soslayar cualquier posible inconveniente formal en virtud del principio antiformalista que inspira la jurisdicción. Sin embargo no ha sido así. El legislador no sólo mantiene el trámite de preparación, sino que describe con todo detalle algunos de los requisitos formales que había deducido la propia Sala Tercera en la exégesis de la redacción anterior. Ahora se trata de un trámite cualificado de cuyo correcto cumplimiento se hace depender la viabilidad del siguiente trámite de admisión[69]. Además de la exigencia de fundamentar «con singular referencia al caso» que concurren alguno o algunos de los supuestos que permiten apreciar el interés casacional, el artículo 89.2 de la LJCA positiviza algunos requisitos formales derivados de la doctrina jurisprudencial consolidada de la Sala Tercera, tales como acreditar el cumplimiento de los requisitos reglados en orden al plazo, la legitimación y la recurribilidad de la resolución que se impugna; identificar con precisión las normas o la jurisprudencia que se consideran infringidas y justificar que tales infracciones han sido relevantes y determinantes del fallo de la resolución que se pretende recurrir.

Como en el nuevo recurso de casación contencioso-administrativo casi cualquier resolución judicial puede resultar potencialmente susceptible de estudio por el Tribunal, tal vez el legislador ha pretendido mantener un primer dique de contención ante una posible avalancha inicial que amenace con desestabilizar la viabilidad del sistema en su conjunto. Puede que en un futuro el legislador opte por suprimir este trámite, tan innecesario como perturbador, pues nada más contrario a la eficiencia que proclama el legislador que el retorno a un formalismo rancio, absolutamente injustificado, en la interpretación restrictiva de los requisitos procesales; máxime considerando que la pieza

---

[69]   Como señala SANTAMARÍA (2015: 25), «es perfectamente innecesario obligar a los recurrentes a confeccionar un escrito lleno de una larga y minuciosa serie de requisitos formales (la mayor parte de ellos, obvios), con objeto de propiciar su inadmisión en los casos de ausencia o error». Ciertamente lo fundamental del nuevo modelo de casación habría de ser explicar el interés casacional que presente que presente el proceso, no que se cumplan o no los requisitos formales.

central de la nueva casación es el interés casacional, al que debería subordinarse la efectividad de la tutela judicial.

El escrito de interposición también se ha de ajustar a otras tantas formalidades (artículo 92.3 de la LJCA), de las que se dará cuenta más adelante. Cabe anticipar en este momento dos de ellas. La primera es que se mantiene la perfecta correlación o concordancia con el escrito de preparación, tal como venía exigiendo la doctrina jurisprudencial de la Sala Tercera, de suerte que las normas o jurisprudencia que entonces quedaron identificadas no pueden extenderse –con ocasión de la interposición– a otra u otras no consideradas entonces[70]. Y la segunda, un tanto extravagante, consistente en que desde el propio Tribunal Supremo se determine «la extensión máxima y otras condiciones extrínsecas (...) de los escritos de interposición y oposición de los recursos de casación» (artículo 87 bis.3 de la LJCA)[71].

---

[70] Como advierte SANTAMARÍA (2015: 35), esta regla, además de innecesaria por la misma razón por la que la importancia de los requisitos formales en el nuevo sistema casacional habría de verse relativizada, es contradictoria con el artículo 90.4 de la LJCA, según el cual la sentencia podrá extenderse a la interpretación de las normas distintas de las anunciadas por el recurrente «si así lo exigiere el debate finalmente trabado en el recurso».

[71] En este sentido, por acuerdo de 20 de abril de 2016 de la Sala de Gobierno del Tribunal Supremo (publicado en el Boletín Oficial del Estado de 6/7/2016), se ha aprobado «la extensión máxima y otras condiciones extrínsecas de los escritos procesales referidos al recurso de casación ante la Sala Tercera». En ese acuerdo se parte de la base de que el establecimiento de tales normas o instrucciones constituye una novedad en nuestro ordenamiento jurídico, pero no así en otros tribunales de nuestro entorno, como es el caso del Tribunal General y el Tribunal de Justicia de la Unión Europea, así como del Tribunal Europeo de Derechos Humanos y del Tribunal Supremo de Estados Unidos. A continuación explica la doble finalidad que persiguen tales normas: «por un lado facilitar la lectura, análisis y decisión por parte del Tribunal Supremo de los escritos que se presenten; por otro, establecer una estructura y formato uniformes con vistas a su presentación telemática o a su posterior tratamiento digital, permitiendo una rápida localización del propósito del escrito y de los datos de identificación necesarios». En el acuerdo se apela al previsible aumento del número de recursos que se presentarán ante la Sala Tercera, requiriendo la colaboración de los profesionales que acudan al Tribunal, exigiéndoles que presenten escritos en los que se identifiquen de forma clara y concisa los distintos requisitos establecidos por la LJCA. En particular alude a dos de ellos: la justificación de la relevancia de las infracciones denunciadas [artículo 89.2.d)] y el interés casacional objetivo y la conveniencia de un pronunciamiento [artículo 89.2.f)].

Así pues, parece que el formalismo se ha instalado en la institución casacional para no marcharse. Bien estará que los requisitos formales alcancen la máxima difusión posible para el conocimiento general de

---

En un anexo que acompaña a este trabajo se detalla la extensión máxima de los distintos escritos y las normas de estilo configuradas por la propia Sala de Gobierno del Tribunal Supremo. Baste ahora señalar que, si bien el artículo 87 bis.3 de la LJCA tan sólo menciona expresamente los escritos de interposición y oposición, que aparecen vinculados al cumplimiento de «normas» en el mencionado acuerdo, se incluyen sin embargo en el mismo los denominados «criterios orientadores» aplicables a los escritos de preparación y a los demás escritos procesales que se presenten durante la tramitación del recurso. No se mencionan las consecuencias que puede deparar su incumplimiento por las partes. Para MARTÍN VALDIVIA S. Mª: *La jurisdicción contenciosa: análisis práctico*, Aranzadi, Pamplona, 2016, pág. 1.106, se trata de una «sustancial limitación del derecho de defensa» que se formula de manera indiscriminada, «sin reparar en las circunstancias del caso de que se trate, de la enjundia de la prueba practicada o de la transcendencia de lo enjuiciado», mientras que a juicio de SANTAMARÍA (2015: 34-35) constituye una prescripción «pintoresca» y un «perfecto disparate, producto del más rancio arbitrismo» fijar de antemano una dimensión máxima de los escritos. GONZÁLEZ PÉREZ (2016: 898) sale al paso de esta última opinión. Aunque entiende que la fijación apriorística de la dimensión de los escritos no es lo más idóneo y que puede resultar excesivo establecerlo obligatoriamente, condena las malas prácticas de letrado por la «desaforada e innecesaria extensión de sus alegaciones». Por su parte, en opinión de FERNÁNDEZ FARRERES (2015: 108-109), el incumplimiento o inobservancia de estos requisitos que deben reunir los escritos de interposición y oposición puede dar lugar a la inadmisión del recurso en virtud del artículo 92.4 de la LJCA, que se refiere al incumplimiento de los requisitos que establece el apartado inmediato anterior.
Sin embargo, no queda claro si el citado artículo 87 bis.3 de la LJCA tiene carácter vinculante para las partes en el proceso y llevará aparejada alguna sanción por su incumplimiento, o si, por el contrario, se formula como una pura y simple recomendación a los litigantes para dotar de homogeneidad a los escritos y, por ende, facilitar el trabajo de la Sala. Ese precepto no parece más que una habilitación a la Sala de Gobierno del Tribunal Supremo para elaborar unas normas de estilo, que en ningún caso parece que pueda amparar nuevos requisitos formales no previstos en la Ley jurisdiccional ni atribuir una potestad normativa. Con todo, en el acuerdo de la Sala de Gobierno mencionado parece distinguirse entre las normas aplicables a los escritos de interposición y oposición, que son a los que se refiere la LJCA, y las orientaciones que «a modo de recomendación» se aplican a los restantes escritos, incluyendo el de preparación. En cualquier caso, el incumplimiento de esos requisitos sobre las condiciones extrínsecas que han de reunir los escritos de las partes parece que debería considerarse, al menos, subsanable.

los operadores jurídicos. El Boletín Oficial del Estado asegurará la publicación de esas normas de estilo de los escritos de interposición y oposición, pero también sería interesante que la propia página web del Tribunal Supremo, con un afán meramente informativo, facilitara el acceso a una especie de guía práctica sobre la admisibilidad de los recursos que se fuese actualizando periódicamente a medida que la Sala siente sus criterios[72], como es práctica habitual del Tribunal Europeo de Derechos Humanos.

---

[72]   Por el momento el artículo 90.7 de la LJCA prescribe que los autos de admisión del recurso de casación se publicarán en la página web del Tribunal Supremo, y que semestralmente su Sala de lo Contencioso-Administrativo hará público, en la mencionada página web y en el Boletín Oficial del Estado, el listado de recursos de casación admitidos a trámite, con mención sucinta de la norma o normas que serán objeto de interpretación y de la programación para su resolución.

Parte Segunda
Concepto y naturaleza jurídica del recurso de casación contencioso-administrativo

Capítulo III
Concepto y principales características

Antes de examinar el régimen jurídico de la institución casacional en el orden contencioso-administrativo es oportuno conocer el concepto y las notas características de este medio impugnatorio.

1. CONCEPTO DE RECURSO DE CASACIÓN CONTENCIOSO-ADMINISTRATIVO

La casación contencioso-administrativa, que toma como referencia la configuración que proviene del proceso civil, constituye un recurso de carácter extraordinario, revestido de exigencias formales propias, que se interpone contra determinadas resoluciones judiciales y cuya finalidad es la fijación unitaria de la aplicación e interpretación del Derecho realizada por los restantes órganos integrantes de ese orden jurisdiccional.

Según resulta de la reforma operada por la Ley Orgánica 7/2015, de 21 de julio, la finalidad singular de este proceso impugnatorio es el enjuiciamiento selectivo de resoluciones judiciales en aras de la formación de doctrina jurisprudencial. Cuando del análisis del ordenamiento jurídico, propiciado por el recurso, resulte la existencia de interés casacional, la labor del tribunal de casación será la depuración del Derecho objetivo mediante el esclarecimiento de la norma, regla o principio de que se trate.

Esta finalidad concentra los esfuerzos de la reforma operada, reconduciéndose a una única modalidad la diáspora de variantes previstas hasta entonces, que, por referencia al Tribunal Supremo y a los Tribunales Superiores de Justicia, incluían el recurso de casación para la unificación de la doctrina y el recurso de casación en interés de la ley, así como sus sucedáneos autonómicos. La admisión del recurso no se hace depender ya de la invocación de motivos tasados ni de la cuantía del asunto en cuestión, sino que el presupuesto y razón de ser de la admisión es que el recurso presente interés casacional. Y, congruentemente con ello, el ámbito objetivo del recurso de casación comprende, al menos de forma potencial, cualquier resolución de dichos órganos jurisdiccionales que no sea susceptible de recurso ordinario. En este sentido, se prevé la posibilidad de que el recurso de casación se interponga, con escasas excepciones, contra todas las sentencias, ya sean dictadas en única instancia o incluso en segunda instancia, tanto por los tribunales colegiados como por los juzgados unipersonales del orden jurisdiccional contencioso-administrativo, bien que en supuestos limitados en estos casos. La relación de autos susceptibles de casación sigue siendo tasada y comprende los mismos supuestos previstos con anterioridad a la reforma.

El nuevo modelo contempla, pues, un único recurso de casación vertebrado por el interés casacional que presente el asunto, con la particularidad de que la competencia objetiva para conocer del recurso recaerá en la Sala Tercera del Tribunal Supremo o en la correspondiente Sección de la Sala de lo Contencioso-Administrativo del Tribunal Superior de Justicia, según que el recurso se funde, de forma respectiva, «en infracción de normas de Derecho estatal o de la Unión Europea que sea relevante y determinante del fallo impugnado», o «en infracción de normas emanadas de la Comunidad Autónoma» (artículo 86.3 de la LJCA). Uno y otro siguen una tramitación basada en las mismas reglas, con la diferencia de las resoluciones recurribles y de la fundamentación jurídica del recurso.

2. PRINCIPALES RASGOS CARACTERÍSTICOS DEL RECURSO DE CASACIÓN CONTENCIOSO-ADMINISTRATIVO

Las características de la casación contencioso-administrativa como medio de impugnación extraordinario vienen determinadas por su configuración concreta en el ordenamiento procesal[73]. Aunque ha

---

[73]   Vid. AGÚNDEZ FERNÁNDEZ, A.: *El recurso de casación contencioso*-administrativo, Comares, Granada, 1996, págs. XXIII-XXIV; BOUAZZA (2013: 33-34); HINOJOSA (2016: 21-30); IGLESIAS CANLE (2000: 133-138); MARTI DEL MORAL (1997: 23-26); MEDINA GONZÁLEZ, S.: *La inadmisión del recurso de casación contencioso-administrativo*, Thomson Civitas, Madrid, 2009, págs. 34-39; MONTOYA MARTÍN (1997: 23 y ss.), y SANTAMARÍA

experimentado una evolución peculiar y más dilatada y compleja que la casación civil, sus rasgos generales siguen impregnando esta institución en el orden contencioso, no obstante las particularidades que se esbozarán en el capítulo siguiente.

En síntesis, se trata de un recurso jurisdiccional, de carácter extraordinario y que no abre una nueva instancia.

2.1. El recurso de casación como auténtico recurso jurisdiccional

En el orden de jurisdicción contencioso-administrativo la casación aparece desligada, según se ha explicado, del matiz político con el que surgió en Francia, donde inicialmente cumplía funciones de carácter no jurisdiccional.

Que el recurso de casación constituya un recurso de naturaleza jurisdiccional significa que se inscribe en el marco de un proceso judicial y que es resuelto por los magistrados del Tribunal Supremo, como miembros de la carrera judicial, o por los magistrados del Tribunal Superior de Justicia en el caso del recurso de casación autonómico. El objeto del recurso, entendido como medio de impugnación procesal[74], es una resolución judicial (sentencia o auto) combatida ante el tribunal de casación por quienes han sido parte en el proceso o debieran haberlo sido (artículo 89.1 de la LJCA), con la finalidad de anularla, total o parcialmente, y, en su caso, devolver los autos al Tribunal de instancia o bien confiar a éste la resolución dentro de los términos en que apareciese planteado el debate (artículo 87 bis.2 de la LJCA).

Además de este carácter anulatorio del recurso jurisdiccional de casación, cabe predicar las siguientes características:

PASTOR, J. A.: *Principios de Derecho Administrativo General*, vol. II, Iustel, Madrid, 3ª ed., 2015, págs. 807-808 y la «Actualización» de ese volumen publicada en Iustel el 22 de julio de 2015.

[74]   J. GUASP DELGADO definía el recurso de casación como «el proceso de impugnación de una resolución judicial, por razones inmanentes al proceso en que dicha resolución fue dictada» (*vid. Derecho Procesal Civil II, Parte Especial*, Instituto de Estudios Políticos, 3ª ed., Madrid, 1968, pág. 802).

– Es un recurso de plena jurisdicción, que se pone a disposición de las partes en un litigio para casar la sentencia o auto impugnado, total o parcialmente, anulándolos, con la consecuencia de devenir los mismos firmes, con la particularidad de que si la sentencia es estimatoria resolverá la controversia jurídica del litigio subyacente de forma definitiva (artículo 93.1 de la LJCA). La sentencia desestimatoria, por el contrario, señala este precepto que confirmará la resolución impugnada[75].

– Sigue una tramitación específica, conformada por las fases de preparación, admisión, interposición-oposición y resolución. Se trata de una tramitación procedimental pautada por la Ley de la Jurisdicción y que presenta algunas particularidades procesales.

– Es un recurso devolutivo cuando conoce del mismo la Sala Tercera del Tribunal Supremo como órgano superior del orden jurisdiccional contencioso-administrativo (artículo 123 de la CE), con cuya doctrina unificará la interpretación de las normas de Derecho estatal o de la Unión Europea en el territorio del Estado. En el caso del recurso de casación autonómico también puede predicarse su carácter devolutivo cuando las sentencias impugnadas procedan de los Juzgados provinciales de lo Contencioso-Administrativo. No así cuando los Tribunales Superiores de Justicia conozcan de sus propias resoluciones, dictadas en única instancia o en apelación, por infracción del Derecho autonómico.

---

[75] No obstante, de las características institucionales del recurso de casación deriva la consecuencia de que, en los casos de desestimación de dicho recurso, no necesariamente el tribunal de casación hace suya la solución jurídica dada al recurso contencioso-administrativo en la instancia, «sino que, en principio, tales hipotéticas desestimaciones pueden limitarse al mero contenido negativo de que los motivos carecen de virtualidad para prevalecer sobre la fundamentación de las sentencias recurridas, pero pueden no suponer una positiva consideración por parte del Tribunal Supremo de que las sentencias recurridas sean, sin quiebras, la solución correcta de los casos decididos en ellas, de forma que un distinto planteamiento impugnatorio tal vez pudiera haber reconducido a soluciones distintas de las de las sentencias recurridas» (STS de 9/4/2014, RC 765/2013, y otras posteriores que la citan, como las SSTS de 8/10/2014, RC 2457/2013, y 15/12/2014, RC 2459/2013).

– Es un recurso suspensivo. La casación no puede considerarse propiamente como una segunda instancia, pero es a todos los efectos un recurso contra resoluciones judiciales que no han adquirido firmeza. La ejecución provisional prevista en el artículo 91.1 de la LJCA es una facultad que se brinda a la parte vencedora en la instancia, de tal forma que si no hace uso de la misma el recurso de casación surte efectos suspensivos[76].

2.2. El carácter extraordinario del recurso de casación

2.2.1. El interés casacional como elemento delimitador del ámbito de conocimiento del tribunal de casación

La admisión del recurso de casación contencioso-administrativo exige el cumplimiento cualificado de diversos requisitos formales[77]. Aunque la Ley Orgánica 7/2015, de 21 de julio, prescinde de los motivos tasados para articular el recurso y del límite cuantitativo, lo cierto es que se trata de un recurso que opera en relación con determinadas resoluciones judiciales, en razón de la existencia de interés casacional y mediante la invocación precisa de una concreta infracción del ordenamiento jurídico, tanto procesal como sustantiva, o de la doctrina jurisprudencial.

La reforma de la casación implica una sustancial ampliación de las sentencias potencialmente impugnables por esta vía, manteniendo prácticamente intacto el régimen de impugnación de los autos. Con esta ampliación del ámbito objetivo del recurso, la nueva regulación resulta, al menos aparentemente, más abierta de lo que tradicionalmente ha sido. No hay más que recordar el establecimiento de una cuantía mínima para el acceso al recurso, que tras cada nueva regulación no ha hecho sino incrementarse, hasta desaparecer en un viraje

---

[76] La doctrina jurisprudencial sobre la ejecución provisional de sentencias se contiene, entre otras, en la STS de 11/2/2009 (RC 1637/2006), reiterada en las SSTS de 25/11/2015 (RC 2573/2013) y 5/2/2015 (RC 753/2014).

[77] Sobre el carácter extraordinario del recurso de casación en la jurisdicción contencioso-administrativa, *vid.* MONTOYA MARTÍN (1997: 24 y ss.), quien analiza este rasgo definidor desde la perspectiva doctrinal y en la doctrina del Tribunal Supremo y del Tribunal Constitucional.

repentino de rumbo. O la exclusión del recurso por razones materiales, al exceptuarse de su conocimiento las cuestiones de personal no atinentes al nacimiento o extinción de la relación de servicios de funcionarios de carrera. Si a eso se suma la desaparición de la exigencia de que el recurso se funde en motivos tasados, bien podría dudarse de la subsistencia del adjetivo «extraordinario» que ha venido acompañando al recurso de casación.

Sin embargo, el hecho de que hayan desaparecido los cauces procesales específicos, a cuyo amparo debía articularse el recurso de casación, no significa que el mismo haya perdido su carácter extraordinario, pues no sólo se seguirá fundando en la infracción de normas de Derecho sustantivo o adjetivo, sino que su admisión estará condicionada por el tamiz del interés casacional como concepto jurídico indeterminado, cuyo sentido y alcance habrá de determinar el tribunal de casación en cada supuesto concreto en aras de contribuir a la depuración del Derecho objetivo, aplicando para ello las circunstancias indicativas que ha enumerado el legislador o aquellas otras que aprecie el Tribunal discrecionalmente (artículo 88 de la LJCA).

Al interés casacional como presupuesto objetivo del recurso, delimitador del ámbito de conocimiento por parte del tribunal de casación, se dedicará una atención especial en otro momento, por razones sistemáticas.

2.2.2. El rigor formal en la exigencia de los requisitos procesales desde la perspectiva del derecho a la tutela judicial efectiva

Se ha venido considerando que el rigor formal es una característica derivada del carácter extraordinario del recurso de casación[78].

---

[78]   *Vid.* DE LA PLAZA NAVARRO, M.: *La casación* civil, Revista de Derecho Privado, 1944, págs. 35-36, quien vincula la cuestión del rigor formal a la condición pública como característica de la casación, que prevalece sobre los intereses privados de las partes, «porque está en el interés del Estado evitar que el recurso se desvíe habilidosamente por derroteros que pudieran desnaturalizar su fin peculiar, al que, una vez más hemos de repetirlo, está subordinado el interés de las partes». Por referencia a las formalidades del recurso de casación, el Tribunal Supremo ha procurado marcar las diferencias con el recurso de apelación. Se ha dicho que tales formalidades se justifican por el carácter extraordinario y eminentemente

El acento en los requisitos formales, tan contestado doctrinalmente, según se ha visto en el capítulo anterior, sigue impregnando el recurso de casación en todas sus fases en la reforma acometida por la Ley Orgánica 7/2015. El problema más acuciante de esta nota distintiva del recurso es su grado de intensidad. Un rigorismo excesivo o exacerbado puede llegar a vulnerar el derecho a la tutela judicial efectiva[79].

En este sentido, es imprescindible señalar que de la lectura detenida de la doctrina constitucional se infiere que el carácter extraordinario del recurso equivale a su innecesariedad misma, pero una vez

---

formal del recurso de casación, «que, a diferencia de la apelación, es un recurso que está sujeto a específicas reglas formales que la misma Ley de la Jurisdicción establece y sólo puede basarse en las causas taxativamente enumeradas que también se recogen en dicha Ley» (STS de 29/9/2014, RC 5797/2011). También se ha venido repitiendo que el rigor formal no es un mero prurito, «sino una clara exigencia del carácter extraordinario que el recurso posee, sólo viable, en consecuencia, por motivos tasados, cuya finalidad no es otra que la de depurar la aplicación del Derecho, tanto en el aspecto sustantivo como procesal, que haya realizado la sentencia de instancia» (ATS de 22/11/2007, RC 5219/2006).

Sobre la evolución que ha experimentado la doctrina jurisprudencial del Tribunal Supremo a propósito del grado de exigencia de los requisitos procesales, *vid.* MONTOYA MARTÍN (1997: 40-52), y, más recientemente, PAREJO ALFONSO (2014: 949 y ss.).

También conviene destacar la concepción objetiva del recurso de casación en la doctrina constitucional, pues se reconoce que satisface finalidades objetivas o públicas, como son la defensa del sometimiento del juez al Derecho y la garantía de la unidad, la igualdad y la seguridad jurídica como principios básicos del ordenamiento jurídico. Sólo secundariamente atiende a una finalidad subjetiva o privada de las partes en la tutela de sus derechos o intereses legítimos. Como señala en este sentido la STC 81/1986, de 20 de junio, «el recurso de casación presenta unas características muy singulares, que hacen de él un instrumento extraordinario, organizado por el legislador no directamente en interés de las partes, como lo demuestra la existencia del recurso de casación en interés exclusivamente de la Ley, cuyo objetivo fundamental es el control de la correcta aplicación e interpretación de las leyes y la formación de un cuerpo de jurisprudencia. Estos objetivos de carácter público, que se encuentran presentes en el recurso de casación (aunque modernamente hayan quedado en algún modo desvaídos) otorga al legislador una plena libertad para la configuración de los requisitos necesarios para la interposición del recurso, así como para articular un específico trámite de admisión de los mismos».

[79] Sobre la incidencia de la doctrina constitucional en la interpretación del rigor formal de la casación, *vid.* LÓPEZ SÁNCHEZ (2002: 103 y ss.) y MONTOYA MARTÍN (1997: 68-72).

reconocida su existencia no se puede denegar la admisión a trámite del recurso de forma arbitraria[80]. De acuerdo con esta doctrina, el recurso de casación no es necesario desde los parámetros constitucionales del derecho a la tutela judicial efectiva consagrado en el artículo 24.1 de la CE. En el orden jurisdiccional contencioso-administrativo no se reconoce el derecho a una doble instancia, pues el derecho a la revisión de las resoluciones jurisdiccionales no goza de la protección constitucional prevista para el derecho a la tutela judicial, a diferencia del derecho a obtener una resolución razonada y fundada, sino que constituye, dejando a salvo la materia penal, un derecho de configuración legal, entregado a la disponibilidad del legislador[81].

Cabe apreciar una evolución tendencialmente más restrictiva en la interpretación de los requisitos o presupuestos formales en la admisión de los recursos por parte del Tribunal Constitucional. En una primera etapa dicho Tribunal realiza la comprobación de la «razonabilidad» de la decisión adoptada por el órgano judicial, evitando que las meras irregularidades formales se conviertan en «formalismos enervantes contrarios al espíritu y finalidad de la norma». Lejos de la intensificación del rigor formal que caracteriza la última doctrina constitucional y del propio Tribunal Supremo, estos primeros pronunciamientos abogan por atenuarlo mediante una interpretación favorable de las exigencias formales de los recursos y la subsanación de defectos[82].

---

[80]   Como sostiene la STC 7/1989, de 19 de enero, bien que por referencia a la casación civil, «la Constitución no impone la existencia o procedencia del recurso de casación en materia civil y, dado su carácter de extraordinario, el legislador es libre de determinar los casos en que procede limitar las causas o motivos de impugnación y prescribir las demás exigencias materiales y formales para su admisión y tramitación, pero es contrario al indicado derecho a la tutela judicial efectiva denegar el acceso a dicha vía del recurso en atención una causa legal inexistente o en aplicación no justificada ni razonable de alguna de las causas legales de inadmisión».

[81]   STC 50/1990, de 26 de marzo.

[82]   «Los órganos judiciales están obligados a interpretar las disposiciones procesales en el sentido más favorable para la efectividad del derecho que consagra el art. 24.1 de la CE», señala la STC 213/1990, de 20 de diciembre, por referencia a la STC 90/1986, de 2 de julio.
        Y añade lo siguiente: «La tutela, pues, que los órganos jurisdiccionales han de dispensar de los derechos e intereses legítimos exige que, al examinar el cum-

La línea jurisprudencial que se ha consolidado ha sido la más estricta: la que solamente considera contraria al derecho a la tutela judicial efectiva una inadmisión arbitraria[83]. La STC 37/1995, de 7 de febrero, proclama que «el principio hermenéutico *pro actione* no opera con igual intensidad en la fase inicial del proceso, para acceder al sistema judicial, que en las sucesivas, conseguida que fue una primera respuesta judicial»[84]. En la práctica esta línea jurisprudencial avala que un recurso pueda quedar decidido mediante una sola resolución judicial, posibilitando la aplicación de las causas de inadmisión legalmente establecidas y aquellas otras que, en un ejercicio hermenéutico

---

plimiento de los requisitos procesales, el órgano judicial esté obligado a ponderar la entidad real del vicio advertido, en relación con la sanción del cierre del proceso y del acceso a la Justicia que de él pueda derivar y, además, permitir siempre que sea posible la subsanación del vicio advertido (STC 49/1989), pues, si el órgano judicial no hace posible la subsanación de defecto procesal que pudiera considerarse como subsanable o impone un rigor en las exigencias formales más allá de la finalidad a que la misma responda, la resolución judicial que cerrase la vía del proceso o del recurso sería incompatible con la efectividad del derecho fundamental a la tutela judicial (STC 62/1989), ya que los requisitos de forma no son valores autónomos que tengan sustantividad propia, sino que son instrumentos para conseguir una finalidad legítima (STC 36/1986), evitando sanciones desproporcionadas (STC 134/1989), con la consecuencia de que si aquella finalidad puede ser lograda sin detrimento de otros derechos o bienes constitucionales dignos de tutela, debe procederse a la subsanación del defecto, muy especialmente cuando la inobservancia del requisito formal produce el cierre de la vía del recurso».

[83] El trabajo de BORRAJO, DÍEZ-PICAZO y FERNÁNDEZ FARRERES (1995: 47 y ss.) resume la coexistencia de las líneas jurisprudenciales sobre el derecho a la tutela judicial y las limitaciones del acceso a los recursos, postulando la interpretación más estricta que acabó imponiéndose (págs. 56-61).

[84] Ante las interpretaciones posibles que ofrecía un precepto de la antigua Ley de Enjuiciamiento Civil, en relación con la necesidad o no del trámite de audiencia en el caso de que el Tribunal Supremo decidiera la inadmisión del recurso de casación por carencia manifiesta de fundamento, el Tribunal Constitucional considera que «la balanza constitucional no puede inclinarse en ningún sentido para optar entre dos soluciones igualmente razonables, sin interferir en el núcleo de la potestad de juzgar cuya independencia de criterio predica la Constitución, ya que el amparo no está configurado como una última instancia ni tiene una función casacional, operantes una y otra en el ámbito de la legalidad». El Tribunal Constitucional concluye que, en lo que respecta al derecho a los recursos, sólo le corresponde fiscalizar si la inadmisión se ha adoptado «arbitrariamente o *intuitu personae*», entendiendo que «corresponde al Tribunal Supremo la última palabra sobre la admisibilidad de los recursos de casación ante él interpuestos».

de las mismas, avala el Tribunal Supremo en sus pronunciamientos sin posibilidad de subsanar los defectos de que adolezcan los escritos de preparación e interposición del recurso de casación[85].

---

[85]   Así lo declaran, entre otros, los AATS de 13/11/2014 (RC 2419/2014) y 27/9/2012 (RC 1125/2012).

Sobre la crítica al formalismo en la interposición y preparación del recurso de casación puede verse CORDÓN MORENO (1994: 102-105).

En un caso puntual se ha admitido la lesión del derecho fundamental a la tutela judicial efectiva. La STC 7/2015, de 22 de enero, reiterada en otros pronunciamientos posteriores, lo declara vulnerado si se aplica un requisito formal, introducido con ocasión de un cambio de criterio jurisprudencial, a los recursos preparados cuando no existía o no se conocía la nueva doctrina y, no habiendo sido posible a la parte ajustarse al nuevo criterio, no le se concede oportunidad alguna de subsanación. Como declara el voto particular que acompaña esta sentencia, la eficacia retroactiva de los cambios de criterio jurisprudencial no puede ser absoluta, aunque en este caso parecía obligada la concesión del amparo atendiendo al canon de racionalidad y la salvaguardia de los principios de seguridad jurídica y buena fe, «una de cuyas consecuencias se refleja en el paradigma clásico *ad impossibilia nemo tenetur* (nadie puede ser obligado a lo imposible), en estrecha relación, dadas las peculiares circunstancias de este supuesto, con otro principio clásico en el derecho del procedimiento, como es el de que los actos se rigen por las reglas vigentes en el momento de su producción: *tempus regit actum*».

A partir de esta sentencia, la introducción de un nuevo requisito en la fase de admisibilidad de los recursos parece que exigirá la subsanación por el propio recurrente, con el mismo efecto retroactivo, a fin de ajustarse a las nuevas exigencias. *Vid.* LOZANO CUTANDA, B.: «El TC estima el recurso de amparo interpuesto contra la inadmisión de un recurso de casación por no cumplir los nuevos criterios jurisprudenciales sobre los escritos de preparación», *Diario La Ley* n° 8.508, de 23 de marzo de 2015. Es inevitable que en la práctica se produzcan situaciones inicuas si no se supera el formalismo a la luz del principio general proclive a la subsanación, que en sede casacional encuentra no obstante su excepción más significativa. GONZÁLEZ PÉREZ (2016: 914-915), a propósito de la preparación del recurso y el denominado juicio de relevancia, postula la subsanación de defectos como principio general o incluso la innecesariedad de abrir un trámite de subsanación cuando del examen de la sentencia recurrida y de los motivos de casación se desprenda que los mismos descansan en normas estatales –o autonómicas–. MONTOYA MARTÍN (1997-155-157) propone distinguir entre los defectos subsanables y no subsanables, promoviendo una interpretación conforme al artículo 24 de la CE: «sólo si advertida la parte del defecto y concedido un trámite de subsanación se abstuviera de hacerlo, la consecuencia jurídica procedente es la declaración de no preparación o, en su caso, de no admisión del recurso». CORDÓN MORENO (1994: 103-104) también critica el cierre de toda posibilidad de subsanar los defectos del escrito de preparación, a la luz del principio general de subsanabilidad de los defectos procesales y de la doctrina constitucional.

No parece previsible que el rigor formal inherente al instituto casacional, en razón de su carácter extraordinario, vaya a diluirse ni mucho menos a desaparecer. En una primera etapa de rodaje, el nuevo régimen casacional enfrenta el reto de convivir con el sistema precedente, por lo que habrán de multiplicarse los esfuerzos. La carga de trabajo del Tribunal Supremo no se verá aliviada, pues el interés casacional habrá de apreciarlo él mismo. Los recursos notoriamente inadmisibles no consumirán energías, puesto que el trámite de audiencia, al contrario de lo que ha prescrito la Ley jurisdiccional durante estos años, se contempla ahora con carácter excepcional (artículo 90.1 de la LJCA). No obstante, en tales casos será preciso conjurar el riesgo de una valoración precipitada o poco meditada de la cuestión de fondo. El éxito o fracaso de la nueva casación dependerá de la labor que realice la Sala durante sus primeros compases y de forma continuada en el tiempo. Si los justiciables obtienen la impresión de que la definición del interés casacional es vacilante, el raudal de recursos contra toda clase de resoluciones judiciales no cesará, en un empeño último por obtener una respuesta judicial satisfactoria o, lisa y llanamente, de alargar la decisión del asunto todo lo posible. Por el contrario, si el tribunal de casación aplica de forma coherente, precisa y concienzuda los criterios que definen el contenido del interés casacional, se habrá logrado la finalidad que justificó su introducción en ese orden jurisdiccional, que no es otra que reorientar la función del Tribunal Supremo hacia la depuración del ordenamiento jurídico mediante una doctrina jurisprudencial uniforme que complemente el ordenamiento jurídico. Objetivo este que concitará la adhesión de los operadores jurídicos –la legitimación material inmanente a la más alta instancia judicial *ex* artículo 123 de la CE– únicamente si de esa labor resulta una doctrina convincente y de calidad que se imponga por el prestigio de la autoridad que revisten sus resoluciones.

2.2.3. La imposibilidad de adherirse al recurso de casación

Teniendo en cuenta la naturaleza extraordinaria del recurso de casación y el trámite riguroso de admisión a que está sometido, no sólo no está prevista ninguna posición procesal especial como coadyuvante, sino que tampoco cabe la adhesión a un recurso de casación interpuesto por otra parte en el proceso[86], pues la personación ante el tribunal de casación y la consiguiente interposición del recurso debe ir necesariamente precedida de la preparación del mismo[87].

2.3. *El recurso de casación no constituye una nueva instancia*

El Tribunal Supremo ha repetido que el recurso de casación no constituye una nueva instancia en la que se permita al Tribunal competente para resolverlo el examen de las cuestiones ya debatidas ante el Tribunal *a quo*, sino que su objeto es la resolución recurrida, a la que se atribuye la infracción de normas o de jurisprudencia[88].

A diferencia del recurso de apelación, no se permite una nueva valoración de los hechos tenidos por probados en la instancia, sin perjuicio de la facultad de integrar los hechos cuando resulte necesario para apreciar la infracción alegada (artículo 93.3 de la LJCA). No obstante, no es difícil que el tribunal de casación acabe examinando los hechos en aquellos casos en los que se justifique la existencia de infracciones jurídicas relacionadas con su acreditación o valoración, o que se vuelva sobre la apreciación probatoria realizada en la instancia en la aplicación de máximas de experiencia, reglas de la lógica o de la sana crítica, o con la determinación del contenido de los conceptos jurídicos indeterminados[89].

No se trata en casación de reproducir el debate intersubjetivo planteado en la instancia ni de trasladar el conocimiento plenario de

---

[86]   SSTS de 25/7/2013 (RC 841/2011) y 4/2/2007 (RC 6532/2001).

[87]   SSTS de 26/11/2010 (RC 4169/2009) y 15/2/2006 (RC 6166/2002).

[88]   Entre otras, pueden verse las SSTS de 23/9/2014 (RC 5888/2011) y 26/12/2013 (RC 4854/2011).

[89]   *Vid.* HINOJOSA (2016: 28) e IGLESIAS CANLE (2000: 137). Como señala XIOL RÍOS, J. A.: «Algunas cuestiones sobre el recurso de casación en el proceso administrativo», en VV.AA.: *El recurso de casación*, Consejo General del Poder Judicial y Generalidad de Cataluña, cit., pág. 97, la distinción entre las cuestiones de Derecho y las cuestiones de hecho es relativa y plantea distintos problemas en ámbitos como la expropiación, la responsabilidad patrimonial o el control de la discrecionalidad. Sobre la revisión de la prueba en sede casacional y los supuestos en los que opera, *vid.* BETANCOR RODRÍGUEZ, A.: *La revisión casacional de la prueba en el contencioso-administrativo*, Thomson Reuters, Madrid, 2012.

tal proceso[90]. Tampoco es posible alterar los términos del debate procesal mediante la introducción cuestiones nuevas que no se hayan suscitado en la instancia[91]. Se ha repetido que la casación, por su propia naturaleza, fundamento y significado, únicamente puede sustentarse sobre infracciones de normas alegadas oportunamente en el proceso o consideradas por la sentencia impugnada, esto es, esgrimiendo moti-

---

[90]   Se ha repetido que «la naturaleza de la casación como recurso tasado limita los poderes de este Tribunal y también la actividad de los recurrentes. No es, pues, una nueva instancia jurisdiccional; no nos traslada el conocimiento plenario del proceso de instancia» (STS de 12/11/2014, RC 3801/2013), o, en similares términos, que «no es una nueva instancia procesal en la que el Tribunal Supremo con plenitud de *cognitio* pueda volver a conocer la impugnación del acto administrativo recurrido en la primera, como si de una apelación se tratase, sino que es un recurso extraordinario, en el que la *cognitio* del tribunal viene limitada por motivos legales estrictos» (STS de 9/4/2014, RC 765/2013).

En este sentido, es consolidada la doctrina jurisprudencial de la Sala Tercera que sostiene que carecen de fundamento los recursos que no formulan una crítica de la fundamentación jurídica de la resolución recurrida y sí del acto administrativo impugnado en la instancia. En este sentido, como señalan los AATS de 31/3/2016 (RC 1999/2015) y 18/2/2016 (RC 2569/2015)], «el carácter extraordinario del recurso de casación implica la exigencia de que se efectúe una crítica de la sentencia o resolución objeto del recurso, mediante la precisión de las infracciones que se hayan cometido, con indicación concreta de la norma en que se base el recurrente, sin que sea posible, para entender que se cometen las infracciones que se denuncian, con la simple remisión a los escritos de alegaciones o reproducción de las formuladas en la instancia, en cuanto que lo que se impugna es la sentencia y no los actos o disposiciones sobre los que aquella se pronunció y que fueron por ella confirmados o anulados, de la misma manera que no puede plantearse como si de unas alegaciones apelatorias o una nueva instancia se tratara» [por todos, AATS de 31/3/2016 (RC 1999/2015) y 18/2/2016 (RC 2569/2015)].

[91]   En casación se parte de la premisa de que el examen de la corrección jurídica de la resolución judicial responde a la misma situación litigiosa enjuiciada en la instancia. Como dice la STS de 3/4/2013 (RC 734/2010), «si esa premisa es cierta se comprende fácilmente que no se pueda resolver sobre una tesis distinta de la que las partes sometieron al Tribunal de instancia ya que no cabe censurar una sentencia por no haber resuelto una cuestión que las partes no han propuesto y que la Sala no podía apreciar de oficio».

Cuestión distinta es que, una vez fijada la interpretación de las normas correspondientes, el Tribunal actúe como juzgador de instancia resolviendo «las cuestiones y pretensiones deducidas en el proceso», según dispone el artículo 93.1 de la LJCA. Mediante el recurso de casación el Tribunal podrá revisar el enjuiciamiento realizado por el Tribunal de instancia [*vid.* MARTI DEL MORAL (1997: 24)].

vos que combatan lo razonado por la sentencia, o aquellas cuestiones que debió abordar[92].

No obstante, es preciso llamar la atención sobre una novedad que aporta el remozado régimen jurídico de la casación a este respecto. Entre los requisitos que debe reunir el escrito de preparación el artículo 89.2.b) de la LJCA señala el siguiente: «identificar con precisión las normas o la jurisprudencia que se consideran infringidas, justificando que fueron alegadas en el proceso, o tomadas en consideración por la Sala de instancia, *o que ésta hubiera debido observarlas aun sin ser alegadas*». En este sentido, aunque no exista invocación de la norma en la instancia, ni tan siquiera una toma en consideración o aplicación de la misma, el recurso puede ser viable si en el escrito de preparación se justifica que debió aplicarse por la Sala de instancia[93]. Guarda cierta coherencia con ello el hecho de que el artículo 90.4 de la LJCA disponga que los autos por los que se admita el recurso deban enumerar la cuestión o cuestiones en las que se entiende que existe interés casacional objetivo, así como identificar la norma o normas jurídicas que serán objeto de interpretación, «*sin perjuicio de que la sentencia haya de extenderse a otras* si así lo exigiere el debate finalmente trabado en el recurso».

---

[92] En este sentido, la STS de 25/2/2016 (RC 2754/2014) declara que «la irrupción, por tanto, en el debate casacional de una cuestión inédita en la instancia, por no haber sido planteada por las partes ni, en consecuencia, tratada por la sentencia, se encuentra abocada al fracaso en casación». No es posible el pronunciamiento sobre una cuestión que no fue considerada o sobre la cual no se pronunció la sentencia, pues «tan singular *mutatio libelli* afectaría al mismo derecho de defensa del recurrido (artículo 24.1 CE), en el supuesto de que, sin las posibilidades de la alegación y de la prueba que corresponden a la instancia, se entendiera admisible el examen y decisión de una cuestión sobrevenida a través del recurso de casación con las limitaciones que comporta su régimen respecto a dichos medios de defensa» (STS de 5/7/1996, R 4689/1993).

[93] Ha recibido buenas críticas este precepto, que complementa el denominado juicio de relevancia, permitiendo no solamente la invocación de las normas o jurisprudencia alegadas por las partes o consideradas por la Sala de instancia, como era lo común, sino también de aquellas otras que la resolución recurrida hubiera debido considerar y aplicar, a pesar de no haber sido invocadas [*vid.* SANTAMARÍA (2015: 26)]. Como señala FERNÁNDEZ FARRERES (2015: nota 30 *in fine*), «lo fundamental y decisivo será que el asunto encierre interés casacional para la formación de la jurisprudencia».

Capítulo IV
Una aproximación actual a la naturaleza jurídica de la casación contencioso-administrativa: sus finalidades esenciales en el ordenamiento jurídico

No ha sido pacífico el anclaje de la casación en el orden contencioso-administrativo, que se ha visto más como un implante conflictivo, como una mera recepción de una figura mucho mejor perfilada en los órdenes civil y penal[94]. Ciertamente, son numerosas las singularidades que ofrece el orden contencioso-administrativo en razón de su función constitucional, tanto en los conflictos interadministrativos como en los conflictos de carácter intersubjetivo que enfrentan a los ciudadanos con las distintas Administraciones Públicas, con la finalidad de tutelar los derechos e intereses legítimos de aquéllos y, también, los intereses públicos a los que sirven éstas[95]. En efecto, la jurisdicción contencioso-administrativa ha de atender al control de la legalidad de la actuación de la Administración Pública y del ejercicio de la potestad reglamentaria, pero también parece innegable que desempeña un papel determinante en el engranaje de la nueva organización territorial del Estado.

---

[94] *Vid.* PAREJO ALFONSO (2014: 939-940).

[95] No hay más que recordar la distinción formulada por E. LAFERRIÈRE entre el «contencioso de plena jurisdicción» y el «contencioso de anulación», según que el juez administrativo resuelva las controversias que surjan entre la Administración y los particulares, al modo en que lo harían los tribunales ordinarios, o que los poderes de los jueces se limiten a la anulación de las decisiones administrativas ilegales. Como señala MUÑOZ MACHADO, S.: «Los poderes de oficio del juez administrativo», en la obra colectiva *Por el derecho y la libertad: libro homenaje al profesor Juan Alfonso Santamaría Pastor*, vol. I, cit., pág. 596, esta clasificación fue enriquecida en el siglo XX por las obras de L. DUGUIT y M. WALINE, quienes propusieron distinguir entre el «contencioso objetivo», donde se plantea la conformidad a la legalidad de un acto administrativo, y el «contencioso subjetivo», donde las pretensiones del recurrente se refieren al reconocimiento de un derecho.

Sin embargo, nada de esto parece haber impregnado –no al menos en toda su potencialidad– el modelo de casación en ese orden, que ha seguido la configuración formal de la casación civil y, en definitiva, las características comunes a la casación como un instrumento que pretende dotar de un sentido uniforme y coherente al ordenamiento jurídico a través de la tutela de derechos subjetivos, intereses diversos y competencias, pero que no ha acabado de cuajar ni de encontrar sus señas de identidad en el orden jurisdiccional que le es propio.

El proceso contencioso-administrativo se erige como un instrumento de tutela judicial que permite fiscalizar el ejercicio de la actividad pública, pero la introducción del recurso de casación en este orden se ha alejado de este planteamiento hasta desvirtuarse. Su inserción en el cuadro general de recursos jurisdiccionales contra sentencias y autos obedeció al intento de cohonestar la posición del Tribunal Supremo con el nuevo ordenamiento autonómico derivado de la estructura territorial del Estado. Sin embargo, la nueva redacción de las resoluciones recurribles, introducida por la Ley 10/1992, de 30 de abril, excluyó los recursos de casación (ordinarios) fundados en normas autonómicas, no quedando asegurada la resolución de los problemas derivados de la correcta aplicación de los ordenamientos secundarios[96]. Es cierto que se insertó una nueva modalidad casacional consistente en la unificación de doctrina, pero sus rígidos requisitos constreñían el dictado de un pronunciamiento mínimamente eficaz.

Otro tanto cabe decir de su tratamiento como un recurso extraordinario más. Su carácter tasado a través de motivos de casación concretos, la limitación por razón de la cuantía y la exclusión de las sentencias dictadas en apelación convirtieron bien pronto a la casación contencioso-administrativa en una caricatura de sí misma. El legislador ha retocado una y otra vez la institución casacional, pero con cada reforma ha dado muestras de su incapacidad para resolver la endémica congestión del Tribunal Supremo, que, incluso en los años centrales de la crisis económica y financiera del Estado, mantiene un volumen de trabajo incompatible con el sosiego que requiere el estudio y la deliberación de los asuntos en aras de la creación de doctrina jurisprudencial al más alto nivel.

---

[96]   *Vid*. PAREJO ALFONSO (2014: nota 6).

El resultado de todo ello ha sido la enorme distancia entre el proceso contencioso-administrativo, basado tradicionalmente en el principio antiformalista, y el proceso casacional de dicho orden de jurisdicción, cuya trascendencia como instrumento objetivo para la conformación de una doctrina jurisprudencial se ha visto diluido sensiblemente en beneficio del protagonismo que, como contrapartida, ha adquirido su dimensión procesal. No sólo ha resultado menoscabada la tutela de situaciones jurídicas individuales, que se ha centrado en aquéllas de nivel económico superior con ocasión del incremento desorbitado de la cuantía. También se ha visto resquebrajada la función constitucional de control del poder público, al omitirse una resolución sobre el fondo en asuntos jurídicamente relevantes, dejando huérfana de doctrina jurisprudencial uniforme, de forma correlativa, a ámbitos sectoriales completos del ordenamiento jurídico[97].

---

[97]   Como hizo notar FAIRÉN GUILLÉN (1957: 669-670), en la concepción primigenia de los revolucionarios franceses la función uniformadora no surgió simultáneamente a la de la defensa de la ley, cuya interpretación era lo que justamente temían aquéllos. Añade que «este temor, lógicamente, debía desaparecer con mayor rapidez en donde, por razón de la complicación y multiplicidad de sistema de fuentes del Derecho y de las fuentes mismas, la interpretación se hacía vehementemente necesaria». Por su parte, MONTOYA MARTÍN (1997: 30) considera que la casación española asumió más tardíamente la defensa del *ius litigatoris*, esto es, la tutela subjetiva de los litigantes, y «con este propósito se suprime el reenvío al Tribunal de instancia para que éste resolviera de nuevo (propio de la casación francesa). Aquí el Tribunal Supremo resuelve sobre el fondo del asunto. Sólo se produce el reenvío para cuando se aprecia un quebrantamiento de las formas esenciales del juicio por infracción de las normas que rigen los actos y garantías procesales».
Con todo, tradicionalmente la casación ha respondido a la defensa del *ius constitutionis* mediante la protección o salvaguardia de la norma (función nomofiláctica) y mediante la propensión a la unidad en la aplicación e interpretación del ordenamiento jurídico para lograr su unidad (función uniformadora). La defensa del derecho y del interés de los justiciables (*ius litigatoris*) se ha contemplado como meramente instrumental de la consecución de aquel otro objetivo. El desarrollo de la casación en el orden jurisdiccional contencioso-administrativo ha ido basculando entre estas funciones clásicas, no necesariamente contradictorias, como son la función de tutela de los derechos e intereses legítimos, bien que cualificada por razón de la cuantía del recurso en estos años, y la función de dotar de un criterio lógico de uniformidad a las decisiones judiciales que redunde en un control más eficaz de la legalidad de la Administración Pública, que es la función que pretende potenciar la Ley Orgánica 7/2015, de 21 de julio, mediante la incorporación plena de la noción del interés casacional de los asuntos, en aras

No puede decirse que la casación contencioso-administrativa se haya subjetivizado con el curso de los años, en el sentido de que se haya centrado en las pretensiones de los litigantes, pues también ha sufrido esta dimensión de la tutela judicial el embate del retorno al formalismo y de su propia constricción legal. Lo que sucede es que la finalidad predominante del recurso de casación, consistente en forjar una unificación de las reglas, normas y principios en la aplicación del Derecho, no se ha cumplido, desligándose así de la vocación inherente y peculiar de la jurisdicción contencioso-administrativa en el marco del control objetivo de la legalidad.

Es en este contexto en el que la reforma introducida por la Ley Orgánica 7/2015, de 21 de julio, pretende realizar la dimensión objetiva del recurso de recurso en el orden contencioso-administrativo. Como señala su exposición de motivos, «la ley opta por reforzar el recurso de casación como instrumento por excelencia para asegurar

---

de la unificación selectiva en la aplicación e interpretación del ordenamiento jurídico.

De acuerdo con el modelo de casación construido por CALAMANDREI, «el interés –secundario– del particular en una correcta aplicación de la ley, de la que pudiera derivar la estimación de su pretensión de tutela inicial –que constituye su interés primario– se convierte en un vehículo estatal en el control de la aplicación del Derecho objetivo por los tribunales de inferior grado», según señala LÓPEZ SÁNCHEZ (2002: 25-27). Apunta este autor que el Estado concede un medio de impugnación para poder controlar la aplicación del Derecho por los tribunales, y, desde este punto de vista, «aunque el interés en la actuación de los tribunales se casación encuentra su inmediato sujeto en los mismos justiciables, indirectamente es el Estado quien se encuentra interesado en una respuesta judicial uniforme y cierta ante supuestos iguales» (pág. 39). En este sentido, IGLESIAS CANLE (2000: nota 3), mantiene que la función uniformadora de la jurisprudencia deriva de la defensa del *ius litigatoris*, dado que la tutela de los derechos de los litigantes permite alcanzar un doble objetivo: «de un lado, defender los derechos constitucionales a la igualdad ante la ley y a la seguridad jurídica y, de otro, alcanzar la uniformidad de la jurisprudencia en cada uno de los órdenes jurisdiccionales».

Esta misma conclusión puede desprenderse de la redacción vigente del artículo 93.1 de la LJCA, pues primeramente la sentencia fijará la interpretación de las normas estatales o europeas y sólo secundariamente «resolverá las cuestiones y pretensiones deducidas en el proceso». También se contempla la posibilidad de ordenar la retroacción de actuaciones «a un momento determinado del procedimiento de instancia para que siga el curso ordenado por la ley hasta su culminación».

la uniformidad en la aplicación judicial del Derecho», y, para lograrlo, la admisión no se hace ya depender de los límites al uso (resolución recurrible, materia, cuantía), sino que lo determinante es que el tribunal de casación considere que el asunto sobre el que versa el litigio presenta interés casacional «objetivo» para la formación de una interpretación judicial uniforme.

Esta «objetivización» del recurso supone que el legislador confíe al Tribunal la apreciación del interés casacional dentro de un margen de discrecionalidad amplio. Podrá seleccionar los asuntos y centrarse en aquellas materias que interese esclarecer para unificar los criterios aplicativos por parte de los demás órganos judiciales. Se pretende que la legalidad objetiva constituya el parámetro que enmarca el control de la Administración por la jurisdicción contencioso-administrativa, de suerte que la casación «cumpla estrictamente su función nomofiláctica», como sigue declarando la exposición de motivos. Se concibe esta función nomofiláctica como elemento caracterizador de la casación, pero con el significado preciso, según sigue señalando la exposición de motivos, de que «la casación no se convierta en una tercera instancia», sino en un instrumento de defensa del Derecho objetivo que avala la existencia del interés casación como presupuesto de admisión, excluyendo por supuesto las cuestiones de hecho (artículo 87 bis.1 de la LJCA) o incluso la impugnación de determinadas resoluciones. El legislador quiere que prevalezca esta función, por subordinación a un interés público superior, sobre la tutela del *ius litigatoris*, ya que lo determinante en la casación no es cualquier resolución desfavorable para los justiciables[98].

---

[98] No obstante, es la función unificadora o uniformadora la función predominante de la casación desde hace años. Recuérdese que la Ley 10/1992, de 30 de abril, declaraba en su exposición de motivos que el recurso de casación se mantiene «dentro de la línea típica de estas acciones de impugnación cuya finalidad básica es la protección de la norma y la creación de pautas interpretativas uniformes que presten la máxima seguridad jurídica conforme a las exigencias de un Estado de Derecho». En opinión de LÓPEZ SÁNCHEZ (2002: 36), «la necesidad de unificar la jurisprudencia asume el protagonismo, de modo que el esfuerzo por lograr una jurisprudencia uniforme tiene como consecuencia la fijación de la jurisprudencia que ha de hacerse de la ley». Participa de esta opinión IGLESIAS CANLE (2000: 130), manifestando que «la uniformidad de la jurisprudencia es consecuencia directa de la función nomofiláctica del recurso dado su carácter instrumental respecto del fin primordial de procurar la existencia de una

Tal y como ocurriera con la reforma del recurso de amparo constitucional, que ha dejado de ser en gran medida un instrumento de garantía de los derechos fundamentales para configurarse como un recurso objetivo, centrado en la fijación de doctrina constitucional en torno a los preceptos constitucionales que reconocen aquéllos[99], la nueva casación potencia de forma explícita la interpretación uniforme del Derecho objetivo para ocuparse de todos aquellos espacios que requieran su esclarecimiento, y sólo secundariamente se ocupa de resolver «las cuestiones y pretensiones deducidas en el proceso» (artículo 93.1 de la LJCA)[100].

---

doctrina jurisprudencial uniforme [que] se convierte en la razón de ser a la que responde primordialmente el instituto casacional».

En este sentido hace algunos años que la Sala Tercera del Tribunal Supremo viene sosteniendo que el recurso de casación pretende atender tanto al interés de los particulares como, también, a un fin público, «cual es proteger la norma y crear pautas interpretativas uniformes que presten la máxima seguridad jurídica conforme a las exigencias de un Estado de Derecho», para reconocer que el objeto fundamental del recurso extraordinario de casación «no [es] tanto analizar las pretensiones de las partes, como comprobar el proceder de los órganos judiciales de instancia: es decir, tiene como finalidad revisar la aplicación de la ley sustantiva y de la ley procesal, en aras de la tutela judicial efectiva» (STS de 5/4/2000, RC 1134/1992), que luego han repetido otras tantas resoluciones [entre ellas, por señalar distintas Secciones y ponentes, las SSTS de 9/10/2014 (RC 1804/2012), 24/10/2001 (RC 4548/1994) y 20/7/2010 (RC 1979/2009)]. Sobre los fines del recurso desde la óptica jurisprudencial, *vid.* MONTOYA MARTÍN (1997: 53-56).

Por su parte, el Tribunal Constitucional ha declarado que se trata de un recurso que atiende tanto a finalidades privadas como públicas y que es preciso «conjugarlas y armonizarlas para evitar, en todo caso, lo que la Constitución no quiere, es decir, la indefensión del ciudadano» (STC 6/1989, de 19 de enero). No obstante, ha reconocido que la finalidad preferente es la unificación de doctrina, al concluir que la finalidad básica de la casación en un Estado de Derecho, en referencia a la casación civil, «consiste en fijar y unificar la interpretación jurisprudencial de las leyes, y a la par asegurar el sometimiento del Juez a la ley como garantía de su independencia» (STC 230/1993, de 12 de julio).

[99] *Vid.* FERNÁNDEZ FARRERES (2015: 127-129) y RAZQUIN (2016: 147).

[100] Como señala LOZANO CUTANDA, B.: «La reforma del recurso de casación contencioso-administrativo por la Ley Orgánica 7/2015: análisis de sus novedades», *Diario La Ley* nº 8.609, de 21 de septiembre de 2015, la nueva casación contencioso-administrativa pretende que los esfuerzos del Tribunal Supremo se centren en la unificación de la doctrina jurisprudencial «en los asuntos que estime que lo merecen, atendiendo a su relevancia jurídica y con independencia de su cuantía». Y añade que esto se hace «a costa de los sufridos recurrentes

Puede concluirse, por ello, que la casación contencioso-administrativa aparece vertebrada por el interés casacional que presente el asunto litigioso, no por la tutela de determinadas situaciones jurídicas. No en vano, el legislador califica de «objetivo» a ese interés, confiriendo un sesgo pleonástico a la expresión «interés casacional objetivo»[101]; interés que aparece vinculado a la temática del asunto y a la apreciación subsiguiente de la Sala en aras de fallar sobre el mismo para formar su doctrina, no a los derechos o intereses de las partes. La repercusión que sobre tales derechos o intereses pueda tener el fallo de la sentencia es completamente ajena al interés o desinterés casacional del asunto. La dimensión objetiva del recurso de casación contencioso-administrativo ha fagocitado la dimensión subjetiva del mismo[102], aunque el proceso no es nuevo, sino que

---

que pueden, con razón, temer se produzca un "cierre" del recurso de casación semejante al que ha tenido lugar respecto del recurso de amparo desde que se introdujo el requisito de demostrar la "especial trascendencia constitucional" del recurso (introducida por la LO 6/2007). Por citar las estadísticas oficiales del propio Tribunal Constitucional, en 2014 se dictaron, en total, 208 providencias de admisión frente a más de 6.600 providencias de inadmisión». Por su parte, GÓMEZ-FERRER RINCÓN (2007: 635) entiende que «el empleo de este criterio del interés casacional como condición –necesaria y suficiente– de recurribilidad de una resolución judicial presenta el inconveniente de que, aunque sin desconocerla, relega en gran medida la protección de los derechos e intereses de los particulares. En efecto, no puede olvidarse de que, a diferencia de lo que sucede en el orden jurisdiccional civil, en el contencioso-administrativo existe una única instancia en numerosos supuestos».

101 También SANTAMARÍA (2015: 22) considera que es innecesaria y prescindible la incorporación del segundo adjetivo a la expresión «interés casacional objetivo», toda vez que el interés casacional se vincula a una apreciación por la Sala «de la estricta conveniencia de un fallo que cree jurisprudencia».

102 Esta situación contrasta con el proceso contencioso-administrativo, que se ha «subjetivizado» en atención a las pretensiones deducidas por las partes, pero donde también puede advertirse que, sin perjuicio de la función de garantía de sus derechos, se han ampliado sensiblemente los supuestos en los que puede intervenir el juez administrativo a pesar del principio de justicia rogada, apreciando incluso el interés general subyacente dentro de los márgenes que permite la discrecionalidad administrativa. Estos «poderes de oficio» se extienden a las fases de iniciación, instrucción y terminación, pues «la legalidad vincula más fuertemente a los jueces y tribunales que las pretensiones de las partes» [vid. MUÑOZ MACHADO (2014: 608)]. Conviven, pues, en el proceso contencioso-administrativo ambas dimensiones, por lo demás complementarias.

sencillamente se ha consolidado a lo largo de un proceso de decantación propio[103].

No se desconoce, en cualquier caso, que la doctrina constitucional (en especial, desde la STC 37/1995, de 7 de febrero) ha repetido que el derecho de acceso a los recursos es un derecho de configuración legal y que, por tanto, puede establecer limitaciones al acceso a los recursos[104], entre las cuales se encuentra la admisión discrecional por parte del tribunal de casación. Sin embargo, tal vez el desarrollo de la institución casacional en ese orden de jurisdicción podría haber discurrido por la senda de las dos finalidades que le son inherentes, sin obviar ninguna de ellas, mediante una solución intermedia[105]. Y es

---

[103]   *Vid.* HINOJOSA (2016: 54-55), quien explica que habían convivido en cierta armonía las dos facetas de la casación, esto es, tanto la depuración de errores judiciales en la aplicación del Derecho como la unificadora de jurisprudencia, que se dirige a establecer criterios generales y uniformes de aplicación del Derecho. Añade que ese equilibrio «se ha visto profundamente alterado con la reforma de la Ley Orgánica 7/2015, de 21 de julio, al introducirse como presupuesto de admisión del recurso el del interés casacional», y que este cambio posibilita, en mayor medida que otros filtros o condiciones de acceso anteriores, «la función de la casación al basarse en la formación de doctrina jurisprudencial [pues] frente a lo que sucedía en el precedente modelo, en el que el Alto Tribunal ha podido entrar a conocer de asuntos de entidad económica muy elevada pero de reducido interés para la comunidad jurídica, o en el que, por su escasa cuantía, se ha visto impedido intervenir en otros en los que sí existía dicho interés, permitirá que el acceso al Tribunal pueda llegar a producirse precisamente en tales casos».

[104]   *Vid.* BORRAJO, DÍEZ-PICAZO y FERNÁNDEZ FARRERES (1995: 43 y ss.) y MONTOYA MARTÍN (1997: 77 y ss.), quien, apoyándose en la doctrina constitucional, manifiesta que, en efecto, la interpretación y aplicación de las reglas que regulan el acceso a los recursos establecidos es una cuestión de legalidad ordinaria, y que «únicamente cuando se deniegue el acceso al recurso de forma inmotivada, manifiestamente arbitraria o sea consecuencia de un error patente, existe una lesión constitucionalmente relevante del citado derecho fundamental» (pág. 94). Añade, no obstante, que la «interpretación más favorable a los derechos fundamentales impone al juzgador, en la aplicación e interpretación de las normas procesales, elegir aquella más beneficiosa para el ejercicio del derecho sin conculcar ningún otro derecho fundamental constitucionalmente protegido, que asiste obviamente, también, a la contraparte» (pág. 98).

[105]   Es de interés recordar la doctrina constitucional contenida en la STC 7/1989, de 19 de enero, que tras reconocer que la casación atiende tanto finalidades privadas (defensa del *ius litigatoris*) como públicas (defensa de la Ley y de la uniformidad jurisprudencial, igualdad y seguridad jurídica), y que estas últimas son más restrictivas, «ello no supone en modo alguno que se deba conceder

que, desde esta perspectiva de análisis, el nuevo modelo de casación plantea un inconveniente que sólo el transcurso del tiempo permitirá apreciar debidamente: el interés casacional es un concepto jurídico indeterminado que, como es lógico, se interpretará de forma restrictiva, no extensiva, por lo que la importancia de un asunto para la formación de la doctrina jurisprudencial no podrá ser escasa o relativa, sino de la suficiente entidad como para que concite el interés del Tribunal. Será inevitable que la tutela de los derechos e intereses de los litigantes se sacrifique en igual medida si las resoluciones en cuestión no superan el filtro que el Tribunal está habilitado para apreciar. El resultado de todo ello es que la admisión del recurso de casación estrechará sus márgenes en mayor medida que en el momento actual.

---

prevalencia a una finalidad sobre la otra o en perjuicio de la otra, antes bien conjugarlas y armonizarlas para evitar en todo caso lo que la Constitución no quiere, es decir, la indefensión del ciudadano».

Parte Tercera

Régimen jurídico del recurso de casación contencioso-administrativo

Capítulo V
Presupuestos subjetivos

1. ÓRGANOS JURISDICCIONALES COMPETENTES PARA LA PREPARACIÓN, TRAMITACIÓN Y RESOLUCIÓN DEL RECURSO DE CASACIÓN

El recurso de casación contencioso-administrativo se preparará ante el órgano jurisdiccional de instancia (órgano *a quo*) que haya dictado la resolución recurrida. Aunque el artículo 89.1 de la LJCA dice que «el recurso de casación se preparará ante la Sala de instancia», debería haber añadido «o ante el Juzgado», en correspondencia con la amplitud del ámbito objetivo del recurso que instaura la Ley Orgánica 7/2015, de 21 de julio, que incorpora en su seno, con algunas excepciones, prácticamente todas las sentencias y autos dictados en única instancia o en apelación por órganos colegiados, y las sentencias dictadas en única instancia por los órganos unipersonales de ese orden jurisdiccional «que contengan doctrina que se reputa gravemente dañosa para los intereses generales y sean susceptibles de extensión de efectos» (artículo 86.1 de la LJCA).

Por su parte, la competencia para tramitar y resolver los recursos de casación contencioso-administrativos (órgano *ad quem*) aparece en la actualidad bifurcada en atención al origen de la norma. Cuando el recurso se funde en la «infracción de normas que formen parte del Derecho estatal o de la Unión Europea», habrá de resolverse por la Sala Tercera del Tribunal Supremo[106], de acuerdo con el artículo 86.3, pá-

---

[106] La Sala de lo Contencioso-Administrativo del Tribunal Supremo (Sala Tercera) se compone de 33 magistrados más un número variable de magistrados eméritos. Inicialmente la Ley 38/1988, de 28 de diciembre, de Demarcación y de Planta Judicial, fijó su número en 30 magistrados en el anexo II, incluyendo al Presidente de la Sala. Poco después, el Real Decreto 1819/1991, de 20 de diciembre, por el que se dotan plazas de magistrado en distintos órganos colegiados, añadió tres plazas más, hasta alcanzar un total de 33. Es elevado el grado de profesionalidad y de competencia técnica de los magistrados que integran la Sala

rrafo primero, de la LJCA, en relación con el artículo 12.2 de la misma Ley. Por el contrario, cuando el recurso se funde en la «infracción de normas emanadas de la Comunidad Autónoma», el recurso se resolverá por una Sección especial de la Sala de lo Contencioso-Administrativo del Tribunal Superior de Justicia con sede en dicha Comunidad, de conformidad con el artículo 86.3, párrafo segundo, de la LJCA.

Así pues, existe un primer enjuiciamiento sobre la concurrencia de los presupuestos procesales, al cual se subordina la continuación del procedimiento hasta el dictado de una sentencia en la que se fije la interpretación de las normas correspondientes y se enjuicie la cuestión de fondo controvertida. En los primeros compases de la tramitación del recurso se comprueba el cumplimiento de los presupuestos procesales necesarios para precisar la cuestión que reclama la atención del tribunal de casación (es decir, el Tribunal Supremo o el Tribunal Superior de Justicia, según corresponda), así como las normas o jurisprudencia que serán objeto de interpretación. No tendría ciertamente sentido tramitar un proceso completo si posteriormente el Tribunal acuerda la falta de aquellos presupuestos[107].

Tercera. No menor es el relieve de las funciones desarrolladas por los Letrados del Gabinete Técnico del Tribunal Supremo, que en la Sala Tercera proceden, en su mayoría, de diferentes cuerpos superiores de las Administraciones Públicas, de la Administración de Justicia y de la Universidad. Desde luego estos últimos años han estado marcados por un protagonismo creciente del Gabinete Técnico y de los Letrados en su conjunto, quienes han realizado tareas de asistencia a los magistrados mediante la elaboración de múltiples notas, estudios e informes, interviniendo además, cotidianamente, en la fase de admisión del recurso y, en algunas Secciones, en tareas de apoyo a la decisión a requerimiento de la Sala. La Ley Orgánica 7/2015, de 21 de julio, potencia el Gabinete Técnico como órgano de asistencia a la Presidencia y a sus diferentes Salas, bien que ahora «en los procesos de admisión y en la elaboración de informes y estudios», según señala su exposición de motivos. El artículo 23 de la Ley 38/1998, de 28 de diciembre, los equipara a los Secretarios de Sala (denominados ahora Letrados de la Administración de Justicia de Sala) del Tribunal Supremo. Aunque no ejercen funciones jurisdiccionales en sentido estricto, como ha subrayado la STS de 6/11/2015 (RCA 512/2014), las funciones que desempeñan los Letrados son esenciales para la buena marcha del Tribunal Supremo, siendo de esperar que cumplan una relevante función en el nuevo modelo casacional, atendiendo a su especialización profesional, como establece el artículo 61 bis.3 de la LOPJ.

[107]   *Vid.*, en este sentido, LÓPEZ SÁNCHEZ (2002: 122), quien considera, además, que la labor de comprobación que realiza el órgano jurisdiccional de instancia

En este orden de cosas, la LJCA establece una división de tareas entre los órganos jurisdiccionales, de suerte que la Sala o Juzgado de instancia examinará a modo de «filtro previo»[108] la concurrencia de los requisitos procesales y podría tener por no preparado el recurso (o sea, inadmitirlo) si los mismos no se cumplieran; decisión que puede ser recurrida en queja ante el tribunal de casación (artículo 89.4 de la LJCA). En cambio, cumplidos que fueran tales requisitos, tendrá por preparado el recurso, emplazará a las partes y remitirá las actuaciones al tribunal de casación, que será competente para declarar la admisión o inadmisión a trámite del recurso y para decidir sobre el mismo (artículos 89.5, 90 y 93 de la LJCA).

Además de esta división de tareas entre ambos órganos jurisdiccionales, el artículo 89.5 de la LJCA contempla, como novedad, un mecanismo facultativo de colaboración entre ellos. El órgano jurisdiccional *a quo* puede elevar ante el tribunal de casación una «opinión sucinta y fundada sobre el interés objetivo del recurso para la formación de jurisprudencia». Caso de emitirse este informe, la inadmisión deberá adoptarse mediante auto motivado [artículo 90.3.a) *in fine* de la LJCA] cuando dicha opinión, además de fundada, sea favorable a la admisión del recurso en atención a su interés casacional.

De tenerse por preparado el recurso fundado en la infracción de normas de Derecho estatal o de jurisprudencia, el artículo 90.1 de la LJCA establece que, recibidos los autos de instancia y el expediente administrativo en la Sala Tercera del Tribunal Supremo, la admisión o inadmisión a trámite del recurso corresponderá a una Sección especial constituida en la Sala. De acuerdo con el artículo 90.2 de la LJCA, esta Sección de admisión estará integrada por el Presidente de la Sala y por al menos un Magistrado de cada una de sus restantes Secciones[109]. Con excepción del Presidente de la Sala, dicha composición se

---

no entraña especial dificultad ni requiere del conocimiento del fondo del asunto (pág. 126).

108   *Vid.* FERNÁNDEZ FARRERES (2015: 120). Cabe apuntar que, con arreglo a la doctrina jurisprudencial consolidada de la Sala Tercera, el hecho de tenerse por preparado en la instancia el recurso de casación no impide al Tribunal Supremo inadmitirlo si advierte la concurrencia de alguna de las circunstancias que impiden su admisión a trámite (AATS de 5/5/2016, RC 3844/2014, y 21/4/2016, RC 2099/2015).

109   Las normas de reparto aprobadas el 27/5/2016 por la Sala de Gobierno del Tribunal Supremo, publicadas en el Boletín Oficial del Estado de 7/7/2016, contem-

renovará por mitad transcurrido un año desde la fecha de su primera constitución y en lo sucesivo cada seis meses, mediante acuerdo de la Sala de Gobierno del Tribunal Supremo[110].

Si el recurso se basa en la infracción del Derecho autonómico, el tribunal de casación competente no será ya el Tribunal Supremo, sino «una Sección de la Sala de lo Contencioso-administrativo que tenga su sede en el Tribunal Superior de Justicia compuesta por el Presidente de dicha Sala, que la presidirá, por el Presidente o Presidentes de las demás Salas de lo Contencioso-Administrativo y, en su caso, de las Secciones de las mismas, en número no superior a dos, y por los Magistrados de la referida Sala o Salas que fueran necesarios para completar un total de cinco miembros». También se precisa que «si la Sala o Salas de lo Contencioso-Administrativo tuviesen más de una Sección, la Sala de Gobierno del Tribunal Superior de Justicia establecerá para cada año judicial el turno con arreglo al cual los Presidentes de Sección ocuparán los puestos de la regulada en este apartado. También lo establecerá entre todos los Magistrados que presten servicio en la Sala o Salas» (artículo 86.3, párrafos segundo y tercero, de la LJCA).

Es deficiente la ordenación legal de este recurso de casación autonómico. Es una regulación escueta, más implícita que expresa. De hecho no se establecen reglas propias para este recurso, en un ejercicio extremo e injustificado de economía del legislador, que por supuesto genera serias dudas interpretativas. Baste ahora con señalar dos de ellas.

---

plan la Sección Primera (de admisión), integrada por ocho magistrados, y otras cuatro secciones (Segunda a Quinta), que se encargarán de enjuiciar los asuntos ordinarios y estarán presididas por los magistrados más antiguos de la Sala e integradas por ocho magistrados cada una de ellas. Se mantiene una Sección dedicada a conocer las impugnaciones de los asuntos del Consejo General del Poder Judicial y la sección creada para resolver los recursos por el denominado «céntimo sanitario».

[110] Esta rotación continua de los integrantes de la Sección de admisión se ha señalado que «puede dificultar el asentamiento de criterios uniformes en aplicación de los requisitos de admisión y, en especial, en el entendimiento y apreciación de cuándo concurre interés casacional» [vid. FERNÁNDEZ FARRERES (2015: 122)]. Más crítico ha sido SANTAMARÍA (2015: 30-31), considerando que es fundamental «asegurar que la apreciación del citado interés casacional responda a pautas igualmente unificadas y perdurables en el tiempo».

Por una parte, parece que el Tribunal Superior de Justicia intervendrá en las fases de admisión y resolución de los recursos interpuestos contras las resoluciones dictadas en única instancia por los Juzgados provinciales, mientras que estos últimos se ocuparán de verificar el cumplimiento de los requisitos formales propios de la fase de preparación. Sin embargo, cuando las resoluciones sean dictadas en única instancia o en apelación por la Sala o Salas de lo Contencioso-Administrativo, el recurso no será devolutivo y ese mismo órgano jurisdiccional habrá de ocuparse de todas las fases del recurso, salvo que se acuerde la avocación por el Pleno de la votación y fallo (artículo 92.7 de la LJCA)[111].

Por otra parte, las cuestiones que afectan al Derecho autonómico tan sólo son enjuiciadas por el Tribunal Supremo en ocasiones excepcionales, y en no pocos casos los efectos son insatisfactorios porque se divide la continencia de la causa, al interpretar el Tribunal Supremo las normas estatales y remitir la interpretación de las autonómicas al Tribunal Superior de Justicia, por más que sea difícil separar dónde acaba el Derecho estatal y dónde empieza el autonómico, sujetos a entrecruzamientos derivados del sistema de distribución de competencias[112]. La confluencia de títulos competenciales sobre determinadas materias a menudo exige el examen conjunto de normas estatales

---

[111] No será difícil que existan disparidades en la interpretación de los requisitos procesales por parte de los distintos órganos jurisdiccionales (Juzgados y Tribunales Superiores de Justicia), llamados a depurarlos. Será crucial que el Tribunal Supremo siente una doctrina uniforme con ocasión de los recursos de queja interpuestos contra los autos de inadmisión (artículo 89.4 de la LJCA), lo que requerirá un ejercicio sofisticado de pedagogía, imprescindible para evitar la quiebra del principio de igualdad en la aplicación de la ley.

[112] Vid. FERNÁNDEZ FARRERES (2015: 105-106) y SANTAMARÍA (2010: 868), quien sostiene que «el imparable proceso de descentralización que ha experimentado el aparato del Estado en los últimos lustros llevará, en no mucho tiempo, a una situación en la que la mayor parte del ordenamiento jurídico estará constituido por normas aprobadas por estos poderes territoriales; normas cuya aplicación en última instancia se ha confiado a los Tribunales Superiores de Justicia, y también mediante recursos de casación ad hoc (véanse los arts. 199 y 101, además del apartado 4 del art. 86). La consecuencia es fácilmente imaginable: la función interpretativa máxima que hoy ejerce el Tribunal Supremo y el recurso de casación se va a ver reducida a un sector del ordenamiento en regresión creciente, por más que afecte a normas centrales y vertebrales de aquél (mientras continúen siéndolo)».

y autonómicas, resultando seguramente artificioso e inútil cualquier intento de separar unas y otras en aras de delimitar las reglas de competencia objetiva de los órganos jurisdiccionales.

Se volverá sobre ello con ocasión de la fundamentación jurídica del recurso.

2. LEGITIMACIÓN

2.1. Legitimación activa

En la anterior redacción del artículo 86.3 se reconocía legitimación para preparar e interponer el recurso a quienes hubieran sido parte en el proceso al que se contraía la sentencia o la resolución recurrida. Sin embargo, la Sala Tercera del Tribunal Supremo venía realizando una interpretación *pro actione* favorable al derecho a la tutela judicial efectiva, en su dimensión de derecho de acceso a la jurisdicción (SSTS de 30/12/2011 y 31/1/2012, RRCC 208/2008 y 878/2008), considerando legitimados no sólo a quienes hubiesen sido parte en el recurso contencioso-administrativo en que se dictó la resolución objeto de recurso de casación, sino también a quienes hubieran podido serlo. La personación en el proceso de instancia, antes del dictado de la sentencia, no constituiría una exigencia absoluta, como sí lo es la personación en dicho proceso dentro del plazo legalmente establecido para la preparación del recurso de casación. Es por ello que, como señala la STS de 12/3/2013 (RC 6400/2009), «pueden preparar e interponer el recurso de casación quienes hubiesen sido parte o podido serlo en el recurso contencioso-administrativo en que se dictó la resolución objeto de recurso, si no hubieran sido debidamente emplazados»[113].

---

[113]   Esta sentencia pone de relieve la importancia del emplazamiento de los interesados en el proceso contencioso-administrativo para la correcta formación de la relación jurídico-procesal. A este respecto subraya que «de acuerdo con la doctrina del Tribunal Constitucional y la jurisprudencia, para apreciar desde esta perspectiva una lesión del derecho constitucional a una tutela judicial sin indefensión han de concurrir los tres requisitos siguientes: a) Que quien no ha sido emplazado sea titular, al tiempo de la iniciación del proceso, de un derecho o de un interés legítimo y propio susceptible de afectación en el proceso contencioso-administrativo en cuestión; b) Que sea posible identificar a ese interesado

Esta doctrina jurisprudencial se plasma en la nueva redacción del artículo 89.1 de la LJCA[114], que dispone que están legitimados para preparar el recurso de casación «quienes hayan sido parte en el proceso, o debieran haberlo sido». Del precepto se desprende que el tribunal de casación no puede negar legitimación a quienes hubieran sido parte en la instancia ni a quienes, ostentando capacidad procesal y legitimación para ser parte en el procedimiento de instancia, no hubieran materializado tal facultad al no haber sido citados ni emplazados para ello. Por lo mismo, parece oportuno excluir la legitimación para recurrir en casación a quien, habiendo sido emplazado debidamente en la instancia, no se ha personado voluntariamente en ella[115]. Tampoco se considera de recibo que quien no ha efectuado alegaciones ni accionado pretensiones en la instancia, pueda luego aducir en casación cuestiones nuevas, lo cual no está autorizado en este recurso (STS de 18/6/2013, RC 2795/2010).

Como ya nos consta, no está prevista ninguna posición procesal especial como coadyuvante ni cabe tampoco la adhesión a un recurso de casación interpuesto por otra parte en el proceso (STS de 25/10/2012, RC 5686/2010). La legitimación para el ejercicio de acciones frente a la Administración se regula de forma que engloba a los titulares de derechos subjetivos e intereses legítimos, siendo así que quien compareció en el proceso invocando su condición de demandada, sobre la base del artículo 21.1.b) de la LJCA, no puede alterar esa

---

por el órgano jurisdiccional, atendiendo especialmente a la información contenida en el escrito de interposición del recurso, en el expediente administrativo o en la demanda, y c) por último, que ese interesado haya sufrido como consecuencia de la omisión del emplazamiento una situación de indefensión real y efectiva, lo que no acontece cuando el interesado tiene conocimiento extraprocesal del asunto o cuando no se persona en el proceso por su propia falta de diligencia. El conocimiento extraprocesal del litigio ha de verificarse mediante una prueba suficiente, lo que no excluye las reglas del criterio humano que rigen la prueba de presunciones».

114   *Vid.* RAZQUIN (2016: 152).

115   En ese sentido, no sería de recibo que un tercero perjudicado por el acto, que pudiendo haberlo impugnado en su día no lo haya hecho, pueda sostener válidamente el recurso de casación, como señala HINOJOSA (2016: 70), «lo que no constituye sino la aplicación de la regla que impide el mantenimiento de posiciones accesorias del demandante, con fundamento en la indebida reapertura de los plazos de impugnación de los actos administrativos que con ello se consagraría».

posición procesal (STS de 20/4/2016, RCA 866/2016) y pretender con ello en casación la anulación del acto impugnado.

No basta, en cualquier caso, con ostentar la condición de parte en el procedimiento a que se contrae la sentencia sino que es preciso ostentar un derecho o interés legítimo, pues debe entenderse incluida en el artículo 89.1 de la LJCA la precisión genérica del artículo 19 del mismo cuerpo legal, que en su referencia del apartado 1.a) a las personas físicas, exige que «ostenten un derecho o interés legítimo»; lo que implica que, ausente el interés, no exista la legitimación (STS de 9/12/2011, RC 4412/2010). Cuando ese derecho o interés legítimo queda satisfecho, no tiene sentido accionar en casación contra la sentencia que les ha reconocido una situación jurídica, ya que de estimarse el recurso de casación se vería afectada la situación jurídica de los recurrentes en casación al anularse la resolución favorable. Un resultado tal sería contrario a la proscripción de la *reformatio in peius*.

En este sentido, el Tribunal Supremo ha integrado lo dispuesto en el artículo 448.1 de la LEC, de aplicación supletoria en virtud de la disposición final primera de la LJCA, en el citado artículo 89.1, de manera que sólo tienen derecho a recurrir «los afectados desfavorablemente» por las resoluciones judiciales, ya sea total o parcial la afección desfavorable de la resolución judicial, en el bien entendido de que el perjuicio sólo lo ocasiona la parte dispositiva y no los meros razonamientos de las resoluciones o sus *obiter dicta*[116]. Resulta necesario, pues, que la resolución que se recurre haya causado algún perjuicio, ya sea porque no conceda al demandante todo cuanto solicitó, o bien porque se condene al demandado a una prestación más onerosa que la admitida en su contestación[117].

---

[116]   Como recuerda la STS de 13/2/2015 (RC 829/2013), «atendiendo a su propia naturaleza y objeto, en efecto, no cabe acceder al recurso de casación, cuando, acogiendo alguno de los motivos, habría de llegarse a una solución idéntica a la alcanzada con la resolución recurrida. De lo que se trata, en caso de estimación del recurso, es de alterar el fallo y la parte dispositiva de la resolución impugnada, como decíamos también en nuestro Auto de 5 de mayo de 2011, RC 29/2011». Añade que, de otro modo, el proceso desarrollado en sede casacional «podría convertirse en un mecanismo de resolución de consultas o de rectificación de declaraciones y no de resolución de pretensiones».

[117]   *Vid.* IGLESIAS CANLE (2000: 147) y, más detalladamente, sobre la exégesis del artículo 448.1 de la LEC y los problemas que plantean la condición de parte, los

La legitimación para recurrir engloba, en síntesis, dos requisitos: la condición de parte y que la resolución recurrida afecte desfavorablemente al actor. Tendrán derecho a recurrir quienes hayan sido parte en el proceso cuando se dictó la resolución recurrida o debieron serlo, siempre que mantenga un interés en recurrir por el gravamen o perjuicio que haya sufrido.

2.2. *Legitimación pasiva*

Si la legitimación para recurrir la ostentan quienes han sufrido un perjuicio, la legitimación pasiva en la casación se atribuye a las partes favorecidas por la sentencia recurrida, quienes por tal razón no preparan en tiempo y forma recurso de casación, sino que facultativamente pueden personarse como partes recurridas. La parte o partes recurridas pueden oponerse a la admisión del recurso al tiempo de comparecer ante el Tribunal Supremo, si lo hicieren dentro del término del emplazamiento (artículo 89.6 de la LJCA). Si el recurso es admitido y

---

terceros intervinientes y el gravamen como presupuesto del derecho a recurrir, *vid.* MASCARELL NAVARRO, Mª J.: «El derecho a recurrir en casación», en F. Bellido Penadés (dir.): *El recurso de casación civil*, Wolters Kluwer La Ley, Madrid, 2014, págs. 38 y ss. Aunque desde la perspectiva de la casación civil, la autora condensa los supuestos que no producen gravamen a la parte recurrente (págs. 74-75): los pronunciamientos que perjudican a otra parte; los que no le causan perjuicio real, y los que recogen un acto de disposición de la parte recurrente permitido por la Ley. Por el contrario, se produce gravamen a la parte recurrente (págs. 76-83) cuando se le causa un perjuicio, directo o indirecto, y cuando el perjuicio surge de la estimación del recurso interpuesto por la contraparte. Siguiendo a SERRA DOMÍNGUEZ, citado por GONZÁLEZ PÉREZ (2016: 907), pueden traerse a colación en el proceso contencioso-administrativo distintas consideraciones sobre el gravamen en el ámbito del proceso civil: 1) el gravamen se desprende de la comparación entre la petición de la parte con el fallo de la sentencia, abstracción hecha de la corrección jurídica de la resolución y de sus fundamentos de Derecho; 2) no existe gravamen a efectos del recurso cuando la sentencia da la razón en cuanto al fondo y se desestimen las alegaciones formales; 3) en los casos de acumulación eventual el actor puede recurrir cuando se ha desestimado la pretensión principal, aunque se haya estimado la pretensión subsidiaria, y, en el supuesto de acumulación de pretensiones principales y accesorias, el actor puede recurrir cuando se haya desestimado cualquiera de ellas, y 4) en caso de acumulación subjetiva de pretensiones, cuando hubiesen recurrido varios sujetos legitimados no existe la posibilidad de que los demás se adhieran a la casación posteriormente.

el escrito de interposición cumple todos los requerimientos legales, la parte o partes recurridas y personadas podrán oponerse al recurso en el plazo común de treinta días, pero no podrán pretender ya la inadmisión del recurso (artículo 92.5 de la LJCA).

2.3. Legitimación del Ministerio Fiscal

El artículo 3.14 de la Ley 50/1981, de 30 de diciembre, por la que se regula el Estatuto Orgánico del Ministerio Fiscal, establece que corresponde a este último defender la legalidad en los procesos contencioso-administrativos que prevén su intervención.

El artículo 19.1.f) de la LJCA establece que el Ministerio Fiscal está legitimado para intervenir en los procesos que determine la ley. La propia Ley jurisdiccional establece que es preceptiva su intervención en distintos supuestos, tales como la apreciación de falta de jurisdicción (artículo 5.2) y de competencia (artículo 7.2); en el desistimiento de la acción popular (artículo 74.3); en el procedimiento especial de protección de los derechos fundamentales (artículos 117.2, 119 y 122.2); en el procedimiento para obtener la autorización judicial a que se refiere el artículo 8.2 de la Ley 34/2002, de 11 de julio, de servicios de la sociedad de la información y del comercio electrónico (artículo 122 bis); en el procedimiento para la declaración judicial de extinción de un partido político (artículo 127 quinquies.2), y en los supuestos que tengan relación con actuaciones de la Administración en materia de extranjería, asilo político y condición de refugiado que impliquen retorno y el afectado sea un menor de edad (artículo 135.2).

Finalmente, el artículo 139.6 de la LJCA impide que se impongan costas al Ministerio Fiscal.

3. REPRESENTACIÓN Y DEFENSA

Cuando el recurso de casación se sustancie en todas sus fases ante órganos colegiados de la jurisdicción, las partes deben conferir su representación y defensa a un procurador y a un abogado, de forma respectiva (artículo 23.2 de la LJCA). En los supuestos en los que los órganos unipersonales de la jurisdicción actúen como órganos de instancia, será ante ellos ante los que se preparará el recurso, de suerte que el escrito de preparación podrá contar solamente con la intervención de un abogado (artículo 23.1 de la LJCA), siendo este último a quien se notificarán las actuaciones.

Por su parte, el artículo 23.3 de la LJCA reconoce a los funcionarios públicos la posibilidad de comparecer por sí mismos en defensa de sus derechos estatutarios. Aunque esta previsión fue suprimida por la Ley 10/2012, de 20 de noviembre –la misma que extendió a las personas físicas el ámbito subjetivo de la tasa judicial–, posteriormente la Ley 42/2015, de 5 de octubre, la ha recuperado expresamente y con la redacción original, en un ejemplo más de oportunismo del vacilante legislador. Sin embargo se trata de una regla tradicionalmente excluida de la casación, según una constante doctrina jurisprudencial[118].

Por su parte, la representación y defensa de las Administraciones Públicas se rige, según el artículo 24 de la LJCA, por lo dispuesto en la LOPJ y en la Ley 52/1997, de 27 de noviembre, de asistencia jurídica al Estado e instituciones públicas y disposiciones de desarrollo.

De conformidad con el artículo 551 de la LOPJ, la representación y defensa del Estado y de sus organismos autónomos, y de los órga-

---

[118] Como señala, por todos, el ATS de 22/5/2014 (RC 1897/2013), «la postura patrocinada por la actora descansa en una interpretación textual del artículo 23.3, difícilmente armonizable con el espíritu y finalidad de la norma contenida en su enunciado. La "ratio" de esta excepción, que no difiere esencialmente de la que introdujo el artículo 33.3 de la Ley de 1956, descansa en el conocimiento de la normativa aplicable al caso que se presume tienen los funcionarios públicos cuando están en litigio sus derechos estatutarios, pero esta consideración, a la que ya se refería la exposición de motivos de la citada Ley, pierde buena parte de su fuerza de convicción cuando del recurso de casación se trata. Se opone la complejidad de la actividad procesal, tanto en lo que hace a su contenido como a su forma, propia de este recurso extraordinario, que solo puede interponerse por determinados motivos, con el consiguiente rigor que esto comporta en orden a la subsunción de los vicios jurídicos de que pueda adolecer la resolución judicial recurrida, pues no se debe olvidar que en el recurso de casación, a diferencia de lo que ocurre en primera y segunda instancia, las pretensiones de las partes deben moverse en torno a la aplicación de la ley efectuada por el órgano jurisdiccional "a quo", quedando relegada a un segundo plano la actividad administrativa inicialmente impugnada, que es precisamente, en el caso de las cuestiones de personal, el dato del que arranca la presunción de que el funcionario público no está necesitado de asistencia jurídica».

nos constitucionales sin régimen especial propio[119], corresponderá a los Abogados del Estado integrados en el Servicio Jurídico del Estado[120], que también pueden representar y defender a los restantes organismos y entidades públicos, sociedades mercantiles estatales y fundaciones con participación estatal, en los términos contenidos en la Ley 52/1997, de 27 de noviembre, de asistencia jurídica al Estado e instituciones públicas y disposiciones de desarrollo.

La representación y defensa de las entidades gestoras, servicios comunes y otros organismos o entidades de naturaleza pública pertenecientes a la Seguridad Social, sin incluir sus mutuas colaboradoras, corresponderá a los Letrados de la Administración de la Seguridad Social.

Finalmente, la representación y defensa de las Comunidades Autónomas y las de los entes locales corresponderán a los letrados que sirvan en sus respectivos servicios jurídicos, salvo que designen abogado colegiado que les represente y defienda (artículo 551.3 de la LOPJ).

4. LA ASISTENCIA JURÍDICA GRATUITA

Sobre el reconocimiento y disfrute del derecho a la asistencia jurídica gratuita en la casación contencioso-administrativa, la Ley 1/1996, de 10 de enero, no solamente reconoce dicha asistencia, en el transcurso de una misma instancia, a todos sus trámites e incidencias, incluida la ejecución, sino que su artículo 7.2 la extiende a la interposición y sucesivos trámites de los recursos contra las resoluciones que pongan fin al proceso en la correspondiente instancia. Por consiguiente, al recurso de casación puede acudirse con abogado y procurador designados de oficio.

---

[119] La representación y defensa de las Cortes Generales, del Congreso de los Diputados, del Senado, de la Junta Electoral Central y de los órganos e instituciones dependientes de aquéllas corresponde a los Letrados de las Cortes Generales (artículo 551.2 de la LOPJ).

[120] Es oportuno referirse en este punto a la obra de MARTÍN-RETORTILLO, S.: *La defensa en Derecho del Estado: Aproximación a la historia del cuerpo de Abogados del Estado*, Civitas, Madrid, 2ª ed., 2013.

No obstante, del artículo 7.3 de la Ley 1/1996 puede deducirse que cuando el órgano sentenciador de instancia no tenga su sede en Madrid es necesaria una nueva designación de abogado y procurador integrados en el turno de oficio[121].

---

[121] Se ha criticado en la doctrina que en esos supuestos asuman otros profesionales distintos a los que intervinieron en la instancia la representación y defensa del beneficiario del derecho a la asistencia jurídica [*vid*. IGLESIAS CANLE (2000: 156-157)].

Capítulo VI
Presupuestos objetivos

1. LAS RESOLUCIONES RECURRIBLES EN CASACIÓN: LOS REQUISITOS GENERALES DE RECURRIBILIDAD

1.1. Líneas generales del ámbito objetivo del nuevo recurso de casación

Los artículos 86 y 87 de la LJCA delimitan el ámbito objetivo del recurso de casación contencioso-administrativo, estableciendo las resoluciones que son recurribles ante el tribunal de casación y aquellas otras que se excluyen. Los aspectos más destacados de este nuevo modelo pueden resumirse de la siguiente manera:

- La reforma operada por la Ley Orgánica 7/2015, de 21 de julio, implica una ampliación notable de las sentencias susceptibles de tener acceso al recurso de casación. Se trata de uno de los rasgos fundamentales de la nueva casación. Casi puede hablarse de esa ampliación en términos de universalidad, ya que tan sólo se excluyen las sentencias de los Juzgados (Provinciales y Centrales) recurribles en apelación. En concreto, la reforma confirma la recurribilidad de las sentencias dictadas en única instancia por las Salas de los Tribunales Superiores de Justicia y de la Audiencia Nacional y extiende el régimen de impugnación a las sentencias dictadas en vía de apelación por estos mismos órganos. También permite la recurribilidad de las sentencias dictadas en única instancia por los Juzgados. En este último caso es preciso que las sentencias contengan doctrina que se repute gravemente dañosa para los intereses generales y que sean susceptibles de extensión de efectos. Este requisito condensa los términos en que habrá de realizarse el juicio o apreciación del interés casacional que presente el recurso, excluyendo, pues, las otras circunstancias que enumera el artículo 88 de la LJCA.

– Se mantiene prácticamente inalterado el régimen de impugnación de las resoluciones que adoptan la forma de auto, reproduciéndose los mismos supuestos que contemplaba la redacción anterior, con la particularidad de que sólo son recurribles los autos dictados por los órganos colegiados de la jurisdicción, no por los órganos unipersonales.

– En la nueva regulación del recurso desaparecen las excepciones a la recurribilidad que contenía la anterior, referentes a la cuantía del recurso y a la materia litigiosa. En este sentido, se eliminan el límite cuantitativo o *summa gravaminis* y la exclusión de las sentencias sobre cuestiones de personal. Ahora el presupuesto objetivo sobre el que se hace descansar la casación es la existencia de interés casacional, que más adelante se desarrollará.

– Subsiste la excepción relativa a la clase de procedimiento en el que se hubiera dictado la sentencia o el auto, pues se siguen excluyendo de la casación las sentencias dictadas en el procedimiento para la protección del derecho fundamental de reunión y en los procesos contencioso-electorales (artículo 86.2). La exclusión del recurso está justificada en ambos casos, ya que la inmediatez con la que esos procesos han de ser resueltos exige un cauce propio de impugnación.

– Las resoluciones dictadas por el Tribunal de Cuentas en materia de responsabilidad contable (artículo 86.5) siguen siendo susceptibles de casación, en los términos establecidos en la Ley 7/1988, de 5 de abril, de Funcionamiento del Tribunal de Cuentas.

– A lo anterior hay que añadir una consideración esencial: sobre las sentencias y autos recurribles potencialmente en casación, en los términos que se acaban de expresar, operará el mecanismo del interés casacional, que constituye el criterio fundamental o el presupuesto básico de la reforma, del que se hace depender la admisión del recurso, en la tarea primordial del tribunal de casación a la hora de seleccionar aquellos asuntos susceptibles de contribuir a la formación de la doctrina jurisprudencial[122].

---

[122] En la redacción anterior del artículo 86 de la LJCA se posibilitaba la impugnación de las sentencias recaídas en el recurso especial de protección de los derechos fundamentales, sin que en esos casos se atendiera a la cuantía del asunto.

1.2. Sentencias recurribles

1.2.1. Las sentencias dictadas por los órganos colegiados de la jurisdicción contencioso-administrativa

El artículo 86.1 de la LJCA condensa una de las principales características de la nueva casación contencioso-administrativa: la ampliación de su ámbito objetivo. Dejando a un lado las resoluciones del Tribunal de Cuentas en materia de responsabilidad contable, que se examinarán más adelante, pueden tener acceso a la casación, de acuerdo con el párrafo primero de dicho precepto[123], las siguientes sentencias procedentes de los órganos colegiados de la jurisdicción:

– Las sentencias de la Sala de lo Contencioso-Administrativo de la Audiencia Nacional, ya sean dictadas en única instancia o en apelación.

– Las sentencias de las Salas de lo Contencioso-Administrativo de los Tribunales Superiores de Justicia, con la excepción de las recaídas en el procedimiento para la protección del derecho fundamental de reunión y en los procesos contencioso-electorales.

A estos dos últimos órganos jurisdiccionales, en calidad de órganos colegiados, los artículos 10 y 11 de la LJCA les atribuyen competencias en única instancia y en grado de apelación para conocer de los

---

Asimismo se posibilitaba el acceso al recurso de casación, en todo caso, de las sentencias de la Sala de lo Contencioso-Administrativo de la Audiencia Nacional o de los Tribunales Superiores de Justicia que anulasen o declararan conforme a Derecho una disposición de carácter general. Con el nuevo régimen de casación contencioso-administrativa, entre las posibles circunstancias indicativas del interés casacional se encuentran que en el proceso de instancia se haya seguido el procedimiento especial de protección de derechos fundamentales [artículo 88.2.i) de la LJCA]; que se haya impugnado, directa o indirectamente, una disposición de carácter general [artículo 88.2.g) de la LJCA], y que la sentencia recurrida declare nula una disposición de carácter general, «salvo que esta, con toda evidencia, carezca de trascendencia suficiente» [artículo 88.3.c) de la LJCA].

[123] El artículo 86.1, párrafo primero, de la LJCA establece lo siguiente: «Las sentencias dictadas en única instancia por los Juzgados de lo Contencioso-administrativo y las dictadas en única instancia o en apelación por la Sala de lo Contencioso-administrativo de la Audiencia Nacional y por las Salas de lo Contencioso-administrativo de los Tribunales Superiores de Justicia serán susceptibles de recurso de casación ante la Sala de lo Contencioso-administrativo del Tribunal Supremo».

recursos de tal naturaleza interpuestos contra los autos y sentencias de los Juzgados unipersonales. Dejando al margen la competencia que se otorga a las Salas de lo Contencioso-Administrativo de los Tribunales Superiores de Justicia para conocer del recurso de casación fundado en la infracción del Derecho autonómico, es lo cierto que la competencia objetiva de la Sala Tercera del Tribunal Supremo en el recurso de casación se ciñe a las sentencias dictadas en única instancia y, como novedad, también en apelación, siempre que el recurso pretenda fundarse en infracción de normas de Derecho estatal o de la Unión Europea que sea relevante y determinante del fallo impugnado, y que dichas normas hubieran sido invocadas oportunamente en el proceso o consideradas por la Sala sentenciadora.

En este sentido, el recurso de casación contra sentencias pronunciadas por las Salas de lo Contencioso-Administrativo de los Tribunales Superiores de Justicia no puede basarse exclusivamente en la infracción del ordenamiento propio de la Comunidad Autónoma. Sin embargo, eso no significa que el Tribunal Supremo no pueda aplicar e interpretar Derecho autonómico cuando lo requiera la resolución del recurso. Baste ahora apuntar que la STS de 30/11/2007 (RC 7638/2002) matizó la tesis por entonces mayoritaria en la Sala Tercera, concluyendo que no le está vedado «en términos absolutos y omnicomprensivos» conocer, interpretar y aplicar el Derecho autonómico, y que ello dependerá de las circunstancias concurrentes en cada caso específico[124]. En concreto se establecen diversas excepciones a la regla general, es decir, varios supuestos en los que se admite la viabilidad del recurso de casación y el consiguiente posible examen del fondo del asunto: 1º) que se produzcan «entrecruzamientos ordinamentales», lo que obligará a discriminar si la controversia está o no sometida a preceptos no solamente autonómicos y cuál sea el grado de incidencia

---

[124] Han seguido esa doctrina, hoy mayoritaria, las SSTS de 11/5/2016 (RC 4219/2014), 24/6/2015 (RC 2256/2014), 24/9/2014 (RC 1310/2013), 19/12/2013 (RC 872/2011), 22/11/2012 (RC 2421/2009), 26/12/2011 (RC 2124/2008), 30/9/2010 (RC 3249/2005), 26/11/2009 (RC 3130/2004), 20/11/2008 (RC 1927/2006) y 20/12/2007 (RC 68/2004), entre otros muchos exponentes. A este respecto, en la doctrina *vid.* ALONSO MAS, Mª J.: «Recurso de casación en el orden contencioso-administrativo y Derecho autonómico», *RAP* nº 190 (2013), págs. 101 y ss.; FERNÁNDEZ FARRERES (2015: nota 11), y GÓMEZ-FERRER RINCÓN (2007: 617 y ss.).

que en la resolución del supuesto tengan los preceptos de procedencia no autonómica; y 2º) que los preceptos de Derecho autonómico reproduzcan Derecho estatal de carácter básico o que se invoque como motivo de casación la infracción de jurisprudencia recaída en la interpretación de Derecho estatal que es reproducido por el Derecho autonómico.

Las sentencias que no son impugnables en casación son las que dicte la propia Sala Tercera del Tribunal Supremo, una vez suprimido el recurso de casación para la unificación de la doctrina. El legislador parece confiar en que la uniformidad jurisprudencial será la tónica dominante en el nuevo modelo. Ciertamente no habría que descartar desajustes concretos entre las Secciones a propósito de la interpretación de unos y otros preceptos; máxime ante el vasto complejo de resoluciones con potencial acceso a la casación. Que esa situación no se produzca o, al menos, se minimice o mitigue en la medida de lo posible, dependerá de la fijación inicial de unos criterios de admisión sólidos y compartidos. La exégesis del concepto jurídico indeterminado del interés casacional en la labor de esclarecimiento de las normas se debe desplegar paulatinamente pero con firmeza, siempre en el contexto de una Sala que contará con el menor número de Secciones: la Primera de admisión y otras cuatro más[125] que permitirán agrupar las materias litigiosas de manera monográfica y coherente, pero al mismo tiempo sin una especialización exacerbada que pueda desencadenar desencuentros interpretativos puntuales en relación con unos mismos preceptos[126].

---

[125] Conforme a las normas de reparto aprobadas por la Sala de Gobierno del Tribunal Supremo el 27/5/2016, publicadas en el Boletín Oficial del Estado de fecha 7/7/2016.

[126] Vid. FERNÁNDEZ FARRERES (2015: 102), quien manifiesta su escepticismo en esta materia, recordando la previsión contenida en el artículo 264.1 de la LOPJ, que remite a la convocatoria de un Pleno jurisdiccional el conocimiento de uno o varios asuntos, sustancialmente iguales pero repartidos a distintas Secciones, con la finalidad de fijar un criterio común. Es preciso, añade, conjurar el riesgo de que en la Sala Tercera «terminen conviniendo distintos pareceres difícilmente reconducibles a unidad» (pág. 130). Por su parte, HINOJOSA (2016: 98-99) entiende que la contradicción entre las distintas Secciones podría canalizarse a través del recurso de amparo ante el Tribunal Constitucional, que sin embargo excluye la contradicción entre distintas secciones. En efecto, la STC 64/2010, de 18 de octubre, traída a colación por dicho autor, desecha la alegación de que la sentencia impugnada

1.2.2. Las sentencias dictadas por los órganos unipersonales de la jurisdicción contencioso-administrativa

En su artículo 86.1, párrafo segundo, la nueva Ley abre el recurso a las sentencias dictadas por los órganos unipersonales de la jurisdicción (Juzgados provinciales y centrales), dictadas en única instancia, no las susceptibles de recurso de apelación, pero con dos condiciones o requisitos de recurribilidad: (i) que sean susceptibles de extensión de efectos y (ii) que contengan doctrina que se repute gravemente dañosa para los intereses generales[127].

El primer requisito remite a las sentencias que sean susceptibles de extensión de efectos en virtud de los artículos 110 y 111 de la LJCA. El artículo 110 permite que los efectos de una sentencia firme que hubiera reconocido una situación jurídica individualizada a favor de una o varias personas en materia tributaria, de personal y de unidad de mercado, puedan extenderse a otras con ocasión del incidente de ejecución de la sentencia, siempre que, entre otras circunstancias, los interesados se encuentren en idéntica situación jurídica que los favorecidos por el fallo. El artículo 111 remite a los denominados pleitos testigo, que, en materias distintas a las señaladas anteriormente, permite la extensión de los efectos de una sentencia firme a los pleitos suspensos por aplicación del artículo 37.2 de la LJCA.

El segundo requisito, por su parte, consiste en que la sentencia del Juzgado contenga doctrina gravemente dañosa para los intereses generales. Se trata de una circunstancia que precisamente determina la posible existencia de interés casacional en virtud del artículo 88.2.b) de la LJCA. Es un requisito que condensa los términos en que habrá de realizarse el juicio o apreciación del interés casacional que presente

---

haya vulnerado el artículo 14 de la CE en cuanto garantiza la igualdad en la aplicación judicial de la ley, ya que «no hay identidad de órgano judicial entre las resoluciones judiciales que se pretenden comparar, pues son de Secciones distintas de la Sala de lo Contencioso-Administrativo del Tribunal Superior de Justicia de Madrid».

127   El precepto señala lo siguiente: «En el caso de las sentencias dictadas en única instancia por los Juzgados de lo Contencioso-administrativo, únicamente serán susceptibles de recurso las sentencias que contengan doctrina que se reputa gravemente dañosa para los intereses generales y sean susceptibles de extensión de efectos».

el recurso, de manera que el recurso contra las resoluciones judiciales de los Juzgados no podrá ser admitido por la concurrencia de otro supuesto de interés casacional, sino precisamente por ese requisito con carácter principal (aunque, como es lógico, pueda concurrir algún supuesto adicional, determinante conjuntamente de ese interés en la admisión del recurso).

Este requisito del grave daño a los intereses generales entronca con el extinto recurso de casación en interés de la ley[128], que operaba con carácter subsidiario respecto de las otras modalidades de casación y de una forma más restrictiva aún, tanto por la limitación normativa de los sujetos legitimados para su interposición –circunscrita a las Administraciones territoriales y corporativas y al Ministerio Fiscal–, como por sus efectos, ya que la sentencia establecía la denominada «doctrina legal» con valor normativo vinculante, pero sin alterar la situación jurídica individual derivada de la sentencia recurrida. Efectivamente existen similitudes, ya que tanto en la nueva casación contra las sentencias de los Juzgados como en el recurso de casación en interés de la ley se persigue corregir una doctrina gravemente dañosa que es susceptible de repetición. No obstante, hay dos diferencias importantes. La sentencia que recaiga en el nuevo recurso sí puede afectar a la situación jurídica de las partes, en virtud del artículo 93.1 de la LJCA. La sentencia no establece ahora una doctrina legal vinculante,

---

[128] El derogado artículo 100 de la LJCA permitía recurrir en casación las sentencias de los Juzgados y de los órganos judiciales colegiados cuando los sujetos legitimados estimasen «gravemente dañosa para el interés general y errónea la resolución dictada». Otro tanto establecía el artículo 101 de la LJCA en la modalidad autonómica de este recurso.

De acuerdo con la STS de 18/9/2015 (RCIL 2738/2014), su finalidad esencial es «la defensa del interés público que conlleva una interpretación ortodoxa y abstracta de la legalidad objetiva ("ius constitutionis") libre, como afirmó nuestra doctrina clásica, de toda adherencia del interés privado. Se formula para desaprobar la motivación de la sentencia en él recurrida e impedir que la misma pueda prosperar y perpetuarse en una jurisprudencia futura ("ne sententia ad exemplum trahatur"). Se trata de un recurso, más que extraordinario, verdaderamente excepcional que se da sólo contra sentencias firmes cuando su doctrina, además de errónea sea gravemente dañosa para el interés general». Añade la sentencia que este carácter de remedio procesal para formar jurisprudencia explica que la reforma del recurso de casación introducida por la Ley Orgánica 7/2015, de 21 de julio, lo haya suprimido.

sino que esclarece el sentido de las normas cuya interpretación se ha puesto en tela de juicio, procediendo seguidamente a resolver «las cuestiones y pretensiones deducidas en el proceso». Además, la legitimación para recurrir las sentencias de los Juzgados se reconoce ahora a quienes hayan sido parte en el proceso o debieran haberlo sido (artículo 89.1 de la LJCA), no necesariamente a los sujetos legitimados en la casación en interés de la ley[129].

Con todo, no puede descartarse ahora que se extiendan los criterios restrictivos que la Sala Tercera del Tribunal Supremo ha mantenido respecto de la apreciación del grave daño en el marco de la casación en interés de la ley, a pesar del distinto alcance de la sentencia y de la legitimación que caracterizan la nueva casación contencioso-administrativa[130]. Es por ello que la apertura del ámbito objetivo de la

---

[129]   Se inclina por pensar que la legitimación en la casación contra las sentencias de los Juzgados excluye las partes privadas, HINOJOSA (2016: 73-74), al entender que la posibilidad de interponer el recurso se limita a las partes que se alineen con los intereses generales, es decir, a la Administración demandada, siendo así que la otra limitación por razón de la materia (tributaria, de personal y de unidad de mercado), reduciría la impugnación a las sentencias estimatorias que hubieran reconocido una situación jurídica individualizada a favor de una o varias personas, quebrantando el principio de igualdad de armas procesales.

[130]   *Vid.* SANTAMARÍA (2015: 15), quien no descarta que se aprovechen los criterios hermenéuticos del Tribunal Supremo para concretar la exigencia del grave daño al interés general.

Entre tales criterios de interpretación pueden recordarse ahora algunos de los que ha mantenido la Sala tradicionalmente. Así, la STS de 13/5/2015 (RCIL 1607/2014), alude a la probabilidad de la repetición futura de la doctrina plasmada en la sentencia impugnada, al señalar que «el grave daño para el interés general, requisito indispensable para que pueda prosperar un recurso de casación en interés de ley, está en función de una posible posterior y repetida actuación de los Tribunales de instancia, al conocer casos iguales, que se suponen de fácil repetición, por lo que se trata de conseguir que el Tribunal Supremo, sin alterar la situación jurídica particular derivada de la sentencia recurrida, fije la doctrina legal que en el futuro habrá de aplicarse a otros supuestos equivalentes que se presenten». Así pues, no resulta operativo cuando se trata de un caso singular y excepcional o que afecta a un número reducido de personas [SSTS de 30/4/2007 (RCIL 22/2005), 10/2/2011 (RCIL 62/2009) y 10/2/2012 (RCIL 1470/2011)]. Y, de forma complementaria, la STS de 12/5/2016 (RCIL 1434/2015) se refiere a la entidad del perjuicio: «no basta un mero daño a los intereses generales, sino que el daño o la afectación negativa a los intereses generales ha de ser grave. Y, por lo que hace al caso, la gravedad se concreta en la segura proyección de dicha doctrina a una pluralidad de supuestos, de tal modo que el error tenga ese efecto

casación a las sentencias de los órganos unipersonales, que de entrada podría parecer amplia y generosa, se puede ver condicionada doblemente y reducida a su mínima expresión, salvo un inesperado cambio de rumbo en los criterios jurisprudenciales que viene manejando la Sala Tercera[131].

En cualquier caso, una razón elemental de que se atempere la recurribilidad de las sentencias de los Juzgados en sede casacional es que actúan, fundamentalmente, como jueces del Derecho local. Sus sentencias están más centradas en los asuntos de competencia municipal que en los intereses generales, más amplios, que reclama el precepto cuando exige la producción de grave daño para los mismos[132].

Por otra parte, aunque no lo afirme de forma expresa el artículo 86 de la LJCA, parece lógico que a las sentencias de los Juzgados se les habrá que aplicar el mismo régimen de impugnación existente para las sentencias de los Tribunales Superiores de Justicia. En ese sentido, de las sentencias de los Juzgados provinciales podrá conocer el Tribu-

---

multiplicador que este peculiar recurso en interés de la Ley pretende atajar y evitar». Precisa la STS de 20/10/2011 (RCIL 6/10), que el grave daño «será de apreciar cuando la solución adoptada por ella sea capaz de causar un perjuicio en los intereses generales que merezca ser calificado de gran entidad, bien por su elevado alcance económico, bien por la importancia cualitativa del concreto interés que resulte afectado».
La doctrina jurisprudencial ha explicitado requisitos adicionales en aplicación del artículo 100 de la LJCA. Así, el grave daño al interés general ha de ser justificado por el recurrente de forma concreta y precisa, sin que valgan las referencias a perjuicios futuros e hipotéticos o la simple afirmación de su existencia [SSTS de 3 y 10 de febrero de 2014 (RCIL 76/2010 y 5837/2011), y de 24/1 y 22/10 de 2012 (RCIL 36/2010 y 5303/2011)]. Puede ser de carácter patrimonial, organizativo o de cualquier otra naturaleza pero no lo constituye la sola colisión entre dos intereses públicos hechos valer por distintos entes públicos [SSTS de 9/7/2014 (RCIL 692/2013) y 15/12/2011 (RCIL 17/2010)].

131 Téngase en cuenta que en la redacción de los artículos 100 y 101 de la LJCA –hoy derogados– no solamente se exigía que el recurso se fundara en el grave daño al interés general, sino que la sentencia fuese «errónea»; requisito este último que no contempla ya el artículo 86.1, párrafo segundo, de la LJCA; no al menos de forma explícita, aunque se ha dicho en la doctrina que subsiste a través de la invocación de una infracción del ordenamiento jurídico o de la doctrina jurisprudencial, en virtud de los artículos 88.1 y 93.2.a) de la LJCA. *Vid.* HINOJOSA (2016: 103-104) y RAZQUIN (2016: 143-144).

132 *Vid.* SANTAMARÍA (2015: 15).

nal Supremo cuando el recurso se funde en la infracción de normas estatales o de la Unión Europea, mientras que los Tribunales Superiores de Justicia conocerán de los recursos fundados en la infracción de normas autonómicas[133], siempre que hubieran sido invocadas oportunamente en el proceso o consideradas por la Sala sentenciadora. Indirectamente parece quedar descartada la infracción de las normas locales como fundamento del recurso de casación contra las sentencias de los Juzgados[134].

De las sentencias de los Juzgados centrales solamente podrá conocer el Tribunal Supremo, en razón de los asuntos atribuidos a la competencia objetiva de los mismos por el artículo 9 de la LJCA, que se refieren a materias de competencia estatal.

1.2.3. La exclusión de la casación de los litigios relativos a la protección del derecho fundamental de reunión a que se refiere el artículo 122 de la LJCA

El artículo 122 de la LJCA regula la forma en que han de recurrirse las resoluciones administrativas que prohíban o propongan la modificación de las reuniones (y manifestaciones) previstas en la Ley Orgánica 9/1983, de 15 de julio, Reguladora del Derecho de Reunión, que no sean aceptadas por los promotores, además de prescribir los plazos y los requisitos que han de observarse para interponerlo, los trámites que ha de observar el Tribunal competente y el plazo que tiene para

---

[133] Ese mismo era el planteamiento de las reglas de competencia para conocer del recurso de casación en interés de la ley, contenidas en los derogados artículos 100.2 y 101.2 de la LJCA, que de forma respectiva se referían al enjuiciamiento de la correcta interpretación y aplicación de normas emanadas del Estado o de la Comunidad Autónoma, determinantes del fallo recurrido.

[134] En opinión de FERNÁNDEZ FARRERES (2015: 105), no está justificada la exclusión de este supuesto de infracción de norma local. El legislador parece considerar o presumir que las sentencias de los Juzgados no contendrán doctrina gravemente dañosa para los intereses generales y susceptibles de extensión de efectos, «pero no deja de ser una presunción excesiva». Cuestión distinta, podría añadirse, será que la norma local en cuestión (una ordenanza fiscal, por ejemplo), de la que conozca el Tribunal Superior de Justicia en virtud del artículo 10.1.b) de la LJCA, se funde en la infracción de normas estatales, europeas o autonómicas.

resolver, y así establece que la decisión que adopte «únicamente podrá mantener o revocar la prohibición o las modificaciones propuestas» (artículo 122.3) y que contra ella no cabrá ulterior recurso (artículo 122.2 *in fine*).

El Tribunal Supremo ha subrayado que la claridad del precepto no ofrece dudas interpretativas y que responde a razones de oportunidad que hacen incompatible la inmediatez del ejercicio del derecho fundamental de reunión con la dilación temporal característica del trámite casacional. El control judicial se centra, pues, en la correcta aplicación de las circunstancias de hecho por parte de la autoridad gubernativa; juicio que se sustancia a través del cauce previsto por el artículo 122 de la LJCA para estos supuestos. En coherencia con lo anterior, el artículo 86.2 de la LJCA excluye del recurso de casación las sentencias dictadas en el procedimiento para la protección del derecho fundamental de reunión, «ya que recurso y procedimiento se implican y que aquél no cabe fuera de éste» (STS de 10/12/2007, RC 99/2004, y AATS de 21/9/2011 (RC 154/2011 y 2133/2011).

1.2.4. La exclusión de la casación de la materia electoral: delimitación de su contenido

La exclusión del recurso de casación en materia electoral tiene un alcance muy similar al apartado anterior. Se trata sencillamente de la aplicación de la normativa específica, que en este caso viene configurada por la Ley Orgánica 5/1985, de 19 de junio, del Régimen Electoral General (LOREG), que establece que las sentencias dictadas por las Salas de lo Contencioso-Administrativo de los Tribunales Superiores de Justicia en el recurso contencioso-electoral interpuesto contra las resoluciones de las Juntas Electorales de Zona y Provinciales, en relación con las elecciones locales y autonómicas, respectivamente, serán susceptibles en su caso de recurso de amparo ante el Tribunal Constitucional, como también lo serán las sentencias del Tribunal Supremo en relación con el recurso contencioso electoral contra la proclamación de candidatos electos en las elecciones generales o al Parlamento Europeo (artículos 112 y 114 de la LOREG).

La exclusión del recurso de casación es nuevamente impedir la demora en la resolución de la cuestión electoral, que requiere una respuesta inmediata que en este caso se obtiene por el hecho de que la sentencia que se dicte es firme, puesto que no es susceptible de recurso alguno, ordinario ni extraordinario, salvo el amparo ante el Tribunal Constitucional, que habrá de resolver en el plazo de quince días (artículo 114.2 de la LOREG), tal como declara el ATS de 11/1/2007 (RC 881/2005).

Debe repararse en que la materia electoral excluida afecta singularmente a los acuerdos de las Juntas Electorales sobre proclamación de electos, así como a la elección y proclamación de los Presidentes de las Corporaciones locales (artículo 109 de la LOREG). La precisión es importante porque los recursos que versen sobre estas materias se ventilan específicamente por los cauces del proceso contencioso-electoral. Sin embargo, la impugnación de la proclamación de candidaturas y candidatos –que no de electos– efectuada por cualquiera de las Juntas Electorales es competencia de los Juzgados de lo Contencioso-Administrativo (artículo 8.5 de la LJCA), mientras que la impugnación de los actos y disposiciones de las Juntas Electorales Provinciales y de las Comunidades Autónomas, así como los recursos contencioso-electorales contra acuerdos de las Juntas Electorales sobre proclamación de electos y elección y proclamación de Presidentes de Corporaciones locales, corresponden a las Salas de lo Contencioso-Administrativo de los Tribunales Superiores de Justicia [artículo 10.1.f) de la LJCA].

1.3. Autos recurribles

1.3.1. Consideraciones de carácter general sobre el artículo 87.1 de la LJCA

El ámbito objetivo del recurso de casación contra las resoluciones que adoptan la forma de autos, previsto en el artículo 87.1 de la LJCA[135], exige realizar varias consideraciones iniciales:

---

[135] El precepto establece que «también son susceptibles de recurso de casación los siguientes autos dictados por la Sala de lo Contencioso-administrativo de la Audiencia Nacional y por las Salas de lo Contencioso-administrativo de los Tribunales Superiores de Justicia, con la misma excepción e igual límite dispuestos en los apartados 2 y 3 del artículo anterior».

– Son recurribles ante la Sala de lo Contencioso-Administrativo del Tribunal Supremo los autos dictados por las Salas de los Tribunales Superiores de Justicia y de la Audiencia Nacional en los mismos términos que las sentencias y en los supuestos tasados que contemplaba la redacción anterior de la Ley jurisdiccional.

El matiz que introduce la nueva redacción del artículo 87.1 es que son recurribles los autos «con la misma excepción e igual límite dispuestos en los apartados 2 y 3 del artículo anterior»[136]. Ello quiere decir, por lo que se refiere a la excepción, que no son recurribles ni los autos recaídos en el procedimiento de protección del derecho fundamental de reunión ni en los procesos contencioso-electorales, que constituyen también una excepción material a la recurribilidad de las sentencias. Por otra parte, también parece claro que el «límite» al que se refiere el artículo 87.1 equivale a la exigencia del denominado «juicio de relevancia» del escrito de preparación del recurso, que en la anterior redacción se exigía a las sentencias de las Salas de lo Contencioso-Administrativo de los Tribunales Superiores de Justicia, y que ahora se extiende también a los autos (artículo 86.3 de la LJCA). Se unifica así el tratamiento de los autos en sede casacional, siendo exigible el aludido «juicio de relevancia»[137].

---

[136] En este punto se sustituye la anterior redacción del inciso inicial del artículo 87.1 de la LJCA, que establecía que los autos eran recurribles en casación «en los mismos supuestos previstos en al apartado anterior», de manera que limitaba su impugnabilidad a los mismos supuestos en que fuesen recurribles las sentencias. En este sentido, sólo cuando la sentencia de fondo fuese susceptible de recurso de casación lo eran también los autos recaídos en el proceso. Es por ello que las excepciones antaño establecidas en el artículo 86.2 de la LJCA resultaban aplicables a los supuestos del artículo 87.1 de la LJCA, y que, por tanto, si la cuantía del recurso era inferior al umbral casacional o el mismo versaba sobre una cuestión de personal, los autos no eran susceptibles tampoco de recurso de casación [STS de 24/10/2011 (RC 138/2010) y AATS de 17/9/2009 (RC 3101/2008) y 15/6/2006 (RC 1839/2005)]. La única excepción estaba constituida por los recursos de casación contra los autos de extensión de efectos, que podían ser impugnados «en todo caso», es decir, aunque la sentencia de cuya extensión se trataba no fuese susceptible de casación.

[137] Como ha hecho notar SANTAMARÍA (2015: 16), la inmensa mayoría de los autos susceptibles de recurso de casación, enumerados en los cinco apartados de que consta el artículo 87.1 de la LJCA, son infracciones de la propia Ley juris-

- De acuerdo con la competencia que se otorga a las Salas de lo Contencioso-Administrativo de los Tribunales Superiores de Justicia para conocer del recurso de casación fundado en la infracción del Derecho autonómico, las mismas podrán conocer de sus propios autos. En cualquier caso, en la mayoría de los autos entran en juego normas procesales cuya competencia está reservada en exclusiva al Estado (artículo 149.1.6ª de la CE), no a las Comunidades Autónomas, por lo que la virtualidad del recurso de casación autonómico contra los autos puede ser escasa.

- Del tenor literal del artículo 87.1 de la LJCA se desprende que no son susceptibles de recurso los autos dictados por los órganos unipersonales de la jurisdicción (Juzgados provinciales y centrales)[138].

- La relación de autos susceptibles de casación sigue siendo tasada y comprende los mismos supuestos que antes, con la diferencia de que los autos de extensión de efectos se incorporan como un supuesto más en el apartado e) del artículo 87.1, remitiéndose a los artículos 110 y 111. Desaparece la locución «en todo caso», que acompañaba la anterior redacción del artículo 87.2, en correspondencia con el presupuesto de admisión del interés casacional y con que, al menos potencialmente, todas las sentencias son ahora susceptibles de casación.

- Los autos susceptibles de recurso de casación en virtud del artículo 87.1 de la LJCA tienen carácter tasado, de suerte que no es

---

diccional, «de manera que el juicio de relevancia se convierte, en estos casos, en una alegación sumaria y sin contenido material alguno: un requisito puramente formalista, por inútil».

En la anterior redacción del artículo 87.1 de la LJCA, al relacionar los autos susceptibles de recurso de casación y remitirse a «los mismos supuestos previstos en el artículo anterior» se estaba refiriendo a los apartados 1, 2 y 3 del artículo 86, no al apartado 4, tal como proclamó una constante jurisprudencia, pues dicho precepto aludía expresamente a las resoluciones que adoptan la forma de sentencia, no de auto, reclamando para las sentencias, que no para los autos, el requisito del «juicio de relevancia» (ATS de 18/3/2010, RC 4615/2009).

[138] No obstante, admiten la posibilidad, al menos en hipótesis, de que se recurran en casación las sentencias dictadas en apelación contra los autos de los Juzgados unipersonales HINOJOSA (2016: 100-101 y 106) y SANTAMARÍA (2015: 17-18).

posible recurrir en casación autos concernientes a otros supuestos distintos de los que aquel precepto enumera de forma taxativa a modo de *numerus clausus*, lo cual impide realizar una interpretación extensiva de los supuestos contemplados en él. En este sentido no cabe recurrir en casación los siguientes autos: los que declaran la incompetencia objetiva del órgano jurisdiccional (ATS de 5/6/2007, RC 2742/2004); los autos que deciden la acumulación, ampliación y tramitación preferente (ATS de 2/7/2007, RQ 350/2007); los autos desestimatorios del recurso de reposición contra una providencia (ATS de 8/10/2007, RC 6992/2003); los autos referidos a las medidas cautelares «provisionalísimas» del artículo 135 de la LJCA [AATS de 3/5/2011 (RC 5007/2010) y 23/1/2007 (RC 5240/2003)], y los autos que deniegan la aclaración de sentencia (ATS de 13/12/2007, RC 6366/2006).

– También operará el mecanismo del interés casacional objetivo en relación con los recursos que se interpongan contra los autos a los que se refiere el artículo 87.1. Sin embargo, no está de más advertir ahora que si el objetivo de la nueva casación es seleccionar los asuntos susceptibles de dotar de un sentido uniforme al ordenamiento jurídico, esclareciendo sus normas, no parece que el régimen de impugnación de los autos en sede casacional vaya a deparar novedades de gran calado en este sentido[139]. Es consolidada la doctrina sobre el régimen de la tutela cautelar o de la ejecución de sentencias, por lo que, no siendo necesario el esclarecimiento de las normas que usualmente aplican estos autos, difícilmente podrá tener virtualidad suficiente el recurso de casación interpuesto contra los mismos.

– Aunque la Ley exija la forma de auto, el hecho de que la decisión adoptada por la Sala de instancia adopte indebidamente

---

[139] Más que en el esclarecimiento de las normas, el recurso de casación contra autos descansa, con la excepción de los que resuelven incidentes de medidas cautelares, «en la resolución de cuestiones concretas particularmente apegadas a un supuesto de hecho», como advierte MESTRE DELGADO (2016: 1.022), razón por la cual defiende que el legislador podría haber permitido al tribunal de casación elegir libremente las resoluciones que en cada caso presentan interés casacional, en lugar de atender problemas tan concretos.

la forma externa de providencia no impide que la expresada providencia sea susceptible de recurso de casación (SSTS de 24/3/1997 y 11/4/2013, RRCC 7517/1995 y 3297/2010)[140].

– En la casación contra los autos rige la misma limitación respecto a la apreciación de los hechos que en el recurso contra sentencias (artículo 87 bis.1 de la LJCA)[141].

1.3.2. Autos susceptibles de recurso de casación

a) Autos de inadmisión del recurso o que hacen imposible su continuación

El primer inciso del artículo 87.1.a) de la LJCA alude a la declaración de inadmisibilidad del recurso contencioso-administrativo. Como es sabido, el artículo de la 51 LJCA exige que el órgano jurisdiccional declare la inadmisión *a limine* del recurso «cuando constare de modo inequívoco y manifiesto» la concurrencia de alguna de las circunstancias que enumera el precepto (esto es, falta de jurisdicción, incompetencia del órgano jurisdiccional, falta de legitimación del recurrente, actividad no impugnable o caducidad del recurso), siempre que confiera a las partes un trámite de audiencia dándoles a conocer el motivo en que pudiera fundarse. Una vez interpuesta la demanda, sólo podrá acordarse la inadmisión con ocasión de la resolución del incidente de alegaciones previas (artículo 59.4 de la LJCA) o al dictar sentencia (artículo 69 de la LJCA), salvo la falta de jurisdicción o de competencia, que pueden declararse en cualquier tiempo[142].

Como se colige de este supuesto (autos «que declaren la inadmisión del recurso contencioso-administrativo»), el recurso de casa-

---

[140] Como declara esta última sentencia, «al margen de que lo relevante no es la forma sino el contenido y la motivación de la resolución judicial adoptada, la posterior interposición de un recurso de súplica concluyó con por Auto».

[141] *Vid.* GONZÁLEZ PÉREZ (2016: 887)

[142] Como afirma GONZÁLEZ PÉREZ (2016: 888-889), son recurribles los autos que declaran la inadmisibilidad por inadecuación del procedimiento, como es el caso previsto en el artículo 117.3 de la LJCA, pues en tales casos se pone fin al procedimiento. En cambio, no es susceptible de recurso el auto que declare la incompetencia del órgano pero que acuerde la remisión al que estime competente.

ción únicamente es admisible en relación con los autos de tal clase, no contra los que declaren la admisión del recurso, por más que esta decisión se adopte como consecuencia de la estimación del recurso de súplica interpuesto contra la inadmisión inicial. Cuestión distinta es que se admita el recurso de casación en los supuestos en que, interpuesto un recurso contencioso-administrativo especial para la protección de los derechos fundamentales de la persona (arts. 114 y ss. LJCA), el órgano jurisdiccional dicte un auto declarándolo inadmisible y acordando continuar los trámites por el procedimiento ordinario [SSTS de 27/2/1995 (RC 5342/2003) y 13/3/1995 (RC 6493/2003)].

El artículo 87.1.a) de la LJCA también comprende los autos que hagan imposible la continuación del recurso. Pueden subsumirse en este supuesto los autos que declaren la caducidad del recurso contencioso-administrativo interpuesto (ATS de 13/3/1995, RC 6493/2003)[143].

No pueden equipararse a los autos a que hace referencia el artículo 87.1.a) de la LJCA, que extinguen definitivamente la posibilidad de litigar, aquellos autos que declaren la falta de jurisdicción o la incompetencia del órgano jurisdiccional en los incidentes regulados en los artículos 5.3 y 7.3 de la LJCA, toda vez que si bien es cierto que tales autos ponen fin a un procedimiento iniciado –o impiden su continuación–, permiten que el litigio continúe ante un órgano de otro orden jurisdiccional o de la propia jurisdicción contencioso-administrativa. Tampoco son susceptibles de casación ni el auto que suspenda la tramitación del proceso «hasta que recaiga sentencia firme en diligencias previas instruidas por el Juzgado de instrucción» (STS de 19/12/1997, RC 1359/1997) ni el auto que deniega la nulidad de actuaciones (ATS de 22/7/2001, RC 8618/1999).

---

[143] HINOJOSA (2016: 110-111) refiere en este punto los autos que acuerdan el archivo de actuaciones o la caducidad del procedimiento, como sucede cuando no se interponen en plazo por separado los recursos presentados inicialmente de manera acumulada (artículo 35.2 de la LJCA); cuando no se subsanen los defectos del escrito de interposición (artículo 45.3 de la LJCA); cuando no se interpone en plazo la demanda (artículo 52.2 de la LJCA) o cuando no se sanan sus carencias (artículo 56.2 de la LJCA).

b) Autos de medidas cautelares

También son susceptibles de recurso de casación los autos «que pongan término a la pieza separada de suspensión o de otras medidas cautelares» [artículo 87.1.b) de la LJCA], tanto en el supuesto en el que se deniegue la suspensión o cualquier otra medida cautelar, como en el supuesto en el que se acceda a la misma. La pieza separada está regulada en los artículos 129 y siguientes de la Ley jurisdiccional, que junto a la suspensión de la ejecución del acto administrativo impugnado admiten cualesquiera otras medidas cautelares. En efecto, podrán adoptarse «cuantas medidas aseguren la efectividad de la sentencia», dice el artículo 129.1 de la LJCA. Se fundamentan en dos criterios: i) el *periculum in mora*, es decir, el riesgo de que el tiempo transcurrido hasta que se dicte la sentencia prive de eficacia al fallo que se pronuncie (el artículo 130.1 de la LJCA declara que la medida cautelar podrá dictarse «cuando la ejecución del acto o la aplicación de la disposición pudieran hacer perder la finalidad legítima al recurso»), y ii) la ponderación de intereses, de suerte que la medida cautelar solicitada podrá denegarse «cuando de ésta pudiera seguirse perturbación grave de los intereses generales o de tercero» (artículo 130.2 de la LJCA)[144].

No son susceptibles de recurso de casación los autos de medidas cautelares provisionalísimas del artículo 135.1 de la LJCA, que se adoptan en circunstancias de «especial urgencia» *inaudita altera parte*, a fin de evitar que de esa audiencia pueda derivarse un retraso que

---

[144]   No son recurribles aquellos autos que, dictados en la pieza separada de medidas cautelares, no ponen fin al mismo, lo cual plantea la duda sobre los que resuelven solicitudes de modificación de medidas cautelares. Como señala HINOJOSA (2016: 111-112) a este respecto, «en estos supuestos, la inadmisión del recurso podría quedar justificada cuando la solicitud de modificación de medidas no se sustente en la concurrencia de nuevas circunstancias, aunque en los demás casos el examen de esa pretensión, lo mismo que la que dio origen a la pieza separada de medidas, se integra sin esfuerzo en el ámbito de la garantía de la tutela cautelar, debiendo entenderse por ello que también el auto que la resuelve pone término a aquella pieza de medidas», citando a este respecto las SSTS de 24/4/2003 (RC 6127/2002), 13/10/2004 (RC 7200/2002) y 17/5/2012 (RC 3439/2011). Ciertamente el artículo 132 de la LJCA contempla la posibilidad de modificar o revocar las medidas cautelares durante el procedimiento «si cambiaran las circunstancias en virtud de las cuales se hubieran adoptado». Por esta razón cabe recurso de casación contra el auto que así lo acuerde.

frustre la efectividad de la medida cautelar[145]. El mismo precepto establece que el auto no será susceptible de recurso alguno, dado su carácter provisional. No obstante, el auto que se dicte tras la comparecencia convocada para debatir en torno al levantamiento, mantenimiento o modificación de la medida adoptada provisionalmente, que pone fin a la pieza separada, sí es recurrible «conforme a las reglas generales». La interpretación que del citado artículo 135.1 de la LJCA ha hecho el Tribunal Supremo es que la imposibilidad de recurrir se extiende tanto a los autos que otorgan la medida «cautelarísima» como a los que la deniegan. Ni unos ni otros tienen, pues, acceso a la casación, toda vez que no ponen término a la pieza de medidas cautelares[146].

Adquieren indudablemente suma importancia en el proceso contencioso-administrativo las medidas cautelares en los supuestos de inactividad y vía de hecho (artículos 29 y 30 de la LJCA). A estos efectos, el artículo 136.1 de la LJCA establece que los Tribunales adoptarán las medidas cautelares necesarias para asegurar la protección de la tutela judicial final, aun antes de la interposición del recurso. En particular, la medida «se adoptará» salvo que se aprecie «con evidencia» que no se da la inactividad o la vía de hecho o si la medida ocasiona «una perturbación grave de los intereses generales o de tercero, que el juez ponderará de forma circunstanciada». La expresión «con evidencia» se refiere a la carencia de fundamento de la situación denunciada, de manera que es suficiente con que, a primera vista, en el caso de la vía de hecho por ejemplo, sea ostensible la situación que produce la ilegalidad para decretar la medida (la invasión de terrenos de propiedad privada, el derribo de una valla, la demolición de una

---

[145] Como declara el ATS de 21/5/2014 (RCA 377/2014), «la tutela cautelarísima *inaudita altera parte* del artículo 135 LJCA sólo es posible ante circunstancias que pongan de manifiesto una urgencia excepcional o extraordinaria, esto es, de mayor intensidad que la normalmente exigible para la adopción de medidas cautelares que, según los trámites ordinarios, se produce al término del incidente correspondiente, con respeto del principio general de audiencia de la otra parte. La LJCA permite que se sacrifique, de manera provisional, dicho principio de contradicción sólo cuando las circunstancias de hecho no permitan, dada su naturaleza, esperar ni siquiera a la sustanciación de aquel incidente procesal».

[146] Sobre la inadmisión del recurso de casación contra los autos dictados en aplicación del artículo 135 de la LJCA se pronuncian las SSTS de 3/5/2011 (RC 5007/2010) y 5/5/2011 (RC 6037/2010).

construcción, el depósito de materiales de obra, etc.). En estos casos, la medida puede solicitarse antes incluso de que se interponga el recurso (artículo 136.2 de la LJCA).

Cabe añadir que la procedencia del recurso de casación en relación con los autos que acuerden o denieguen estas medidas cautelares perderá su objeto y, por tanto, se declarará sin contenido, cuando se dicte sentencia en el proceso principal (artículo 132 de la LJCA). No podrá entonces sustanciarse el recurso de casación contra la pieza separada de medidas cautelares, puesto que lo que procederá será la ejecución, provisional o definitiva, de la sentencia dictada (ATS de 21/7/2010, RC 1923/2009). No tendría ciertamente sentido admitir en estos casos el recurso de casación para decidir sobre la adopción de medidas cautelares mientras el Tribunal *a quo* puede estar adoptando medidas contradictorias para garantizar la ejecución de la sentencia o acordar la ejecución provisional de la misma incompatible con aquéllas. El artículo 132 de la LJCA ha de ponerse en conexión con el artículo 91, a cuyo tenor «la preparación del recurso de casación no impedirá la ejecución provisional de la sentencia recurrida», y es que, dictada la sentencia, aunque no sea firme, los problemas de la ejecución del acto (y, por lo tanto, las medidas cautelares) quedan anulados y sustituidos por los de la ejecución de la sentencia, como ha subrayado la STS de 9/2/2009 (RC 2462/2007).

Por último, el recurso de casación, en consonancia con sus notas características, denunciará las infracciones en que haya podido incurrir la medida cautelar, no el acto o disposición objeto del recurso contencioso-administrativo [AATS de 26/11/2001 (RC 5815/1999) y 18/3/2002 (RC 5977/1999)].

c) Autos recaídos en ejecución de sentencia

La ejecución de sentencias está regulada en los artículos 103 y ss. de la LJCA. En la práctica, el incidente de ejecución origina múltiples cuestiones que de manera nada infrecuente entrañan una considerable complejidad. Sin embargo, en casación sólo son susceptibles de recurso los autos «recaídos en ejecución de sentencia, siempre que resuelvan cuestiones no decididas, directa o indirectamente, en aquélla o que contradigan los términos del fallo que se ejecuta» [artículo

87.1.c) de la LJCA]. La jurisprudencia del Tribunal Supremo condiciona la admisión del recurso de casación al cumplimiento de este requisito, que a la vez constituye un límite, ya que la casación contra esta singular especie de autos se restringe a comprobar la exacta correlación entre lo resuelto en el fallo y lo ejecutado en cumplimiento del mismo, es decir, a asegurar la inmutabilidad del contenido de la parte dispositiva de la sentencia para conjurar el riesgo de que «una inadecuada actividad jurisdiccional ejecutiva pueda adicionar, contradecir o desconocer aquello que, con carácter firme, haya sido decidido con fuerza de cosa juzgada en el previo proceso de declaración» [STC 99/1995, de 20 de junio, y, en el mismo sentido, las SSTS de 25/9/2007 (RC 1260/2005) y 19/1/2016 (RC 1429/2014)].

No son susceptibles de recurso de casación los autos que, aun siendo dictados en el curso del incidente de ejecución de sentencia, constituyen resoluciones meramente interlocutorias (ATS de 22/9/2005, RC 2289/2003) o los autos que resuelven el incidente de tasación de costas (ATS de 23/1/2007, RC 835/2006).

El Tribunal Supremo ha venido considerando que, a diferencia de lo que sucede con las sentencias y los demás autos susceptibles de recurso de casación, que hasta la reforma de la LJCA debían fundarse en los motivos casacionales precisos, tratándose de recursos contra los autos dictados en ejecución de sentencia tan sólo pueden invocarse los motivos específicos que señala el artículo 87.1.c) de la LJCA, puesto que en casación tan sólo cabe enjuiciar la actuación del Tribunal de instancia desde la perspectiva más restringida de la defectuosa ejecución de la sentencia. De ahí la inutilidad práctica, en el nuevo modelo de casación, de tener que justificar la infracción relevante por el auto de las normas de Derecho estatal, comunitario europeo o autonómico, pues lo cierto es que el único criterio para la impugnación de esta clase de autos radica en la discordancia entre el fallo de la sentencia y lo ejecutoriado. Por ello, la apreciación del interés casacional que exige el artículo 88.1 de la LJCA deba circunscribirse a este especial régimen de impugnación.

Cabe realizar algunas precisiones adicionales en relación con los autos que declaran la imposibilidad de ejecución de una sentencia y los que fijan una indemnización sustitutoria:

- En relación con los autos que declaran la inejecutabilidad de una sentencia por imposibilidad material, no existe obstáculo alguno a que sean impugnados en sede casacional, pues «nada afecta más a la ejecución de la sentencia que determinar si puede o no darse cumplimiento a la misma, es decir, si concurre una causa que haga imposible su cumplimiento» (STS de 18/11/2011, RC 2958/2010), de suerte que se posibilite verificar si se han producido o no las condiciones materiales o legales que justifican aquella declaración (ATS de 12/5/2011, RC 6119/2010).

– Por su parte, los autos que se limitan a concretar la indemnización sustitutoria como consecuencia de la imposibilidad de ejecución material de la sentencia no son, en principio, susceptibles de ser impugnados en vía casacional, pues ni resuelven algo no decidido en la sentencia ni contradicen lo resuelto en la misma, sino que se limitan a concretar la cantidad a percibir en concepto de indemnización sustitutoria de daños y perjuicios, que precisamente se acuerda en sustitución de su ejecución *in natura* (STS de 21/9/2015, RC 3086/2013). No obstante, este criterio general ha sido precisado en un doble sentido [SSTS de 17/11/2009 (RC 5745/2007) y 21/7/2009 (RC 5560/2007)]: (i) cuando el concepto por el que se indemniza no guarde relación con el derecho reconocido en la sentencia, o no se ajuste a las bases establecidas en ésta para el cálculo de la indemnización (STS de 26/12/2007, RC 4365/2007), es decir, cuando en la determinación de la cuantía de la indemnización, fijada en ejecución de sentencia, la Sala *a quo* se hubiese apartado de los conceptos indemnizables establecidos en la sentencia que se ejecuta, en cuyo caso se incurriría en la desviación o extralimitación que el recurso de casación trata de evitar (STS de 26/6/2007, RC 10959/2004); y (ii) cuando la indemnización fijada vulnere la proporcionalidad por exceso o por defecto, pues en uno y otro caso cabe hablar de una indemnización que no sirve para entender ejecutada la sentencia (STS de 22/12/2003, RC 1862/2003)[147].

---

[147] Así pues, como declara el ATS de 11/6/2015 (RC 2653/2014), no podrán combatirse en casación, por el cauce del artículo 87.1.c) de la LJCA, las resoluciones judiciales que se limiten a discutir la cuantía de la indemnización fijada en ejecución de sentencia y sustitutiva de la imposibilidad material de ejecución de la

d) Autos de concesión o denegación de ejecución provisional

El cuarto tipo de autos susceptibles de recurso de casación se corresponde con «los dictados en el caso previsto en el artículo 91», según dice el artículo 87.1.d) de la LJCA, lo cual remite al incidente de ejecución provisional de la sentencia recurrida en casación.

Estos autos tienen por finalidad propiciar el control jurisdiccional de los presupuestos y condiciones a que se halla supeditada la decisión de ejecutar provisionalmente la sentencia recurrida en casación o la denegación de esa ejecución provisional, en los términos previstos en el artículo 91 de la LJCA [AATS de 19/10/2006 (RC 193/2006), 16/3/2006 (RC 2150/2004) y 19/5/2005 (RC 5853/2003)]. De lo que se trata es, sencillamente, de garantizar la adopción de aquellas medidas de ejecución imprescindibles que garanticen la virtualidad del recurso de casación pendiente. No obstante, se ha admitido que los autos de ejecución provisional de sentencia puedan ser recurridos al amparo del artículo 87.1.c) de la LJCA [SSTS de 13/10/2004 (RC 3257/2000) y 21/10/2015 (RC 2271/2014)]. No obstante esta última impugnación se ha considerado más bien excepcional, ya que los autos que se recurren al amparo del artículo 87.1.d) de la LJCA resultan, salvo en casos más excepcionales, ajenos a los motivos previstos en el artículo 87.1.c) de la LJCA, «que se encuentra destinado a los casos en que ya ha sido dictada sentencia firme y ha de procederse a su ejecución definitiva, y no provisional o anticipada» (STS de 18/3/2009, RC 1104/2007).

No resulta difícil advertir las disfunciones que pueden presentarse por el hecho de que sucesivamente se interpongan dos recursos de casación con el mismo objeto: el de casación sobre el fondo de la sentencia y el también de casación contra el auto de ejecución provisional de la misma. Si cada recurso se tramita por separado puede producirse el indeseable desenlace de que, resuelto el recurso contra la sentencia, la ejecución provisional pierda su objeto o consuma sus efectos por el hecho de haberse recurrido en un momento ulterior y haberse dejado imprejuzgada. Es obvio que una vez firme el asunto principal, carece de contenido el recurso de casación contra el auto

---

sentencia dictada, «salvo que resultase ostensible e ilógicamente desproporcionada o no se ajustase a los propios criterios fijados por la Sala sentenciadora».

de ejecución provisional, como declaran los AATS de 26/1/2010 (RC 3955/2008) y 9/7/2015 (RC 1746/2014).

e) Autos de extensión de efectos

El artículo 87.1.e) de la LJCA establece que serán susceptibles de recurso de casación «los (autos) dictados en aplicación de los artículos 110 y 111», que son los autos que resuelven los incidentes de ejecución de extensión de efectos de una sentencia firme en materia tributaria, de personal al servicio de la Administración Pública y de unidad de mercado. Se trata de autos que extienden los efectos de una sentencia firme, que reconoce una situación jurídica individualizada a favor de una o varias personas, a otras personas que se encuentren en idéntica situación jurídica, así como los que acuerdan idéntica extensión de efectos de las sentencias en los supuestos de selección de recursos previstos en el artículo 37.2 de la LJCA.

La impugnación de estos autos, con anterioridad a la reforma introducida por la Ley Orgánica 7/2015, de 21 de julio, no estaba condicionada por la sentencia cuya extensión de efectos se pretendía, sino que operaba «en todo caso», quedando al margen, por tanto, de que la sentencia fuese o no impugnable. Ciertamente habría sido un contrasentido que tales autos se vieran excluidos de la casación por el hecho de estarlo las sentencias referidas a cuestiones de personal o por la exigencia de superar el la cuantía mínima, que de aplicarse a los incidentes de extensión de efectos en materia de personal o de tributos los dejaría vacíos de contenido e impracticables.

Con la reforma de la casación esta clase de autos se sitúa a la par de los restantes, es decir, sujetos a las mismas excepciones y límites contemplados en los apartados 2 y 3 del artículo 86.1 de la LJCA. Además, desaparecida la limitación general sobre la impugnación de sentencias y autos dictados en única instancia por los órganos colegiados, hay que entender que tales autos pueden ir aparejados eventualmente a una sentencia dictada en apelación que reconozca una situación jurídica individualizada. En el caso de los órganos unipersonales de la jurisdicción, como se ha explicado, son recurribles las sentencias que se dicten en única instancia siempre que sean susceptibles de extensión de efectos y que contengan doctrina que se repute gravemente dañosa para los intereses generales.

1.3.3. La exigencia del previo recurso de reposición (artículo 87.2 de la LJCA)

El artículo 87.2 de la LJCA establece que para poder preparar el recurso de casación contra los autos previstos en el apartado anterior (todos ellos, sin salvedad) es requisito necesario interponer recurso de reposición[148]. No sería admisible, consecuentemente, el recurso de casación interpuesto contra un auto sin haberlo recurrido en reposición ante el propio Tribunal que lo hubiera dictado, en la forma y plazo previstos en el artículo 79 de la LJCA. El ATS de 2/10/2008 (RC 861/2008) establece que no basta con la mera interposición de este recurso, sino que es preciso agotar el trámite iniciado con la adopción que decida dicho recurso. En consecuencia, el plazo de treinta días que el artículo 89.1 de la LJCA establece para preparar el recurso de casación se contará desde la notificación del auto que resuelva el recurso de reposición, no desde la notificación del auto que pretende recurrirse.

La resolución judicial que se recurre en casación es el auto inicial, no el auto que resuelve el recurso de reposición interpuesto contra aquél (ATS de 5/10/2006, RC 5663/2004), si bien se admite que si el auto que resuelve dicho recurso es confirmatorio de la resolución inicialmente impugnada en reposición, el hecho de que el recurso de casación se promueva contra la segunda resolución y no contra la primera es irrelevante, pues se entiende que implícitamente se está impugnado la primera (ATS de 13/1/2005, RC 6661/2003). Cuestión distinta es que el auto resolutorio del recurso de reposición revoque o modifique el impugnado, pues en este caso el recurso de casación se preparará, y posteriormente se interpondrá, contra aquél. En cualquier caso, no parece existir inconveniente alguno en que el recurso de casación se prepare acumulativamente contra ambos autos[149].

---

[148] Téngase en cuenta que la disposición adicional 8ª de la Ley jurisdiccional, añadida por el artículo 14.67 de Ley 13/2009, de 3 de noviembre, establece que todas las referencias al recurso de súplica contenidas en la LJCA se entenderán hechas al recurso de reposición, que es como se denomina actualmente.

[149] No deja de ser llamativa la contradicción entre los artículos 79.1 y 87.2 de la LJCA. Mientras que el primero parece excluir el recurso de reposición de los autos susceptibles de casación, inconsecuentemente el segundo extiende este recurso a todos los autos previstos en el artículo 87.1 de la LJCA. Olvido del

En aquellos casos en los que se ha ofrecido erróneamente en el pie de la propia resolución impugnada la posibilidad del recurso de casación directo, sin referirse al recurso de reposición previo, se ha considerado procedente acordar la admisión a trámite del recurso en una interpretación ajustada al artículo 24 de la Constitución [AATS de 19/2/2015 (RC 412/2014) y 10/7/2014 (RQ 146/2013)].

2. LA FUNDAMENTACIÓN JURÍDICA DEL RECURSO

2.1. *La desaparición de los motivos tasados no exime al recurrente de fundamentar jurídicamente el recurso de forma precisa y ordenada*

El carácter extraordinario del recurso de casación ha exigido tradicionalmente el cumplimiento de acusados requisitos formales, tales como el carácter recurrible de determinadas resoluciones judiciales y el carácter tasado de los motivos en los que puede fundarse el recurso. Ciertamente la Ley Orgánica 7/2015, de 21 de julio, al reformar la Ley de la Jurisdicción, prescinde de los cauces procesales específicos para hacer valer determinadas infracciones, que en la anterior redacción de la Ley estaban recogidos en el artículo 88.1, coincidiendo con la enumeración de los motivos de la casación civil[150]. Con ello parece aliviarse la carga que pesaba sobre del recurrente de acertar

---

legislador o requisito deliberadamente mantenido en sucesivas reformas, lo cierto es que la primera versión de la LJCA exigía el recurso –entonces llamado de súplica– solamente «en los casos previstos en el apartado anterior», es decir, en relación con los autos de extensión de efectos, que constituía una exigencia de recurribilidad única. Sin embargo, poco después, la disposición final 14.2 de la Ley 1/2000, de 7 de enero, de Enjuiciamiento Civil, extendió el recurso de reposición a todos los autos «previstos en los apartados anteriores». Se trata de una exigencia procesal insubsanable, no prevista para las sentencias, que han de cumplir los autos si quieren tener acceso al recurso de casación.

150   El precepto se refería a cuatro motivos: «a) Abuso, exceso o defecto en el ejercicio de la jurisdicción. b) Incompetencia o inadecuación del procedimiento; c) Quebrantamiento de las formas esenciales del juicio por infracción de las normas reguladoras de la sentencia o de las que rigen los actos y garantías procesales, siempre que, en este último caso, se haya producido indefensión para la

con el motivo exacto, lo cual no es poco, pues no siempre resultaba fácil la delimitación de los motivos, en ocasiones fronterizos, a la vez que, según la doctrina asentada del Tribunal Supremo, mutuamente excluyentes[151].

No obstante, aunque hayan sido desterrados los motivos concretos, la admisión de la casación contencioso-administrativa depende de la invocación de una concreta infracción del ordenamiento jurídico, tanto procesal como sustantiva, o de la doctrina jurisprudencial, siempre que el Tribunal estime que el recurso presenta interés casacional. Así pues, la desaparición de los motivos específicos no significa que el recurso pierda su carácter extraordinario, pues no sólo se seguirá fundando en la infracción de normas de Derecho sustantivo o adjetivo, sino que su admisión dependerá de la apreciación del interés casacional por parte del Tribunal *ad quem*, en aras de contribuir a la depuración del Derecho y al establecimiento de una doctrina jurisprudencial que permita complementarlo con la doctrina jurisprudencial resultante de la aplicación e interpretación del Derecho.

Desde este punto de vista, la subsistencia del carácter extraordinario de la casación contenciosa en relación con las resoluciones judiciales sometidas al enjuiciamiento del tribunal de casación, determina que el legislador haya introducido por medio de la Ley Orgánica 7/2015, de 21 de julio, distintos requisitos formales en los escritos de preparación e interposición que se erigen en presupuestos específicos de la admisibilidad del recurso, cuyo incumplimiento determina la inadmisión a trámite del mismo.

Basta un breve repaso de la regulación positiva de ambos escritos para reparar en esta idea:

– Por lo que se refiere al escrito de preparación, según el artículo 89.2 de la LJCA, el mismo deberá contener, «en apartados separados que se encabezarán con un epígrafe expresivo de aquello de lo que trata», no sólo los requisitos formales más obvios (plazo, legitimación, carácter recurrible de la resolución), sino

---

parte, y d) Infracción de las normas del ordenamiento jurídico o de la jurisprudencia que fueran aplicables para resolver las cuestiones objeto de debate».

[151]   *Vid.*, por todas, las SSTS de 16/11/2015 (RC 1481/2015), 28/9/2015 (RC 2471/2013) y 23/7/2015 (RC 2342/2013).

la identificación «con precisión» de las normas o de la jurisprudencia que se consideran infringidas o que debieron ser observadas [apartado b)] y la justificación de que las infracciones
imputadas han sido relevantes y determinantes de la decisión
[apartado d)], entre otras exigencias. La Ley jurisdiccional exige, como puede verse, un escrito bien estructurado y claro, en el
que se describan las infracciones que se imputan a la resolución
recurrida, en apartados separados, en aras de la mayor claridad
expositiva posible y de la mejor ordenación del debate en beneficio de las partes y del juzgador. La consecuencia que depara
el incumplimiento de estos requisitos es la inadmisión a trámite
del recurso mediante auto motivado, susceptible de recurso de
queja (artículo 89.4 de la LJCA).

– Admitido el recurso, una vez superado el juicio positivo del interés casacional, la fase de interposición también aparece reple-
ta de exigencias procesales eminentemente formales. El artículo
92.3 de la LJCA vuelve a insistir en que el escrito (ahora de
interposición) deberá estructurarse «en apartados separados
que se encabezarán con un epígrafe expresivo de aquello de lo
que tratan». En dicho escrito se ha de exponer razonadamente por qué han sido infringidas las normas o la jurisprudencia
que como tales se identificaron en el escrito de preparación,
sin poder extenderse a otra u otras no consideradas en dicho
escrito. Si se imputa la infracción de jurisprudencia, no sólo se
deben citar las sentencias del Tribunal Supremo expresivas de
una determinada doctrina, sino que es preciso analizarlas para
justificar su aplicabilidad al caso. El precepto parece exigir que
cada grupo de infracciones se presente de forma autónoma, sin
entremezclar las de carácter sustantivo y procesal, de manera
que la pretensión o los pronunciamientos que se impetren estén
apoyados en un planteamiento ordenado de la parte recurrente.
En este caso, el incumplimiento de alguno de estos requisitos
tampoco parece susceptible de subsanación, sino que conduce,
sin más trámite que la audiencia a la parte recurrente, a la inadmisión del recurso por sentencia (artículo 92.4 de la LJCA).

Otro tanto puede inferirse del contenido de la sentencia. El tribunal de casación habrá de fijar la interpretación respecto de las normas
sobre las cuales se consideró necesario su pronunciamiento, ordenar,

cuando justifique su necesidad, la retroacción de actuaciones, así como indicar el orden jurisdiccional competente o remitir las actuaciones al órgano jurisdiccional que debió conocer en la instancia (artículo 93 de la LJCA). Obviamente la parte dispositiva de la sentencia ha de corresponderse con las pretensiones que se hayan deducido en el proceso de casación y los pronunciamientos que se inquieren en los distintos escritos presentados.

Así pues, aunque no se exija ahora incardinar cada infracción en alguno de los cauces procesales tasados previstos en la redacción anterior de la Ley de la Jurisdicción, lo cierto es que el acusado rigor formal de la casación no ha disminuido, sino que ha sido institucionalizado por obra del legislador. Se han incorporado los criterios que venía aplicando la Sala Tercera del Tribunal Supremo en el estudio sobre la admisibilidad o inadmisibilidad cuando tenía a la vista los escritos de preparación, interposición y –cuando la recurrida la hubiera planteado– de oposición. Efectivamente el recurso habrá de articularse mediante motivos concretos y diferenciados[152], manteniendo así un nivel de exigencia formal tan elevado al menos como en la anterior casación, pues cada infracción jurídica deberá articularse de forma precisa para encauzar debidamente el contenido de las pretensiones y, por ende, el debate que se sustancie en la Sala de casación, al que pondrá fin la sentencia que se dicte.

2.2. La exclusión de las cuestiones de hecho y de las cuestiones nuevas

A la circunstancia de que hayan desaparecido, al menos nominalmente, los motivos de casación, se añade otra limitación tradicional en la casación, cual es la exclusión de las cuestiones de hecho. El recurso «se limitará a las cuestiones de Derecho», dice el artículo 87 bis.1 de la LJCA. De la casación se excluyen los presupuestos fácticos

---

[152] Así opina también HINOJOSA (2016: 173-174), al sostener que el recurso de casación se sigue caracterizando como extraordinario «en tanto necesitado de una especial concreción sobre las razones jurídicas, los motivos, en que debe sustentarse, que han de seguir siendo determinados de manera precisa por el recurrente en la forma legalmente establecida, exigencia que en este aspecto (…) se mantiene sustancialmente».

que se hayan declarado probados por el juzgador de instancia, con independencia de cuál sea su valoración. Los hechos no podrán discutirse bajo ningún concepto en sede casacional, dejando a salvo el supuesto excepcional que prevé el artículo 93.3 de la LJCA, esto es, la facultad de integrar los hechos probados cuando resulte necesario para apreciar la infracción alegada[153].

Debido a la función de defensa del Derecho objetivo que se asigna al nuevo recurso de casación, deben excluirse las cuestiones de hecho. Más allá de la facultad de integración a la que se acaba de hacer referencia, parece que en este nuevo modelo la única posibilidad de discutir los hechos vendría determinada por el interés casacional que el Tribunal aprecie en la interpretación de los preceptos legales atinentes de la prueba, que eventualmente podrían afectar a la valoración o apreciación de la misma en un supuesto específico.

Otro de los rasgos distintivos de la casación es que no constituye una nueva instancia en que se permita al Tribunal competente para resolverlo el examen de las cuestiones que fueron debatidas en el proceso sustanciado ante el Tribunal *a quo*, sino que su objeto es la resolución recurrida[154], a la que se atribuye la infracción de normas o de jurisprudencia que tengan relevancia casacional. Por eso mismo no es

---

[153] El Tribunal Supremo se ha referido a la facultad de integración de hechos probados, que estaba prevista en el anterior artículo 88.3 de la LJCA. Consiste en una operación jurídica condicionada a que «a) el recurso se funde en el motivo previsto en la letra d) del artículo 88.1 de la LJCA; b) haya hechos que hayan sido omitidos por el Tribunal de instancia; c) tales hechos han de estar suficientemente justificados según las actuaciones; y d) su toma en consideración ha de ser necesaria para apreciar la infracción de las normas del ordenamiento jurídico» (STS de 21/3/2014, RC 1988/2012). No resulta posible, según la doctrina consolidada del Tribunal Supremo, que, al socaire de la invocación del artículo 88.3 de la LJCA (ahora artículo 93.3), se pretenda cambiar o alterar los hechos que toma en consideración la sentencia recurrida y los sustituya por los que propone la parte recurrente (por todas, SSTS de 17/3/2016, RC 2151/2014, y 18/12/2014, RC 3326/2012). *Vid.*, en este sentido, BETANCOR (2012: 129 y ss.).

[154] Esto es, la sentencia o auto recurrido, que no deben confundirse con la actuación administrativa en su día impugnada, objeto del proceso contencioso-administrativo. Un recurso de casación que se limite a reproducir literalmente el escrito de demanda y los argumentos expresados en la instancia será inadmitido por haber eludido combatir o criticar el argumento principal de la sentencia recurrida. Sobre la improcedencia de la mera reiteración en casación de las alegaciones

dable alterar los términos del debate procesal mediante la introducción cuestiones nuevas que no se hayan suscitado en la instancia (STS
de 13/2/2015, RC 829/2013), puesto que la casación se sustenta sobre
las infracciones de normas alegadas oportunamente en el proceso o
consideradas por la sentencia impugnada, esto es, esgrimiendo motivos que combatan lo razonado por la sentencia.

No obstante ya se hizo constar que, entre los requisitos que debe
reunir el escrito de preparación, el artículo 89.2.b) de la LJCA menciona la identificación de las normas o jurisprudencia infringida «justificando que fueron alegadas en el proceso, o tomadas en consideración por la Sala de instancia, *o que ésta hubiera debido observarlas
aun sin ser alegadas*». En este sentido, como lo fundamental es que el
asunto presente interés para la formación de doctrina jurisprudencial,
el recurso puede ser viable si se justifica tal extremo en el escrito de
preparación, no obstante no haberse alegado las normas de que se trate en la instancia[155]. Tal vez por eso mismo el artículo 90.4 de la LJCA
establece que los autos de admisión, al precisar las normas que serán
objeto de interpretación, podrán «extenderse a otras si así lo exigiere
el debate finalmente trabado en el recurso». En cualquier caso, no
compete al tribunal de casación suplir la actividad de las partes, sino
que la casación se rige por el principio rogatorio y ha de atenerse a
los fundamentos jurídicos articulados por las partes en el proceso, que
habrán de guardar una coherencia o una línea de continuación lógica
con las normas suscitadas y consideradas por el Tribunal de instancia,
si bien con el matiz de que el pronunciamiento en sede casacional se
podrá extender a otras normas que debió haber observado el juzgador de instancia en virtud del principio *iura novit curia*, cuando así lo
exija la correcta resolución del debate trabado.

Téngase en cuenta, además, que la mencionada doctrina sobre las
cuestiones nuevas en casación no es aplicable cuando los jueces y tribunales deben examinar de oficio una determinada cuestión, como la
falta de jurisdicción o la cosa juzgada[156].

---

vertidas en la instancia se ha pronunciado el Tribunal Supremo en múltiples
ocasiones, como en la STS de 27/9/2011 (RC 6280/2009).

155   *Vid.* FERNÁNDEZ FARRERES (2015: nota 30 *in fine*].

156   Como declara la STS de 18/3/2000 (RC 922/1996), por referencia a la STS
de 22/3/1999 (RC 7988/1994), «la mencionada doctrina sobre las cuestiones

2.3. Tipología de infracciones que se pueden hacer valer en el recurso de casación

2.3.1. Aspectos generales sobre la fundamentación jurídica del recurso de casación, a modo de recapitulación

El objeto del recurso de casación es el enjuiciamiento, en la medida en que se anuncie y razone debidamente por la parte actora, de las infracciones jurídicas en las que haya podido incurrir la sentencia o la resolución impugnada. Señala el artículo 88.1 de la LJCA que en el recurso se podrá invocar «una concreta infracción del ordenamiento jurídico, tanto procesal como sustantiva, o de la jurisprudencia». Esa amplitud con la que se expresa el legislador, congruente con la finalidad institucional remozada del recurso de casación, permite al recurrente hacer valer cualquier posible infracción del ordenamiento jurídico o de la doctrina jurisprudencial, con tal de que respete el criterio del origen estatal o autonómico de las normas infringidas; criterio que es determinante, con algún matiz que luego se referirá, de la competencia objetiva del tribunal *ad quem*.

Al igual que sucedía con el anterior modelo de casación, el recurrente puede hacer valer infracciones sustantivas y adjetivas, tanto en lo referido a los presupuestos y al desarrollo del proceso como en lo que afecta a la decisión adoptada, cuestionando la aplicación de cualquier norma del ordenamiento jurídico por parte del órgano judicial *a quo*, así como la doctrina jurisprudencial que las ha interpretado; todo ello

---

nuevas en casación no es aplicable cuando los jueces y tribunales deben examinar de oficio una determinada cuestión, que en aquel supuesto fue la falta de jurisdicción y ahora es la cosa juzgada, la cual, como materia de orden público, requiere un previo pronunciamiento en evitación de sentencias contradictorias a fin de preservar el principio de seguridad jurídica y el derecho a una tutela judicial efectiva, y así procedió esta Sala del Tribunal Supremo en su Sentencia de 13 de marzo de 1999 (recurso de casación 7575/94) al anular la sentencia recurrida por apreciar cosa juzgada y al mismo tiempo inadmitir el recurso contencioso-administrativo, a pesar de no haber sido tal causa de inadmisión suscitada en la instancia, razón por la que hemos de examinar si concurren las identidades señaladas por el párrafo primero del artículo 1252 del Código civil (cosas, causa, personas de los litigantes y calidad con que lo fueron)».

con la pretensión principal de que se anule, total o parcialmente, la sentencia o auto impugnado que le resulta desfavorable (artículo 87 bis.2 de la LJCA). Desde luego puede poner de manifiesto la falta de jurisdicción o la incompetencia del órgano juzgador, como presupuestos básicos del proceso. Puede combatir el «cómo» de la resolución recurrida (errores *in procedendo*), impetrando el quebrantamiento de las formas esenciales del juicio en el seno del proceso previo desarrollado para adoptar la resolución. Y puede también disentir de lo razonado en ella, discrepando del contenido o del «qué» de la resolución (errores *in iudicando*). Esas pretensiones no difieren sustancialmente del modelo de recurso anterior a la reforma. Lo que marca la diferencia es que esas pretensiones diversas que puede deducir el recurrente –y los derechos e intereses subyacentes– aparecen ahora condicionadas por la finalidad que es inherente al recurso de casación: la formación de la doctrina jurisprudencial.

En cualquier caso, la nueva casación no contempla ya la existencia de los cuatro cauces procesales, en forma de motivos tasados, en los que se debía fundamentar el recurso con arreglo a la redacción originaria de la Ley jurisdiccional. Sin embargo, como se ha explicado, aunque el recurso no tenga que estructurarse ya mediante ese sistema de motivos, es preciso que exprese razonadamente, en apartados separados, las infracciones que imputa a la resolución judicial (artículos 89.2 y 92.3 de la LJCA). Y, sin duda, las infracciones que antes se podían hacer valer incardinándose en un motivo u otro, son esencialmente las mismas que en el nuevo modelo.

En este orden de cosas, conviene delimitar seguidamente el significado y alcance del elenco de infracciones que se pueden imputar en casación a una resolución judicial, siguiendo los asentados criterios de la hermenéutica jurídica del Tribunal Supremo, y prestando especial atención a las resoluciones que adoptan la forma de sentencia, ya que las infracciones de los autos, delimitadas en el artículo 87.1 de la LJCA, son en la mayoría de los casos infracciones de la propia Ley de la Jurisdicción –competencia exclusiva del Estado en virtud del artículo 149.1.6ª de la CE–, mejor definidas por su contenido y finalidad en la doctrina jurisprudencial del Tribunal Supremo, con escasas disensiones o diferencias interpretativas, y, en todo caso, delimitadas en márgenes más estrechos y menos conflictivos.

2.3.2. La infracción de las normas jurídicas en la decisión adoptada en la instancia

a) Doctrina general

La infracción del ordenamiento jurídico como fundamento del recurso de casación, tanto si lo es de sus normas sustantivas como procesales, constituye el principal alegato contra la resolución judicial recurrible al decidir en la instancia sobre el fondo de las cuestiones objeto de debate, por lo que habrá de ser examinado en primer lugar.

Naturalmente dentro del ordenamiento jurídico coexisten distintas fuentes del Derecho, que de acuerdo con el artículo 1.1 del CC son la ley, la costumbre y los principios generales del Derecho, cuya aplicación e interpretación depara la construcción de una doctrina reiterada que complementa el ordenamiento jurídico (artículo 1.6 del CC). Debe tenerse presente una pluralidad de centros normativos que tejen la compleja trama en la que conviven normas prevalentes como la Constitución y el Derecho europeo, normas básicas, normas autonómicas que reproducen preceptos estatales, normas que ejecutan preceptos estatales, preceptos de aplicación supletoria, normas autonómicas que complementan la ordenación estatal, normas locales, costumbres, principios generales del Derecho, valores constitucionales, etc.

Los órganos jurisdiccionales contribuyen a la determinación de la norma jurídica aplicable atendiendo a la pluralidad de fuentes que existe en la actualidad, considerando su más adecuado encaje en el sistema jurídico. Tras una primera respuesta judicial, la continuación del proceso se hace depender, fundamentalmente, de la existencia del interés casacional. El criterio delimitador de la competencia objetiva del tribunal de casación, conforme a la Ley de la Jurisdicción, es el origen estatal o autonómico de la norma cuestionada, cuyo significado sea necesario esclarecer. El artículo 86.3 de la LJCA así lo establece, al distinguir entre el recurso de casación ante el Tribunal Supremo y el recurso de casación autonómico. La cuestión no es pacífica, sin embargo, debido a los solapamientos y entrecruzamientos varios que se producen en la práctica. La invocación de Derecho autonómico en el recurso de casación ha sido siempre un asunto polémico, pero pueden distinguirse algunas situaciones en las que el recurso de casación contra la sentencia de un Tribunal Superior de Justicia, fundado esencialmente en la infracción del Derecho autonómico, puede ser interpuesto ante el Tribunal Supremo.

Lo anterior exige, lo primero de todo, explicar en qué forma debe expresarse la infracción de las normas jurídicas contenidas, principalmente, en los preceptos legales, de acuerdo con la doctrina del Tribunal Supremo. A continuación será necesario precisar los supuestos en los que se admite la viabilidad del recurso de casación fundado en el Derecho autonómico ante el Tribunal Supremo, no obstante el principio de irrecurribilidad general de dicho ordenamiento secundario.

b) La invocación de las normas jurídicas en el recurso de casación

En correspondencia con el formalismo y el carácter restrictivo de la casación, la Sala Tercera del Tribunal Supremo ha venido exigiendo el cumplimiento de determinados requisitos, atinentes a la invocación de las normas de Derecho estatal y de Derecho de la Unión Europea, y a la argumentación desplegada en su apoyo por los recurrentes[157]. Entre los más destacados para una «buena técnica casacional», cabe referir los siguientes:

- No cabe invocar globalmente un articulado o citar textos normativos completos sin designar la norma concreta que se considera infringida[158], ni efectuar un simple enunciado[159].
- Se deben exponer las razones que determinan la infracción de un determinado precepto legal argumentado cómo ha sido quebrantado por la sentencia impugnada[160].
- No se puede invocar la infracción de normas de convenios o tratados internacionales por cuanto que las normas del ordenamiento

---

[157] Sobre la invocación de las distintas fuentes, *vid.* HINOJOSA (2015: 177 180) e IGLESIAS CANLE (2000: 202 y ss.), quien se refiere al posible espectro de normas jurídicas y principios susceptibles de ser invocados en el recurso de casación: la Constitución como norma jurídica, las normas con rango de ley, las normas sobre valoración de la prueba, las disposiciones reglamentarias, la costumbre y los principios generales del Derecho.

[158] SSTS de 25/1/2013 (RC 4335/2009) y 23/3/2012 (RC 2650/2008).

[159] STS de 14/10/2009 (RC 129/2008).

[160] SSTS de 16/6/2015 (RC 1907/2014) y 7/7/2008 (RC 899/2006).

jurídico respecto de las que el Tribunal de casación debe pronunciarse acerca de su interpretación son las de Derecho estatal[161], pero ciertamente los tratados internacionales, válidamente celebrados y publicados en España, en virtud del artículo 96.1 de la Constitución Española, forman parte de nuestro ordenamiento interno y tienen primacía y efecto directo, desplazando a la normativa interna que pudiera contradecirlos[162]. El artículo 10.2 de la CE obliga a los juzgados y tribunales a interpretar las normas sobre derechos y libertades de conformidad con los tratados y acuerdos internacionales ratificados por España que versen sobre ellos; obligación que se extiende a la jurisprudencia de los Tribunales creados por dichos tratados y acuerdos para hacerlos valer[163].

– La cita de los principios rectores de la política social y económica como motivo de casación es insuficiente para construir sobre ella un motivo de casación, ya que la invocación de tales principios ante los tribunales está condicionada a «lo que dispongan las leyes que los desarrollen» (artículo 53.3 de la CE)[164].

– No cabe invocar de manera directa la infracción del preámbulo de una norma, pues «sólo es admisible cuando se invoca infracción de las normas del ordenamiento jurídico, entendida la expresión ley en un sentido muy amplio, o de la jurisprudencia dictada en su aplicación»[165].

c) Supuestos en los que procede el examen del Derecho autonómico por el Tribunal Supremo

c.1) Perfiles básicos del problema

Ciertamente el recurso de casación ante la Sala Tercera del Tribunal Supremo no puede ampararse de forma exclusiva en preceptos de Derecho autonómico, según resulta del artículo 86.3 de la LJCA, ya que debe fundarse en normas de Derecho estatal o comunitario euro-

---

161   STS de 26/10/2011 (RC 5287/2007).
162   STS de 14/3/2011 (RC 1766/2008).
163   STS de 16/3/2015 (RCA 57/2014).
164   STS de 6/10/2011 (RC 3342/2009).
165   STS de 29/2/2012 (RC 1983/2008).

peo cuya infracción por la sentencia de instancia haya sido relevante. Ahora bien, ¿el Tribunal Supremo no puede aplicar e interpretar Derecho autonómico cuando lo requiera la resolución del recurso?

La respuesta que ofrece la STS de 30/11/2007 (RC 7638/2002), matizando su propia tesis mayoritaria, es que no le está vedado al Tribunal Supremo «en términos absolutos y omnicomprensivos» conocer, interpretar y aplicar el Derecho autonómico, y que ello dependerá de las circunstancias concurrentes en cada caso específico. En concreto se establecen diversas excepciones a regla general[166], aludiendo a los supuestos en los que se admite la viabilidad del recurso de casación y el consiguiente posible examen del fondo del asunto:

1° Que se produzcan «entrecruzamientos ordinamentales», lo que obligará a discriminar si la controversia está o no sometida a preceptos no solamente autonómicos y cuál sea el grado de incidencia que en la resolución del supuesto tengan los preceptos de procedencia no autonómica.

2° Que los preceptos de Derecho autonómico reproduzcan Derecho estatal de carácter básico o que se invoque como motivo de casación la infracción de jurisprudencia recaída en la interpretación de Derecho estatal que es reproducido por el Derecho autonómico.

c.2) Los entrecruzamientos ordinamentales

El ejercicio de una competencia exclusiva autonómica a menudo puede quedar condicionado por una competencia reservada al Estado por el artículo 149.1 de la CE, así que el Tribunal Supremo admite la posibilidad de que el recurso de casación se fundamente en la infracción de Derecho autonómico, valorando a tales efectos en qué medida la controversia suscitada entre las partes está sometida o no al dictado exclusivo de preceptos de Derecho autonómico y la posible incidencia en el fallo de la sentencia impugnada de preceptos de procedencia no autonómica[167].

---

166   A ello se refieren FERNÁNDEZ FARRERES (2015: nota 11) y, en detalle, ALONSO MAS (2013: 128 y ss.).

167   La STS de 6/6/2012 (RC 1495/2008) analiza la vulneración de la jurisprudencia creada por el Tribunal Constitucional y la Sala Tercera del Tribunal Supremo en

c.3) La reproducción en el Derecho autonómico de Derecho estatal de carácter básico

La citada STS de 30/11/2007 es coherente con la doctrina establecida por la Sala Tercera en anteriores resoluciones, en las que se había reconocido la viabilidad del recurso de casación en los casos de Derecho autonómico que reproduce Derecho estatal de carácter básico. Así, la STS de 5/2/2007 (RC 6336/2001) lo justifica en que «no resulta aceptable que mediante una determinada interpretación de la norma autonómica –que no es, desde luego, la única interpretación posible– se llegue a una conclusión que resulta incompatible con el contenido de la norma estatal de carácter básico»[168].

---

aplicación del artículo 25 de la CE –garantía de tipicidad de las infracciones– y del artículo 127 de la Ley 30/1992, de 26 de noviembre, respecto a la predeterminación normativa de las conductas ilícitas y su extensión y alcance. La sentencia impugnada había dejado sin efecto la sanción impuesta (no someter a verificación los contadores nuevos de agua) porque el hecho imputado estaba tipificado en una norma reglamentaria autonómica. El TS sale al paso de la insuficiencia de rango legal para tipificar una infracción, ya que entiende que el reglamento aplicado no se excede en su función colaboradora y de precisión técnica de la normativa de rango de Ley. Por su parte, en la STS de 28/1/2008 (RC 2001/2003) lo que se discute es la correcta aplicación de un precepto reglamentario autonómico que se limita a recoger el tipo incluido en el artículo 31.1.g) de la Ley 30/1984, de 2 de agosto, de Medidas Urgentes de Reforma de la Función Pública, consistente en la publicación de un artículo de opinión en un periódico. La sentencia de instancia entendió que tal conducta no encajaba en esa infracción disciplinaria y el Ayuntamiento entendía lo contrario en casación. Concluye el Tribunal Supremo que «nos encontramos con un problema de tipicidad que nos sitúa directamente en el ámbito del artículo 25.1 de la Constitución y justifica que rechacemos nuevamente la objeción de inadmisibilidad del recurso».

En cuanto a los límites de las Leyes de presupuestos, la STS de 4/6/2012 (RC 3611/2010) revela que en la fundamentación de la sentencia recurrida se mezclaban consideraciones referidas a la Ley de Presupuestos Generales del Estado con otras referidas a la Ley de Presupuestos de la Comunidad Autónoma de Castilla y León. El Tribunal Supremo se plantea si el control de legalidad debe limitarse, en tales supuestos, al de la vulneración de la Ley estatal, y solo a ella, eludiendo entrar en el análisis de la vulneración de la Ley autonómica, o si ese análisis debe referirse a las infracciones de ambas Leyes, dada su «inextricable conexión (…), lo que justifica que, en correcto ajuste a la doctrina de dicha sentencia, no diferenciemos, como parámetros posibles de nuestro enjuiciamiento, el de la Ley estatal y el de la autonómica».

168   Otros pronunciamientos del Alto Tribunal corroboran esta tesis. (i) La STS de 13/12/2011 (RC 7454/2004) reconoce que los Ayuntamientos pueden imponer,

c.4) La vulneración de la jurisprudencia recaída sobre un precepto de Derecho estatal, aunque no tenga carácter básico, cuyo contenido sea idéntico al del Derecho autonómico

El valor de complementar el ordenamiento jurídico que el artículo 1.6 del CC reserva a la jurisprudencia no desaparece por la existencia del Derecho autonómico. Si los preceptos autonómicos transcriben preceptos estatales, la vulneración de la jurisprudencia recaída sobre estos últimos también podrá ser invocada en casación[169].

---

por razones de protección del paisaje urbano y del medio ambiente, la obligación de compartir emplazamientos por parte de las diferentes operadoras, sin que a ello obste la infracción alegada de los principios urbanísticos de jerarquía normativa y carácter reglado de las licencias, «por más que se sustente en la cita del artículo 247 del Texto refundido de las disposiciones legales vigentes en Cataluña en materia de urbanismo (único preceptos que se identifica individualmente), pues no consiste sino en la reiteración de aquellos mismo principios que resultan de la legislación básica». (ii) La exigencia de publicación formal de los planes de urbanismo como condición necesaria de su eficacia *erga omnes*, así como la necesidad de que se publiquen formalmente también las normas y ordenanzas de los planes, constituyen aspectos básicos de la regulación del procedimiento de aprobación del planeamiento urbanístico que, en ese aspecto general, resulta de competencia exclusiva del Estado (STS de 19/6/2012, RC 365/2011). (iii) Es aplicable a las adjudicaciones de actuaciones urbanísticas contempladas en la ya derogada Ley autonómica valenciana 6/1994, de 15 de noviembre, lo dispuesto en la legislación de contratos estatal, que constituye legislación básica de acuerdo con el artículo 149.1.18ª CE e incorpora a nuestro ordenamiento jurídico interno el propio de la Unión Europea (STS de 8/4/2008, RC 1231/2004). (iv) Asimismo, es conocida la jurisprudencia consolidada a partir de la STS de 23/9/2008 (RC 4731/2004) en el sentido de que la distinción de las categorías de suelo urbano consolidado y no consolidado exige interpretar de manera armónica y coherente la legislación básica estatal con la autonómica, en el sentido de dar preferencia a la realidad existente sobre las previsiones futuras de reurbanización o reforma interior contempladas en el planeamiento urbanístico (STS de 15/6/2012, RC 3260/2009). No puede sostenerse válidamente que estas cuestiones no trasciendan la legislación urbanística autonómica (STS de 6/7/2012, RC 1531/2009) en la medida en que se afecta al régimen de deberes y cargas urbanísticas del suelo urbano (STS de 10/5/2012, RC 6585/2009).

[169]   Así lo pone de manifiesto la STS de 31/5/2005 (RC 3924/2002): «si el contenido de un precepto de derecho autonómico es idéntico al de un precepto de derecho estatal, puede invocarse como motivo de casación la infracción de la jurisprudencia recaída en interpretación de este último, pues tal jurisprudencia sigue desplegando el valor o la función de complementar el ordenamiento jurídico que le atribuye el artículo 1.6 del Código Civil y debe, por ende, ser tenida en

d) Supuestos en los que se excluye el examen del Derecho autonómico por el Tribunal Supremo

Al margen de todos estos supuestos excepcionales, cuyo número e
intensidad parecen sugerir lo contrario, lo cierto es que la regla general en la casación es la irrecurribilidad general del Derecho autonómico. Determinar si una controversia alcanza a las condiciones básicas
del ejercicio de un derecho o, por el contrario, queda ceñida a la interpretación y aplicación de la regulación autonómica, no es cuestión fácil en un ordenamiento jurídico de la densidad normativa del español,
donde lo normal es que existan entrecruzamientos ordinamentales y
conflictos entre normas de distinta procedencia. En cualquier caso,
hay que estar a las particularidades de cada controversia, lo cual entraña un examen del fondo del asunto.

Pueden destacarse de forma ilustrativa diversos supuestos en los
que el Tribunal Supremo ha considerado que el recurso de casación
se funda en la vulneración de normas autonómicas, descartando que
cualquier conexión con la norma estatal habilite el examen del recurso,
quedando remitida la continuación del proceso, en tales casos, a la casación autonómica por el párrafo segundo del artículo 86.3 de la LJCA:

– Se excluye la invocación del Derecho estatal con el propósito
  de tratar de abrir camino a un recurso de casación. La mera
  invocación de los preceptos de la Constitución, de las Leyes de
  Régimen Jurídico del Sector Público y del Procedimiento Administrativo Común, de la Ley de la Jurisdicción, de la Ley de
  Enjuiciamiento Civil o del Código Civil, o de cualquier otra
  Ley estatal (o comunitaria europea), no tiene eficacia cuando
  se hace con carácter meramente instrumental para eludir la
  prohibición de que se revise la interpretación y aplicación del
  ordenamiento jurídico autonómico [SSTS de 17 y 24/4 de 2012
  (RRCC 9/2011 y 1118/2010)].

– Los principios generales del Derecho tales como los de seguridad jurídica, igualdad y capacidad económica no son suficientes para fundar la casación, ya que se trata de principios comu-

_____

cuenta como criterio de interpretación de las normas autonómicas que se hayan
limitado a recibir en su seno otras preexistentes estatales».

nes a todos los ordenamientos jurídicos, y, por tanto, pueden invocarse en relación con cualquier norma estatal o autonómica en apoyo o contradicción de la misma. En consecuencia, en casación hay que estar a la norma con la que están relacionados tales principios, pues esa norma será la que determine el acceso o no a la casación [SSTS de 8/6/2011 (RC 10925/2004) y 22/7/2009 (RC 5941/2007)].

– En la STS de 11/10/2012 (RC 4286/2010) se señala que la legislación urbanística autonómica garantiza la participación pública en los procesos de planeamiento, que es el mismo objetivo que persigue la legislación básica estatal, pero a este propósito el legislador autonómico cuenta con un cierto margen para garantizar ese derecho a la participación, pormenorizando los supuestos en los debe reiterarse el trámite de información pública ante modificaciones sustanciales que hacen necesario un nuevo trámite.

– El Derecho foral también constituye Derecho autonómico. La existencia de normas equivalentes estatales de carácter no básico, cuyo contenido material coincida con las normas forales, no implica que estas últimas pierdan su naturaleza de Derecho autonómico [SSTS de 17/5/2012 (RC 2616/2009) y 12/12/2011 (RC 5894/2008)]. Cuestión distinta es que se alegue la infracción de jurisprudencia recaída en relación con las normas estatales cuando las mismas sean reproducidas en las normas forales, pues en este caso sí puede invocarse dicho motivo para fundar la casación.

e) Valoración general sobre el recurso de casación y el Derecho autonómico

A la vista de lo anterior no cabe excluir que el Tribunal Supremo entre a interpretar y aplicar preceptos de Derecho autonómico, dependiendo de las peculiares circunstancias de cada caso y de los fenómenos de concurrencia competencial o de la invocación de legislación básica.

Con todo, penden diversas incógnitas que conviene, al menos, apuntar. ¿Cubren verdaderamente estos supuestos todo el espectro posible de entrecruzamientos ordinamentales?[170] Una vez constatado el cumplimiento de los requisitos formales y materiales que condicionan el acceso a la casación, ¿le está vedado al Tribunal Supremo interpretar y aplicar normas autonómicas cuando así lo requiera la resolución de la controversia? Aunque el recurso de casación se base en la infracción de normativa estatal, ¿deben por sistema devolverse las actuaciones a la Sala de instancia cuando también estén en juego normas de Derecho autonómico? ¿Por qué razón las Salas de lo Contencioso-Administrativo de los Tribunales Superiores de Justicia pueden conocer de actos que proceden de la Administración del Estado regidos por el Derecho estatal y, sin embargo, no puede asignarse al Tribunal Supremo, supremo órgano jurisdiccional, el conocimiento del Derecho autonómico?

En cuanto subsistema normativo secundario, el ordenamiento jurídico autonómico adquiere sentido por su integración en el ordenamiento jurídico primario o, si se prefiere, en el Derecho General del Estado. No podría hablarse de autonomía sino en el contexto del ordenamiento jurídico general que comprende al ente autonómico, que tiene como referencia un ordenamiento principal en el seno del cual adquiere sentido[171]. Incontables materias y sectores de actividad

---

[170]   El voto particular a la STS de 30/11/2007 (RC 7638/2002) explica que no. A tal efecto pone tres ejemplos: 1) las disposiciones de Derecho autonómico que constituyen el objeto mismo de la impugnación en vía contencioso-administrativa por contravenir principios o preceptos constitucionales o normas de rango superior del ordenamiento estatal; 2) los recursos de casación dirigidos contra autos recaídos en ejecución de sentencia [artículo 87.1.c) LJCA], donde la determinación de si el auto contradice el fallo de la sentencia o resuelve sobre cuestiones no decididas exige con frecuencia una interpretación del alcance de las normas, en su caso de Derecho autonómico, que hayan sido aplicadas en la sentencia, y 3) los recursos de casación dirigidos contra autos resolutivos de solicitudes de medidas cautelares [artículo 87.1.b) LJCA], pues la resolución del motivo de casación aducido puede exigir un examen de la interpretación que haya dado la Sala de instancia a la normativa autonómica al ponderar los intereses en conflicto o al examinar una posible apariencia de buen derecho.

[171]   Sobre la pluralidad de ordenamientos jurídicos y la articulación de los ordenamientos estatal y autonómico en el «supraordenamiento constitucional», vid. GARCÍA DE ENTERRÍA, E. y FERNÁNDEZ RODRÍGUEZ, T. R.: Curso de Derecho Administrativo, vol. I, Civitas Thomson Reuters, 17ª ed., 2015, págs. 306 y ss. Pluralidad de ordenamientos y de organizaciones que SANTI ROMANO reducía a la unidad: «si se quiere definir un ordenamiento jurídico en su

administrativa se hallan absolutamente expuestos a la penetración de instituciones capitales del Derecho Administrativo (el régimen de los actos y sus vicios, los recursos administrativos, los contratos, la expropiación, los bienes públicos, la responsabilidad) sobre las cuales el Estado ostenta competencia para fijar las bases o incluso la completa regulación normativa. La confluencia de títulos competenciales sobre estas materias a menudo exigirá el examen conjunto de normas estatales y autonómicas, resultando seguramente artificioso e inútil cualquier intento de separar unas y otras en aras de delimitar las reglas de competencia objetiva de los órganos jurisdiccionales. Las muchas incertidumbres que suscita el sistema de distribución de competencias se proyectan sobre las dificultades en conocer de la mano de la jurisprudencia constitucional criterios claros, precisos y estables que permitan resolver los problemas derivados del solapamiento y entrecruzamiento de títulos materiales en relación con un mismo asunto[172].

Por mucho que de la aplicación e interpretación de unas y otras normas se encarguen órganos jurisdiccionales distintos, el interés por unificar la interpretación de la Ley constituye un interés prevalente en el Estado de Derecho, ya que la conjugación de los principios de igualdad y seguridad jurídica exige una jurisprudencia uniforme. En este sentido, el recurso de casación común ha tenido siempre como finalidad elemental la unificación de los criterios de interpretación y aplicación del Derecho para garantizar el respeto del principio de igualdad en la aplicación de la Ley. Podría considerarse perturbador y contradictorio con la finalidad perseguida por el recurso de casación la exclusión de sentencias de los Tribunales Superiores de Justicia que se fundamentan en la aplicación del Derecho autonómico, puesto que la firmeza que pueden alcanzar tales resoluciones conduce inexorablemente a la coexistencia de tantas interpretaciones como tribunales

---

totalidad, no pueden considerarse solo sus partes individuales o aquellas que se consideren como tales, esto es, las normas que en él se comprenden, para señalar después que aquel es el conjunto de tales partes, sino que precisamente es necesario dar la nota característica, la naturaleza de ese conjunto o de ese todo» (*vid. El ordenamiento jurídico*, Instituto de Estudios Políticos, Madrid, 1963, pág. 96).

172   *Vid.* el estudio sobre la delimitación de las materias en los supuestos del entrecruzamiento y concurrencia de competencias que formula FERNÁNDEZ FARRERES, G.: *La contribución del Tribunal Constitucional al Estado Autonómico*, Iustel, Madrid, 1ª ed., 2005, págs. 163 y ss.

de este tipo existen, lo cual repercute gravemente en los derechos e intereses legítimos de los ciudadanos[173]. Ni tan siquiera parece metodológicamente adecuado hacer distinciones entre lo básico y lo no básico si el objetivo último es conseguir un engranaje acompasado de las competencias desde la perspectiva de la unidad de acción[174]. En este sentido, los pronunciamientos del Tribunal Supremo a propósito de las matizaciones y excepciones a la regla de la irrecurribilidad del Derecho autonómico son sumamente reveladores, ya que demuestran que por mucho que las normas autonómicas nazcan en ámbitos competenciales exclusivos no son inmunes ni ilimitadas, sino que entran en concurrencia con otras competencias estatales exclusivas, como es el caso singular de las Leyes básicas.

Unos mismos jueces que se organizan y actúan de conformidad con unos mismos principios y garantías aplican normas estatales, autonómicas y comunitarias sin ningún reparo y con total normalidad. Es su deber aplicar el Derecho, ya responda a un Estado centralizado o descentralizado. A diferencia de los sistemas federales en los que la pluralidad de ordenamientos jurídicos encuentra reflejo en una organización judicial bipolar –tribunales federales y tribunales estatales–, en el caso español no existe esa correlación, ya que los jueces vertebran la pluralidad de subsistemas normativos actuando como jueces autonómicos y como jueces europeos, en aplicación de uno u otro ordenamiento o de ambos, sin dejar de ser todos ellos jueces estatales, así que con tanta más razón pueden asignarse al Tribunal Supremo –que es el órgano jurisdiccional superior en todos los órdenes y con jurisdicción en toda España (artículo 123 CE)–

---

[173] *Vid.*, en este sentido, GÓMEZ-FERRER RINCÓN (2007: 618-619).

[174] MUÑOZ MACHADO, S.: *Informe sobre España. Repensar el Estado o destruirlo*, Crítica, Barcelona, 2012, pág. 132, explica la reforma de la Ley Fundamental de Bonn de 2006 para ilustrar cómo podría reexaminarse la fórmula «legislación básica-legislación de desarrollo», apelando a justificaciones como la unidad jurídica y económica para que «los bloques normativos que se refieren a una misma materia [sean] más coherentes y presenten una mayor integración, lo cual puede conseguirse usando el expediente técnico de que la legislación estatal ocupe más intensamente la regulación y la autonómica pueda concurrir a completarla en los términos en que aquella lo autorice. Es decir que puede recuperarse la técnica de la habilitación, que debería operar con naturalidad en el campo de las competencias exclusivas».

atribuciones competenciales que conlleven la aplicación del Derecho autonómico[175]. No de otra forma puede conseguirse la uniformidad jurídica esencial que debe caracterizar al Estado autonómico español. La fragmentación de la legalidad, que es fruto de la complejidad de la organización del Estado y de una sociedad económica avanzada, no puede ir seguida de una paralela fragmentación en las decisiones judiciales, pues entonces, a buen seguro, lo que se resquebrajará es la unidad del sistema político, del orden económico y del ordenamiento jurídico[176].

f) La infracción de los deberes de motivación y congruencia

La infracción de las normas reguladoras de la sentencia no figura de forma explícita en la regulación actual, pero no cabe duda de que puede aducirse la infracción de las normas procesales referidas a la formación de las resoluciones impugnadas cuando desatiendan las normas esenciales establecidas al efecto (motivación, congruencia, claridad o precisión)[177]. De acuerdo con el artículo 88.1 de la LJCA

---

[175] En esta línea, *vid.* ALONSO MAS (2013: 114), al vincular el papel constitucional del Tribunal Supremo con el principio constitucional de unidad, y GÓMEZ-FERRER RINCÓN (2007: 619), al subrayar que la casación sirve a dicho principio, «en un fino equilibrio con el principio de autonomía».

[176] Explica SANTAMARÍA (2010:868) que el recurso de casación ha dejado de ser la «técnica de aplicación en última instancia de todo el Derecho»: «El imparable proceso de descentralización que ha experimentado el aparato del Estado en los últimos lustros llevará, en no mucho tiempo, a una situación en la que la mayor parte del ordenamiento jurídico estará constituido por normas aprobadas por estos poderes territoriales (...). La consecuencia es fácilmente imaginable: la función interpretativa máxima que hoy ejerce el Tribunal Supremo y el recurso de casación se va a ver reducida a un sector del ordenamiento en regresión creciente, por más que afecte a normas centrales y vertebrales de aquél (mientras continúen siéndolo)».

[177] IGLESIAS CANLE (2000: 197-198), subsume entre las normas reguladoras de las sentencias «a) la falta de claridad y precisión en la sentencia (artículo 209 de la LEC) que se produce cuando haya pronunciamientos contradictorios o tan confusos que dificulten o imposibiliten la ulterior ejecución de la sentencia; b) la falta de congruencia de la sentencia; c) la falta de plenitud de la sentencia [en el sentido de] fijar el importe de los frutos, intereses, daños y perjuicios, o al menos las bases para su liquidación en fase de ejecución de sentencia); d) la variabilidad de la sentencia [puesto que se] prohíbe modificar o variar las sentencias después

no solamente se pueden invocar normas sustantivas, sino también la infracción procesal del ordenamiento jurídico. La consecuencia que deparan los efectos de la sentencia es la misma en ambos casos: la resolución por el tribunal de casación de cuantas cuestiones y pretensiones se hayan deducido en el proceso.

La infracción procesal que se atribuye a la resolución impugnada, ya sea una sentencia o un auto, se englobaba en la regulación jurisdiccional anterior en el inciso primero del artículo 88.1.c), referido al quebrantamiento de las formas esenciales del juicio por infracción de las normas reguladoras de la sentencia. Los deberes de motivación y congruencia deben seguir siendo observados, pero, lógicamente, el enjuiciamiento de la resolución no hay que perder de vista que se centra ahora en el interés casacional que despierte el asunto, con independencia de que la resolución incurra en estas deficiencias, que fundamentalmente son la falta de motivación[178] y la incongruencia[179].

---

178   de firmadas, si bien ello no impide que se aclaren los conceptos oscuros, se suplan las omisiones o se rectifiquen errores de carácter material (artículos 267 de la LOPJ y 214 de la LEC; y e) la falta de motivación de las sentencia».

178   Sobre la motivación de las resoluciones judiciales (artículos 120.3 CE, 248.3 de la LOPJ y 218.2 de la LEC), la STS de 11/6/2014 (RC 4159/2012) ha formulado un resumen de la doctrina constitucional, citada en resoluciones posteriores, que merece la pena reproducir:

«En el plano constitucional el Tribunal Constitucional en STC 36/2006, de 13 de febrero declaró que el derecho a la motivación de las resoluciones judiciales no impone "una determinada extensión de la motivación jurídica, ni un razonamiento explícito, exhaustivo y pormenorizado de todos los aspectos y perspectivas que las partes puedan tener de la cuestión sobre la que se pronuncia la decisión judicial". Reputa suficiente que "las resoluciones judiciales vengan apoyadas en razones que permitan conocer cuáles han sido los criterios jurídicos esenciales fundamentadores de la decisión, o, lo que es lo mismo, su ratio decidendi" (STC 75/2007, de 16 de abril, FJ 4). Pues "la Constitución no garantiza el derecho a que todas y cada una de las pruebas aportadas por las partes del litigio hayan de ser objeto de un análisis explícito y diferenciado por parte de los Jueces y Tribunales a los que, ciertamente, la Constitución no veda ni podría vedar la apreciación conjunta de las pruebas aportadas" (ATC 307/1985 de 8 de mayo).

Al caber, incluso, una motivación breve y sintética (STC 75/2007, de 16 de abril, FJ 4) se ha reputado como constitucionalmente aceptable, desde las exigencias de la motivación del art. 24.1. CE, la que tiene lugar por remisión (STC 171/2002, de 30 de septiembre, FJ 2).

g) La infracción de las reglas que rigen la valoración de la prueba

La valoración de las pruebas practicadas respecto de cuestiones fácticas no es accesible a la casación, como no lo es, en principio, la apreciación de la prueba en términos generales, fuera de los casos

---

La motivación constituye una garantía esencial para el justiciable mediante la cual es posible comprobar que la decisión judicial es consecuencia de la aplicación razonada del ordenamiento jurídico y no el fruto de la arbitrariedad sin que se reconozca un pretendido derecho al acierto judicial en la selección, interpretación y aplicación de las disposiciones legales (STC 183/2011, de 21 de noviembre, FJ 5°).

Tampoco ha de incurrir en error patente en la determinación y selección del material de hecho o del presupuesto sobre el que asienta la decisión judicial que para tener relevancia constitucional nos recuerda la STC 51/2010, de 4 de octubre, FJ 5° ha de cumplir varios requisitos "que no sea imputable a la negligencia de la parte sino atribuible al órgano judicial, pueda apreciarse inmediatamente de forma incontrovertible a partir de las actuaciones judiciales y resulte determinante de la decisión adoptada por constituir el soporte único o básico –ratio decidendi– de la resolución, de forma que no pueda saberse cuál hubiera sido el criterio del órgano judicial de no haber incurrido en él (por todas STC 211/2009, de 26 de noviembre, FJ2). O en otros términos no solo ha de ser verificable de forma incontrovertible sino que ha de constituir el soporte básico de la decisión y producir efectos negativos en la esfera jurídica del recurrente. Se trata pues de una institución relacionada con aspectos de carácter fáctico (STC 42/2006, de 13 de febrero) en el que el Tribunal parte de premisas inexistentes o patentemente erróneas (STC 11/2008, de 21 de enero FJ9)».

179 Trayendo a colación la doctrina constitucional, la STS de 14/7/2014 (RC 2365/2012) resume la doctrina general sobre la congruencia de las resoluciones (artículos 218.1 de la LEC y 33.1 de la LJCA), definida como el desajuste entre el fallo judicial y los términos en que las partes formulan sus pretensiones, en los siguientes términos: «a) Se incurre en el vicio de incongruencia tanto cuando la sentencia omite resolver sobre alguna de las pretensiones y cuestiones planteadas en la demanda (Sentencias de 23 de marzo de 2011, recurso de casación 2302/2009, 28 de octubre de 2011, recurso de casación 5472/2007), es decir la incongruencia omisiva o por defecto que conculca el artículo 67 LJCA que obliga a decidir sobre todas las cuestiones controvertidas en el proceso ; como cuando resuelve sobre pretensiones no formuladas, o sea incongruencia positiva o por exceso (Sentencias de 24 de mayo de 2010, rec. casación 6182/2006, de 23 de diciembre de 2010, rec. casación 4247/2006, de 15 de abril de 2011, recurso de casación 3143/09); b) El principio de congruencia no se vulnera por el hecho de que los Tribunales basen sus fallos en fundamentos jurídicos distintos de los aducidos por las partes (Sentencia 17 de julio de 2003, rec. casación 7943/2000). En consecuencia el principio "iuris novit curia" faculta al órgano jurisdiccional a eludir los razonamientos jurídicos de las partes siempre que no

referibles a pruebas de valor legalmente tasado, de irrazonabilidad, arbitrariedad o error de hecho manifiesto en la valoración[180].

Cualquier alegación referida a una desacertada apreciación de la prueba debe tomar como presupuesto elemental que los medios probatorios aportados al proceso, su valoración y la convicción resultante sobre los datos fácticos relevantes para decidir el mismo corresponden a la «soberanía» de la Sala de instancia, sin que pueda ser suplantado, o sustituido, por el tribunal de casación, pues el defecto en la valoración de la prueba no está recogido, como motivo de casación, en el orden contencioso-administrativo[181], a diferencia del

---

altera la pretensión ni el objeto de discusión; c) Es suficiente con que la sentencia se pronuncie categóricamente sobre las pretensiones formuladas (Sentencia 3 de noviembre de 2003, rec. casación 5581/2000). Cabe, por ello, una respuesta global o genérica, en atención al supuesto preciso, sin atender a las alegaciones concretas no sustanciales; d) No incurre en incongruencia la sentencia que otorga menos de lo pedido, razonando por qué no se concede el exceso (Sentencia 3 de julio de 2007, rec. casación 3865/2003); e) No cabe acoger un fundamento que no se refleje en la decisión ya que la conclusión debe ser el resultado de las premisas establecidas (Sentencias de 27 de enero de 1996, rec. de casación 1311/1993), y f) Es necesario que los argumentos empleados guarden coherencia lógica y razonable con la parte dispositiva o fallo, para no generar incoherencia interna que de lugar a contradicción entre el fallo de la sentencia y los fundamentos que justifican su decisión (Sentencias 23 de abril de 2003, rec. de casación 3505/1997, 29 de mayo de 2007, rec. casación 8158/2003). Contradicción entre fallo de la resolución y su fundamentación reputada por el Tribunal Constitucional defecto de motivación lesivo del derecho a la tutela judicial efectiva y no vicio de incongruencia (STC 127/2008, de 27 de octubre, FJ2), si bien este Tribunal (Sentencia 4 de noviembre de 2009, recurso de casación 582/2008, FJ4°) reputa incongruencia interna la contradicción entre lo que se razona y lo que se decide derivada de error evidente en la redacción de un párrafo caracterizado por recaer sobre la circunstancia de la que depende la decisión del proceso)».

[180]   Por todas, SSTS de 12/11/2014 (RC 3801/2013) y 1/12/2011 (RC 338/2009). En la doctrina, *vid.* BETANCOR (2012: 73 y ss.) quien ilustra detalladamente la revisión de la prueba por el tribunal de casación y los supuestos en los que es procedente, esto es, la inadmisión o falta de práctica de algún medio probatorio; la deficiente motivación de la sentencia en relación con la prueba; la infracción de las normas sobre valoración de la prueba, y la interpretación jurídica errónea de la prueba.

[181]   Así lo ha señalado, entre otras muchas, la STS de 25/6/2008 (RC 4590/2004), que sistematiza las posibilidades de revisión en casación de las cuestiones ligadas a la prueba en el proceso, permitiendo su acceso a la casación por las siguientes

recurso contra las resoluciones del Tribunal de Cuentas en materia de enjuiciamiento contable (artículo 82.1.4º de la Ley 7/1988, de 5 de abril, de Funcionamiento del Tribunal de Cuentas).

En lo relativo a la valoración manifiestamente irracional, ilógica o arbitraria de la prueba por el órgano jurisdiccional *a quo* –sin duda la más frecuentemente aducida en el curso de estos años–, se trata de una vía excepcional y restringida que no puede subvertir la regla general de intangibilidad de la apreciación fáctica efectuada en la instancia. En este sentido, cabe referir algunas de las notas que caracterizan los alegatos que, de forma tan estricta, pueden cuestionar la valoración de la prueba:

– La posibilidad de combatir la apreciación de la prueba es excepcional y opera «en los casos de errores patentes y ostensibles padecidos por dicha Sala o cuando las conclusiones alcanzadas por ella sean absolutamente ilógicas y carentes de todo fundamento» (STS de 7/10/2011, RC 6288/2009).

– En el caso de que el tribunal de casación acceda al enjuiciamiento de la valoración, se limita a constatar «su carencia de lógica, su insuficiente motivación o la arbitrariedad en que haya podido incurrir; sin que a través de aquél pueda este Tribunal

---

vías: «a) cuando se denuncia la vulneración de las reglas que rigen el reparto de la carga de la prueba, contenidas en el artículo 217 de la vigente LEC ; b) por el quebrantamiento de las formas esenciales del juicio, con indefensión de la parte (al amparo del apartado c) del artículo 88.1 LRJCA); c) mediante la infracción o vulneración de las normas del ordenamiento jurídico relativas a la prueba tasada o a la llamada prueba de presunciones; d) cuando se denuncie la infracción de las reglas de la sana crítica si la apreciación de la prueba se haya realizado de modo arbitrario o irrazonable o conduzca a resultados inverosímiles; e) si la infracción cometida, al socaire de la valoración de la prueba, ha realizado valoraciones o apreciaciones erróneas de tipo jurídico, como puede ser la aplicación a los hechos que se consideran probados de conceptos jurídicos indeterminados que incorporan las normas aplicables; f) ante la invocación de errores de tipo jurídico cometidos en las valoraciones llevadas a cabo en los dictámenes periciales, documentos o informes, que, al ser aceptados por la sentencia recurrida, se convierten en infracciones del ordenamiento jurídico imputables directamente a ésta; g) mediante, en fin, la integración en los hechos admitidos como probados por la Sala de instancia». Así lo repiten otros tantos pronunciamiento posteriores, tales como las SSTS de 23/5 y 21/11 (RRCC 1673 y 2096, ambos de 2012) y de 20/4/2016 (RC 560/2015).

llegar a sustituir por la suya propia, incluso aunque la considere más verosímil que la de la Sala, una valoración, la de ésta, también posible y no incursa en esos concretos vicios» (STS de 10/11/2011, RC 3919/2009).

– Debe distinguirse entre los hechos, que no son revisables en casación, y los conceptos jurídicos, sobre los que sí es posible polemizar en sede casacional (STS de 21/10/2008, RC 3384/2005).

2.3.3. La infracción de las normas jurídicas relativas a los presupuestos del proceso de instancia

a) Introducción

Un segundo grupo de infracciones es el que viene referido a los presupuestos del proceso seguido en la instancia. El recurso se puede fundamentar en la falta de jurisdicción, en la incompetencia del órgano juzgador en la instancia o en la inadecuación del procedimiento. Aunque la reforma de la casación no individualice los motivos específicos en los que tales infracciones procesales tienen su encaje, los apartados 1 y 2 del artículo 93 de la LJCA permiten deducir la existencia de efectos jurídicos diversos, anudados precisamente a infracciones de tal naturaleza, que pasan por indicar el orden jurisdiccional competente, remitir las actuaciones al órgano judicial competente y reponer las actuaciones al momento en el que se cometió la falta.

Se trata, en suma, de los errores *in procedendo* en los que haya podido incurrir el órgano jurisdiccional *a quo* en la constitución de la relación jurídico-procesal. Son supuestos excepcionales que se explican por razones de orden público y de nulidad radical de la resolución de que se trate, de manera que la sentencia dictada en casación no podrá pronunciarse en estos casos sobre las cuestiones planteadas y sobre la interpretación correcta de las normas cuestionadas, sino que se limitará a anular la resolución en cuestión.

b) La infracción en el ejercicio de la jurisdicción

El anterior artículo 88.1.a) de la LJCA se refería al «abuso, exceso o defecto en el ejercicio de la jurisdicción». Nada de ello refiere la nueva redacción del proceso casacional, pero el artículo 93.2 de la LJCA establece que la sentencia que recaiga puede anular la resolución recurrida si apreciara que el orden jurisdiccional contencioso-administrativo no es competente, indicando en tal caso el concreto orden jurisdiccional que se estima competente, con los efectos que prevé el artículo 5.3 de la misma Ley. Dicho precepto otorga al demandante el plazo de un mes para personarse ante el órgano jurisdiccional que la sentencia declare competente, entendiéndose en tal caso que la personación se ha efectuado en la fecha en que se inició el plazo para interponer el recurso contencioso-administrativo, si el mismo se hubiera formulado siguiendo las indicaciones de la notificación del acto o ésta fuese defectuosa.

Con carácter general esta tipología de infracción comprende todas aquellas decisiones judiciales «que desconozcan los límites de esta jurisdicción respecto de otros órdenes jurisdiccionales o de los demás poderes del Estado»[182]. La jurisdicción es el primer presupuesto del proceso (artículo 9.1 de la LOPJ). Los Juzgados y Tribunales del orden contencioso-administrativo conocen de las pretensiones que se formulan en relación con la actuación de las Administraciones Públicas sujeta al Derecho Administrativo (artículos 9.4 de la LOPJ y 1.1 de la LJCA), siendo así que, como la jurisdicción es improrrogable, los órganos judiciales deben plantearse de oficio la falta de jurisdic-

---

[182]   Entre otras muchas, pueden verse las SSTS de 2/3/2016 (RC 2227/2014) y 27/4/2015 (RC 1815/2013). En esta clase de infracción están comprendidos diversos supuestos, como mantiene IGLESIAS CANLE (2000: 191-192). A saber: «falta de jurisdicción por razón del territorio, por tratarse de asuntos que sean de la competencia de los tribunales extranjeros; aquellos en que la falta de jurisdicción se plantea en relación con los restantes poderes del Estado o en relación a la sumisión de la cuestión a arbitraje; o los supuestos en que el conocimiento de la materia sea propio de un órgano de otro orden jurisdiccional». Ejemplifica distintos supuestos HINOJOSA (2016: 191-194). Especial relieve adquieren aquellos supuestos en los que el órgano jurisdiccional sustituye a la Administración mediante su sentencia, como sucede en materia de planeamiento urbanístico. El artículo 71.2 de la LJCA prohíbe a los órganos jurisdiccionales que determinen «la forma en que han de quedar redactados los preceptos de una disposición general en sustitución de los que anularen ni podrán determinar el contenido discrecional de los actos anulado», pero el Tribunal Supremo ha señalado que «resulta jurídicamente correcto fijar en la sentencia la calificación legítima (…) cuando las líneas del planeamiento conducen a una única solución» (STS de 15/7/2011, RC 5332/2007).

ción, en los términos del artículo 9.6 de la LOPJ. Lo resume la STS de 18/12/2002 (RC 3846/1999) afirmando que «existe abuso, o mal uso, de ella cuando el órgano jurisdiccional conoce de un asunto que no es de su competencia (abuso por exceso de jurisdicción) o cuando deja de conocer de un asunto de su competencia (abuso por defecto de jurisdicción)».

En definitiva, bajo la rúbrica general de falta de jurisdicción puede entenderse comprendida toda actuación de un órgano jurisdiccional que entra a conocer sobre cuestiones ajenas a la jurisdicción contencioso-administrativa, o que se abstiene de conocer de asuntos que sí corresponden a su enjuiciamiento. En ambos casos el órgano juzgador comete un error *in procedendo* al desconocer por acción y omisión una norma procesal imperativa[183], debiendo reponer las cosas al estado que tenían cuando se cometió el error, sin entrar en el fondo. Cuando el error o la irregularidad consisten en la falta de jurisdicción del órgano judicial contencioso-administrativo, el artículo 93.2 de la LJCA establece que la sentencia del tribunal de casación habrá de indicar el concreto orden jurisdiccional que se estima competente.

Consecuencia distinta parece deparar el supuesto en el que un órgano jurisdiccional del orden contencioso-administrativo ante el cual se ha producido el litigio deja de conocer el mismo en razón de la materia, por considerar que está atribuido el conocimiento a otro orden jurisdiccional. En este supuesto podría considerarse que la sentencia habrá de declarar la competencia del orden contencioso-administrativo y ordenar la retroacción de las actuaciones para que culmine el proceso mediante sentencia que entre a examinar el fondo del asunto (artículo 93.1 *in fine* de la LJCA)[184]. No da lugar, sin embargo, a declarar un defecto en el ejercicio de la jurisdicción la falta de planteamiento de una cuestión de inconstitucionalidad[185]

---

[183]   Como declara la STS de 29/4/2011 (RC 1755/2007), «el Tribunal de instancia ha de atemperar su actividad a las normas procesales imperativas que le señalan el camino que ha de recorrer lo que, en algunos casos, impone que ejerza una actividad (lo que debe hacerse) y en otros la prohibición de ejercerla o de conducirla por una senda que no sea la marcada imperativamente por la ley (lo que ni puede ni debe hacerse)».

[184]   *Vid.* HINOJOSA (2016: 190).

[185]   Entre otras, pueden verse las SSTS de 19/9/2012 (RC 21/2011) y 21/1/2009 (RC 1616/2016).

ni tampoco la ausencia de planteamiento de una cuestión prejudicial europea[186].

c) La infracción en el ejercicio de la competencia

Otra infracción de las normas procesales que puede ser apreciada de oficio por el órgano jurisdiccional (artículo 7.2 de la LJCA), siendo como es una cuestión de orden público, consiste en que la resolución judicial impugnada ha sido dictada por un órgano judicial incompetente en el orden jurisdiccional contencioso-administrativo por razón de la materia o del territorio[187].

La competencia de los Juzgados y Salas de lo Contencioso– Administrativo no es prorrogable y la falta de competencia objetiva debe ser apreciada de oficio o denunciada por la parte, existiendo determinados momentos procesales para tal apreciación o denuncia. Esta infracción estaba comprendida en el anterior artículo 88.1.b) de la LJCA. La reforma de la Ley jurisdiccional se ha ocupado de ordenar los efectos de esta deficiencia o irregularidad, estableciendo en el artículo 93.2 que se anulará la resolución recurrida y se remitirán las actuaciones al órgano judicial que hubiera debido conocer de ellas.

Cuestión distinta es que pueda impugnarse en casación una resolución que deniegue la competencia para conocer. El artículo 87.1.a) de la LJCA no incluye los autos que declaren la falta de jurisdicción o la incompetencia del órgano jurisdiccional en los incidentes regulados, de forma respectiva, en los artículos 5.3 y 7.3 de la LJCA. Aunque ciertamente tales autos ponen fin a un procedimiento iniciado o impiden su continuación, permiten que el litigio continúe ante un órgano de otro orden jurisdiccional o de la propia jurisdicción contencioso-administrativa.

---

[186]　STS de 30/4/2004 (RC 8622/1999) y ATS de 16/6/2011 (RC 2439/2010).

[187]　La STS de 30/11/2011 (RC 6126/2009) se ha ocupado de diferenciar la jurisdicción de la competencia, como presupuestos procesales básicos: «suele calificarse a la jurisdicción como el género mientras la competencia es considerada la especie. Así la competencia supone la aptitud del juez como titular de un órgano jurisdiccional para conocer de un caso determinado en razón de las potestades atribuidas por las normas legales para conocer de concretos asuntos».

Finalmente, los acuerdos adoptados por las Salas de Gobierno de los Tribunales, en aplicación del artículo 17 de la LJCA, se limitan a la mera distribución de asuntos entre ellas pero no afectan a la competencia del órgano jurisdiccional, por lo que una denuncia de esta naturaleza no constituye un vicio procesal por incompetencia[188].

d) La infracción por inadecuación del procedimiento

Entre las sentencias recurribles en casación, en el artículo 86.2 de dicha Ley se siguen contemplando excepciones por razón del procedimiento (las sentencias dictadas en el procedimiento para la protección del derecho fundamental de reunión y en los procesos contencioso-electorales), mientras que, entre las circunstancias indicativas del interés casacional del asunto, el artículo 88.1.i) de la Ley se refiere a las resoluciones dictadas en el procedimiento especial de protección de derechos fundamentales. Pero ninguna referencia se hace a la utilización de un procedimiento distinto del legalmente previsto para enjuiciar las pretensiones deducidas en la instancia. En efecto, con ocasión de la reforma de la Ley jurisdiccional no ha incluido el legislador referencia alguna a la inadecuación del procedimiento entre los efectos de la sentencia dictada en casación, a diferencia del motivo previsto en el inciso segundo del anterior artículo 88.1.b) de la LJCA.

No parece difícil, sin embargo, deducir que en casación puede hacerse valer la infracción de las normas procesales relativas al cauce seguido por la Ley. En la apelación, sometida al mismo procedimiento, no existiría ese inconveniente, pero en primera o única instancia la tramitación del proceso puede articularse por el cauce del procedimiento ordinario y del abreviado, o bien a través de los procedimientos especiales previstos en la LJCA (la protección jurisdiccional de los derechos fundamentales, la cuestión de ilegalidad, la suspensión administrativa previa de acuerdos, la garantía de la unidad de mercado, la extinción de partidos políticos y la extensión de efectos)[189].

La inadecuación del procedimiento ha encontrado su principal expresión en la elección del procedimiento especial para la protección

---

[188]   SSTS de 28/1/2013 (RC 213/2010) y 30/6/2010 (RC 3832/2007).
[189]   *Vid.* HINOJOSA (2016: 198).

jurisdiccional de los derechos fundamentales, basado en los principios de preferencia y sumariedad (artículo 53.2 de la CE). No cabría reprochar esta infracción procesal cuando el recurrente escoge ese mismo procedimiento y el órgano jurisdiccional se atiene en la instancia al mismo[190]. Sin embargo, dicho procedimiento será inadecuado cuando se pretenda amparar un derecho que no revista esa protección[191].

En los supuestos en los que se haya utilizado irregularmente un procedimiento distinto al legalmente previsto habría que casar la sentencia, siempre que las posibilidades de defensa se hayan visto comprometidas atendiendo a las circunstancias del caso[192]. La apreciación de esta infracción procesal determinaría, en principio, la reposición de las actuaciones para su continuación por los trámites del procedimiento adecuado, salvo que la norma aplicable prevea otra consecuencia, como es el caso de la inadmisión del recurso por inadecuación del procedimiento especial de protección de los derechos fundamentales (artículo 117.3 de la LJCA)[193].

2.3.4. La infracción de las normas jurídicas relativas al desarrollo del proceso de instancia

Otro tipo de infracción es el que viene referido a las normas que disciplinan el desarrollo del proceso seguido en la instancia para la

---

[190] STS de 23/11/2007 (RC 6314/2004). *Vid.* IGLESIAS CANLE (2000: 195).

[191] STS de 8/3/2013 (RC 4353/2011).

[192] HINOJOSA (2016: 200) manifiesta que debe descartarse este defecto procesal cuando no se ven afectadas las posibilidades de defensa, «como sucede cuando se emplea el procedimiento de primera o única instancia en lugar del abreviado y, en definitiva, cuando el procedimiento seguido indebidamente resulte ser de una más plena tramitación procesal».
Por otra parte, el Tribunal Supremo ha considerado irrelevante que se siga el procedimiento abreviado u ordinario para impugnar la inactividad a la que se refiere el artículo 29.2 de la LJCA, que en este punto establece dos exigencias que son las que delimitan ese tipo de modalidad casacional: la existencia de un acto firme y el previo requerimiento a la Administración para que lo ejecute (STS de 18/2/2016, RC 2196/2014).

[193] Se impide de esta manera la posible reconversión del procedimiento especial en el procedimiento ordinario, a diferencia de lo que ha entendido en Tribunal Supremo cuando ha considerado posible que el procedimiento contencioso-electoral se reconduzca a otro de carácter ordinario cuando no concurran las circunstancias previstas en aquél (STS de 3/6/1996, RC 9549/1995).

adopción de la resolución recurrida. No todas las infracciones de la LJCA se conceptúan como infracciones procesales, ya que se califican como sustantivas las que vienen referidas a la cosa juzgada, las normas que rigen la valoración de la prueba y la carga de la prueba, la extemporaneidad en la interposición del recurso, las causas de inadmisibilidad del recurso, la interposición de éste por persona no debidamente representada o no legitimada, o la caracterización del acto impugnado como acto de trámite no recurrible[194], entre otras. Las infracciones procesales propiamente dichas se refieren, en general, a los vicios del proceso judicial cometidos desde la iniciación del proceso hasta su finalización por auto o sentencia[195], como es el caso de la denegación de pruebas que resultaban pertinentes[196].

---

[194]   STS de 24/3/2009 (RC 5087/2007) y AATS de 18/2/2016 (RC 2851/2015), 19/11/2015 (RC 3908/2014), 3/4/2014 (RC 3747/2013) y 7/2/2013 (RC 3024/2012).

[195]   En el anterior artículo 88.1.c) de la LJCA se agrupaban bajo la rúbrica del quebrantamiento de las formas esenciales del juicio por infracción de las normas que rigen los actos y garantías procesales, siempre que en este caso hubieren causado indefensión. En ese mismo apartado se incluía la infracción de las normas reguladoras de la sentencia, es decir, los vicios de incongruencia y falta de motivación, pero estas últimas infracciones procesales atañen a la resolución que se impugna y pueden ser apreciadas por el tribunal de casación, en tanto que la apreciación de la infracción de los actos y garantías procesales conlleva la reposición de las actuaciones a un determinado momento.
La razón de las diferencias entre unas y otras infracciones la resume la STS de 31/10/2013 (RC 2789/2012) de la siguiente forma: «mientras que la infracción de las "normas que rigen los actos y garantías procesales" es susceptible de remedio por vía de recursos internos, pues por regla general los actos del proceso no son irrecurribles, la sentencia es en principio irrevisable por el Tribunal que la dicta (art. 267.1 LOPJ), por lo que las eventuales infracciones de las normas que la rigen no son susceptibles en general de remedio por vía de recursos internos, y su único medio de corrección son los recursos devolutivos, y en concreto en los dictados por las Salas de lo Contencioso-administrativo de los Tribunales Superiores de Justicia y la de la Audiencia Nacional el recurso de casación».

[196]   También se incardinan entre las normas procesales las cuestiones atinentes a la designación de ponente, a la composición de la Sala o al señalamiento para votación y fallo, siempre desde la perspectiva de la prohibición de indefensión al amparo del artículo 24 de la CE. En este sentido puede verse la STS de 14/10/2004 (RC 3257/2000).
Por el contrario, la infracción de las normas reguladoras de las resoluciones judiciales (la incongruencia y la falta de motivación) se incluye en el cuadro de infracciones –en este caso procesales– de la sentencia o auto recurrido; razón por

En la regulación vigente, el artículo 89.2.c) recoge este tipo de infracción procesal, exigiendo que en el escrito de preparación se acredite si la infracción imputada «lo es de normas o de jurisprudencia relativas a los actos o garantías procesales que produjo indefensión» y que «se pidió la subsanación de la falta o transgresión en la instancia, de haber existido momento procesal oportuno para ello». En síntesis, los requisitos que debe reunir el motivo basado en la infracción de este tipo de normas procesales, de acuerdo con la STS de 27/1/2012 (RC 616/2008), son los siguientes: (i) que se cite la norma que se considera vulnerada dando lugar a la lesión de una garantía procesal; (ii) que no se trate de una mera irregularidad no invalidante, sino que estemos ante una lesión efectiva de las normas legales que rigen el proceso; (iii) que la contravención produzca indefensión de carácter material (artículos 238.1 y 240.1 de la LOPJ), al traducirse en una limitación del derecho de defensa, y (iv) que se haya pedido la subsanación de la falta o transgresión en la instancia.

De entre esos requisitos adquiere especial importancia la petición de subsanación en la misma instancia, de existir momento procesal oportuno para ello mediante la interposición del correspondiente recurso[197].

En caso de concurrir esta clase de infracción, el tribunal de casación anulará la sentencia o auto impugnado y podrá ordenar la retroacción de las actuaciones a un momento determinado del procedimiento de instancia, a fin de que por parte del órgano jurisdiccional *a quo* se proceda a la subsanación del vicio cometido y siga el curso ordenado por la Ley hasta su culminación (artículo 93.1 de la LJCA). Hay que notar, no obstante, que esa retroacción de las actuaciones no es obligada, ya que

---

[197] la cual se han explicado con anterioridad entre las infracciones de la decisión judicial sometida a casación, no del proceso de instancia en sí mismo considerado. Se ha considerado que el hecho de que en el escrito de conclusiones la parte actora aduzca que las pruebas no se han cumplimentado no equivale a una impugnación formal de la decisión de dar por terminado el período de prueba, sino que la parte actora debió intentar la subsanación de la anomalía por el cauce previsto para ello en las normas procesales, es decir, mediante el recurso de reposición correspondiente contra el auto que declare concluso el período de prueba o deniegue alguna (SSTS de 23/7/2009 y 22/6/2009, RRCC 2023/2005 y 1690/2006, y, más recientemente, AATS de 14/1/2016 y 10/12/2015, RRCC 884/2015 y 1382/2015).

dicho precepto tan sólo la contempla «cuando justifique su necesidad». Eso significa que el tribunal de casación podrá fallar sobre el fondo del asunto siempre que el vicio procesal cometido no lo impida.

2.3.5. La infracción de la jurisprudencia

Conforme al artículo 88.1 de la LJCA el recurso se podrá fundamentar en la infracción de la jurisprudencia. Se ha dicho con razón que el precepto se expresa en términos inapropiados, ya que confunde el contenido con el continente, la «doctrina jurisprudencial» con la jurisprudencia, pues solamente puede ser objeto del recurso la doctrina que de modo reiterado establezca el Tribunal Supremo al interpretar la ley, la costumbre y los principios generales del Derecho (artículo 1.6 del CC)[198]. Desde este punto de vista, la jurisprudencia cumple su cometido como fuente indirecta que complementa el ordenamiento jurídico cuando adquiere el carácter de doctrina reiterada del Tribunal Supremo, o –en el caso de pleitos fundados en la aplicación e interpretación del Derecho autonómico– de los Tribunales Superiores de Justicia[199].

La propia finalidad institucional del recurso de casación es la «formación de jurisprudencia» (artículo 88.1 de la LJCA) mediante la técnica del interés casacional objetivo, con la que se pretende dotar de certidumbre a la aplicación del Derecho mediante una solución jurídica que permita cumplir la función unificadora del tribunal de casación.

Resulta necesario explicar qué se entiende por jurisprudencia –o, mejor, doctrina jurisprudencial– a efectos de fundamentar el recurso de casación, así como su forma correcta de invocación en dicha sede:

– La infracción de jurisprudencia presenta como presupuesto esencial que se invoquen, como mínimo, dos pronunciamientos

---

[198] *Vid*. FERNÁNDEZ FARRERES (2015: nota 6), quien cita el trabajo de NIETO GARCÍA, A.: «Valor legal y alcance real de la jurisprudencia», *Teoría y Realidad Constitucional* núms. 8-9 (2001-2002), págs. 103 y ss., donde se explica que estamos ante una metonimia porque la doctrina jurisprudencial se define como una «proposición jurídica afirmada en una o varias sentencias», que son las que constituyen la jurisprudencia.

[199] *Vid*. LÓPEZ SÁNCHEZ (2002: 224-225). Como señala este autor, la jurisprudencia crea soluciones para supuestos concretos mediante la elaboración de la doctrina jurisprudencial (pág. 211).

coincidentes en el establecimiento de una determinada doctrina, debido precisamente a los estrictos términos en los que se expresa el artículo 1.6 del CC («la doctrina que de modo reiterado»)[200], siempre que la infracción se refiera a las declaraciones que constituyan la razón de decidir de la resolución de que se trate, no las realizadas como «obiter dicta» o a mayor abundamiento[201].

– Además, es preciso poner de relieve la identidad o semejanza esencial de los casos resueltos por la resolución recurrida y los pronunciamientos que se aportan de contraste. No basta, pues, con la mera cita de la resolución[202]. La reforma de la casación ha incorporado esta exigencia jurisprudencial en la letra de la ley. El artículo 92.3.a) establece, por referencia al escrito de interposición, que es preciso «analizar, y no sólo citar, las sentencias del Tribunal Supremo que a juicio de la parte son expresivas de aquella jurisprudencia, para justificar su aplicabilidad al caso». El artículo 92.4 de la LJCA sanciona con la inadmisión a trámite la inobservancia de ese requisito, sin posibilidad alguna de subsanación.

– Con carácter general, por lo que se refiere a la casación ante el Tribunal Supremo, solamente pueden alegarse las resoluciones dictadas por la Sala Tercera, no así por las restantes Salas[203], salvo que la invocación guarde una estrecha conexión con la cuestión planteada en el proceso contencioso-administrativo[204].

---

[200] SSTS de 11/7/2011 (RC 3334/2010) y 28/9/2010 (RC 4741/2008).

[201] STS de 1/10/2001 (RC 267/1996). *Vid.* GONZÁLEZ PÉREZ (2016: 896).

[202] Como señala la STS de 17/5/2016 (RC 1246/2015), «resulta preciso desgranar su doctrina con relación a la sentencia cuyos criterios se combate que, obviamente, para ser aceptada ha de guardar relación directa con la razón de decidir de la sentencia, pues en caso contrario sería improsperable (STS 20 de julio de 2010, recurso de casación 5477/2008). Es preciso demostrar la similitud de los casos resueltos en las sentencias traídas a colación con el que se resuelve en la resolución impugnada en el recurso (Sentencias 8 de octubre de 2014, recurso casación 2467/2013, 15 de diciembre de 2014, recurso casación 2459/2013)».

[203] SSTS de 7/12/2005 (RC 6649/2001) y 1/10/2001 (RC 267/1996).

[204] Así, en el RC 5683/2008, que dio lugar a la STS de 26/4/2012, se invocaban sentencias dictadas por la Sala de lo Civil a efectos de apoyar la tesis nuclear del recurrente, en el sentido de que «concurrían los presupuestos necesarios para la configuración de los negocios a tenor del artículo 1.261 del Código Civil, sin perjuicio

- Tampoco puede aducirse la infracción de las resoluciones de otros órganos jurisdiccionales, como las Salas de lo Contencioso-Administrativo de la Audiencia Nacional o los Tribunales Superiores de Justicia[205].

- En relación con la cita e invocación de sentencias del Tribunal Constitucional, si bien la LOTC no se refiere al término «jurisprudencia» cuando alude a las resoluciones emanadas del Tribunal Constitucional, sino a la «doctrina constitucional», como quiera que el recurso de casación puede fundamentarse en la infracción de normas constitucionales y tales normas han de ser interpretadas conforme a la doctrina del Tribunal Constitucional, se admite la posibilidad de alegar la infracción de la doctrina del Tribunal Constitucional en un recurso de casación[206].

- También es posible invocar la infracción de la doctrina jurisprudencial del Tribunal Europeo de Derechos Humanos[207] y

---

de la posibilidad de determinación posterior de algunos de ellos no confundibles». Pueden verse distintos supuestos en los que se han traído a colación pronunciamientos de las Salas Primera y Cuarta en HINOJOSA (2016: 182-183).

[205]   SSTS de 25/5/2016 (RC 2965/2014), 6/3/2015 (RC 2819/2012) y 17/2/2016 (RC 4147/2014).

[206]   SSTS de 14/10/2011 (RC 5853/2007) y 18/1/2011 (RC 639/2007). Esta última, remitiéndose a la STS de 17/1/2008 (RC 4793/2002), manifiesta que las resoluciones del Tribunal Constitucional (se entienden incluidos los autos), pueden ser traídas a la casación, «pues la facultad de invocarlas en este recurso resulta del artículo 5.4 de la Ley Orgánica del Poder Judicial. Sin embargo, es menester que se especifique el precepto vulnerado al no respetar la interpretación del Tribunal Constitucional, pues el citado artículo de la Ley Orgánica del Poder Judicial afirma que los tribunales ordinarios "interpretarán y aplicarán las leyes y los reglamentos según los preceptos y principios constitucionales, conforme a la interpretación de los mismos que resulte de las resoluciones dictadas por el Tribunal Constitucional en todo tipo de procesos" (apartado 1) y subraya que "en todos los casos en que, según la ley, proceda recurso de casación, será suficiente para fundamentarlo la infracción de precepto constitucional" (apartado 4)».

[207]   Entre otras tantas materias, puede verse el análisis de la doctrina del Tribunal Europeo de Derechos Humanos con ocasión de la prohibición del uso del velo integral en los espacios municipales, «como posible marco de convergencia en el tratamiento jurídico de la cuestión» (STS de 14/2/2013, RC 4118/2011). Sus pronunciamientos, como sostiene IGLESIAS CANLE (2000: 217), «deben ser observados en la interpretación de las normas relativas a los derechos fundamentales y libertades públicas que la Constitución reconoce (art. 10.2 CE)».

del Tribunal de Justicia de la Unión Europea[208], como es práctica cotidiana del Tribunal Supremo en múltiples ámbitos de conocimiento.

Alguna consideración más merece el estudio de la infracción de jurisprudencia atendiendo a la nueva regulación:

- La doctrina jurisprudencial que se invoque puede relacionarse no ya sólo con el Derecho sustantivo, como venía siendo lo habitual, sino con cuestiones de orden procesal. El artículo 89.2.c) de la LJCA establece que uno de los requisitos del escrito de preparación es que se acredite la subsanación de la falta o transgresión en la instancia cuando «la infracción imputada lo es de normas o de jurisprudencia relativas a los actos o garantías procesales que produjo indefensión».

- El recurso no se estimará necesariamente por el hecho de que supere la fase de admisión a la vista de su interés casacional. Ahora bien, la objetividad con la que se define dicho interés, nervio y motor del nuevo modelo de casación, determina que el tribunal de casación quede vinculado por sus anteriores pronunciamientos en lo relativo a la admisión o inadmisión de un recurso, de los que sólo podrá apartarse de forma justificada. Parece indudable que los autos de admisión e inadmisión –no ya sólo las sentencias que recaigan– han de cobrar un papel trascendente en la interpretación de los distintos supuestos indicativos del interés casacional y en los criterios sobre su concurrencia.

- Una de las circunstancias indicativas del interés casacional será la contradicción, ante la existencia de cuestiones sustancialmente iguales, entre la resolución recurrida y la de otros órganos jurisdiccionales a propósito de la interpretación de las normas jurídicas. En este supuesto la alegación principal del recurso consistirá en poner de manifiesto la existencia de tal contradicción para acreditar que concurre interés casacional,

---

[208] Así, en materia de responsabilidad del Estado por infracción del Derecho de la Unión Europea, entre otras tantas sentencias, pueden verse las SSTS de 14/7/2010 (RCA 21/2008) y 17/7/2009 (RCA 103/2005), y, más recientemente, las SSTS de 24/2/2016 (RCA 241/2015) y 24/1/2014 (RCA 408/2012).

pero en la fundamentación jurídica del recurso nada impedirá que se invoque la doctrina jurisprudencial interpretativa de los preceptos cuestionados. Lo que es evidente es que si no existe contradicción no habrá interés casacional –no al menos por esta circunstancia– y no podrá estimarse el recurso.

3. EL REQUISITO DEL INTERÉS CASACIONAL

3.1. *Su proyección sobre el ámbito objetivo del recurso de casación*

La casación contencioso-administrativa en el sistema procesal español entronca claramente con la función que cumple el tribunal de casación en el ordenamiento jurídico. La recurribilidad general de las sentencias y autos, no susceptibles de recurso ordinario, responde a la función del Tribunal Supremo como órgano superior de la organización jurisdiccional. Que el proceso judicial pueda tener una continuación se justifica atendiendo a la relevancia de las cuestiones jurídicas que en él se suscitan. Su esclarecimiento ha de servir para legitimar la función de los tribunales de casación, cuyas decisiones no sólo permiten dotar de firmeza a las resoluciones recurridas, sino también consolidar una determinada aplicación o interpretación del Derecho.

Desde este punto de vista, la identificación de la casación contenciosa como un proceso de revisión extraordinario de resoluciones judiciales previas, y la finalidad institucional del recurso, determinan que el legislador haya venido estableciendo presupuestos específicos que condicionan su admisibilidad. La continuación de un determinado proceso en sede casacional se supedita al juicio favorable sobre la procedencia del recurso contra las resoluciones judiciales y a la verificación del cumplimiento de todos los requisitos de carácter formal que la Ley procesal anuda a su admisión. Pero el elemento central de la casación, junto con la comprobación de todo lo anterior, el elemento que permite calificar de extraordinario este recurso, es el sofisticado examen sobre el contenido de la resolución recurrida desde la óptica del interés casacional que presente el asunto para la formación de la doctrina jurisprudencial, según resulte directamente del estudio del ordenamiento jurídico a partir de las infracciones que se imputen a la resolución recurrida en la aplicación o interpretación de una norma jurídica.

Con todo, que el recurso supere el trámite de admisión no significa que acabe siendo estimado. Los autos de admisión precisarán la cuestión o cuestiones en las que se entiende que existe interés casacional objetivo, identificando en ellos la norma o normas jurídicas que «en principio serán objeto de interpretación» (artículo 90.4 de la LJCA). El recurso se estimará cuando esté fundado y concurran las infracciones que se imputan a la resolución de instancia. La fase de admisión, cuyo eje central viene determinado por ese cualificado trámite de la concurrencia de interés casacional, pretende depurar los recursos a examinar por la Sala, redirigiendo su carga de trabajo para que se centre en el enjuiciamiento de asuntos concretos que contribuyan a la unidad de doctrina en la aplicación e interpretación de la ley, excluyendo aquellos otros recursos interpuestos contra resoluciones que se ajusten a la doctrina jurisprudencial del tribunal de casación[209]. El examen preliminar del recurso es determinante de su suerte ulterior, pues un recurso que no acredite la existencia de interés casacional será inadmitido *a limine*. El escrito de preparación habrá de fundamentar «especialmente» y «con singular referencia al caso», que concurren alguno o algunos de los supuestos que permiten apreciar el interés casacional y la conveniencia de un pronunciamiento del tribunal de casación, según dispone el artículo 89.1.f), en relación con el artículo 89.4, de la LJCA.

Así pues, el interés casacional que presente el asunto constituye un elemento delimitador del objeto del recurso de casación, erigiéndose en un presupuesto cualificado de admisibilidad del mismo que lo singulariza dentro del cuadro general de los recursos jurisdiccionales.

---

[209] Como señala LÓPEZ SÁNCHEZ (2002: 141), «el interés casacional viene a restringir la posibilidad de intervención nomofiláctica del Tribunal Supremo a los supuestos por falta de uniformidad en la aplicación del Derecho o de indeterminación del sentido en que deben ser interpretadas las normas más recientes (...). Sólo deberá conocer el Tribunal Supremo de aquellos motivos respecto de los que concurra interés casacional, [que] no es *moyen de cassation* en tanto que su concurrencia no justifica la estimación del recurso, [pero] comparte con el motivo de casación su carácter de elemento delimitador del ámbito de conocimiento del Tribunal Supremo, es decir, su carácter de *ouverture à cassation*».

3.2. *La alegación del interés casacional y su relación con la fundamentación jurídica del recurso*

Que un proceso pueda tener su continuidad ante un tribunal de casación mediante la interposición de este recurso no solamente se supedita al juicio favorable sobre la procedencia del recurso contra las resoluciones judiciales y a la verificación del cumplimiento de todos los requisitos de carácter formal que la Ley procesal anuda a su admisión, como acaba de señalarse, sino que es precisa la existencia de una situación desfavorable generada por la resolución que se impugna, como presupuesto de la legitimación del actor. En lo sustancial de la reforma emprendida por la Ley Orgánica 7/2015, debe examinarse si este gravamen o perjuicio deriva de una determinada interpretación o aplicación de una norma jurídica que el recurrente considera desacertada, bien porque sea incorrecta jurídicamente o defectuosa, o bien, sencillamente, porque no se haya llevado a cabo por el órgano sentenciador. Con ello se trata de conjugar el interés individual del actor en la reparación del perjuicio causado con el interés público que subyace en la necesidad de esclarecer un problema jurídico, y que justifica la renovación del proceso[210].

He aquí el elemento central de la nueva casación: el instrumento del interés casacional para la formación de la doctrina jurisprudencial, según resulte directamente del estudio del ordenamiento jurídico a partir de las infracciones que la parte recurrente atribuya a la resolución recurrida, en la aplicación o interpretación de una norma jurídica. La fase de admisión, que gira en torno al requisito del interés casacional, pretende depurar los recursos a examinar por la Sala, no para convertirse en una nueva instancia en la que se vuelva sobre el debate intersubjetivo, sino para centrarse en asuntos escogidos, seleccionados cuidadosamente, que permitan contribuir a la unidad de doctrina en la aplicación e interpretación de la ley, excluyendo, consiguientemente, todos aquellos otros recursos en los que no esté

---

[210] *Vid. in extenso* LÓPEZ SÁNCHEZ (2002: 116-121). Efectivamente «la identificación de los límites que justificarían una "renovación" del proceso, deben trazarse en atención a la función que debe desempeñar el tribunal encumbrado en la cúspide de la organización jurisdiccional» (pág. 116).

presente ese presupuesto singular, delimitador positivo de la casación y de su función en el ordenamiento jurídico.

El recurso no se estimará necesariamente porque haya superado la fase de admisión a la vista de su interés casacional, sino porque esté debidamente fundado y concurran las infracciones que se imputan a la resolución de instancia. Y es que también es posible fijar el sentido de una norma o de un principio jurídico en una sentencia desestimatoria. El Tribunal solamente puede examinar si concurren los errores jurídicos que se imputan a la resolución recurrida cuando ha superado la fase de admisión, que opera como un presupuesto sobre el enjuiciamiento de fondo de la cuestión debatida. Es por ello que la fundamentación del recurso deviene crucial para el éxito del mismo, ya que el Tribunal solamente podrá casar la sentencia o auto si estima alguna de las infracciones denunciadas. Es decir, si concurre interés casacional y es fundada la infracción que se aduce por el recurrente, la resolución habrá de ser anulada. Si concurre el interés pero no la infracción delimitada en el recurso, el mismo será desestimado.

Por tanto, que el recurso de casación presente interés casacional no significa que sea estimado. El interés casacional constituye el presupuesto que delimita el objeto posible del recurso, sirviendo al rol institucional del tribunal de casación en el ordenamiento jurídico. Su virtualidad depende de la impugnación *ad casum* planteada por el recurrente. Tanto el interés casacional como los motivos que esgrima el recurrente permiten delimitar el ámbito objetivo de conocimiento del Tribunal, pero que el recurso de casación prospere depende de las alegaciones vertidas por la parte actora, no del interés casacional. El recurrente ha de convencer al Tribunal del interés casacional que presente el asunto, que sirve para admitir el recurso y ensanchar las posibilidades de conocimiento. La fundamentación jurídica del mismo será determinante de su estimación o desestimación. De ahí su relevancia práctica, al constituir una carga del recurrente atribuir a la resolución impugnada una o varias infracciones del ordenamiento jurídico que revistan interés casacional, que delimitarán el debate y que serán objeto de interpretación, sin perjuicio de que en la sentencia se puedan realizar otras consideraciones al interpretar las normas que resulten aplicables (artículos 90.4 y 93.1 de la LJCA).

3.3. Los supuestos específicos de interés casacional

3.3.1. Aspectos generales sobre la selección de los asuntos en el denominado sistema del *certiorari*

La cuestión central de la nueva casación se reconduce a la siguiente pregunta: ¿cuándo concurrirá «interés casacional objetivo para la formación de la jurisprudencia»? A este respecto se ha dicho con acierto que el tribunal de casación gozará de un margen de apreciación «prácticamente absoluto»[211] o «enteramente libre»[212]. La reforma de la LJCA contempla una doble relación indicativa y no agotadora de supuestos en los que el tribunal de casación «podrá apreciar la existencia de interés casacional objetivo» (artículo 88.2) y en los que «se presumirá que existe interés casacional objetivo» (artículo 88.3)[213]. Que concurra efectivamente alguno o algunos de esos supuestos no necesariamente implica que el recurso deba ser admitido a trámite, que es ya una diferencia de calado con respecto al modelo de casación de estos últimos años.

Como es lógico, cobrará una importancia decisiva que el Tribunal Supremo exponga, en el curso de estos próximos meses y años, los criterios o pautas con las que interpreta en cada caso el interés casacional mediante los autos de admisión y de inadmisión (en los supuestos en los que la inadmisión debe acordarse mediante auto)[214].

---

[211]   *Vid.* FERNÁNDEZ FARRERES (2015: 110).

[212]   *Vid.* SANTAMARÍA (2015: 23).

[213]   Entre ambos grupos o series de supuestos indicativos del interés casacional suman nada menos que catorce, lo cual revela la complejidad que alcanza la determinación de la apreciación del interés casacional en el orden contencioso-administrativo. No estará de más recordar que en la casación civil la apreciación del interés casacional fue introducida por la Ley de Enjuiciamiento Civil 1/2000, de 7 de enero, y que el artículo 477.3 tan sólo contempla dos supuestos concretos: «cuando la sentencia recurrida se oponga a doctrina jurisprudencial del Tribunal Supremo o resuelva puntos y cuestiones sobre los que exista jurisprudencia contradictoria de las Audiencias Provinciales o aplique normas que no lleven más de cinco años en vigor, siempre que, en este último caso, no existiese doctrina jurisprudencial del Tribunal Supremo relativa a normas anteriores de igual o similar contenido». Efectivamente las circunstancias que permiten el acceso a la casación contencioso-administrativa son superiores en número y también bastante precisas.

[214]   Establece el artículo 90.5 de la LJCA que contra las providencias y contra los citados autos de admisión e inadmisión no cabrá recurso alguno.

Conviene, no obstante, adelantar alguna reflexión sobre este nuevo planteamiento que inspira la casación.

La nueva casación contencioso-administrativa ya se ha destacado que recibe la influencia, en primer lugar, de la reforma del recurso de amparo basada en la especial trascendencia constitucional; recurso que ya no constituye un instrumento primariamente dirigido a garantizar los derechos fundamentales, sino que persigue el establecimiento de doctrina constitucional en torno a los preceptos que reconocen esos derechos[215]. De la misma manera, el interés casacional potencia la formación y la uniformidad de la jurisprudencia, de suerte que los derechos e intereses de las partes litigantes ocupan un plano secundario. El artículo 88.1 menciona el concepto jurídico indeterminado del interés casacional «objetivo», intensificando de esta manera la defensa del *ius constitutionis* frente a la garantía del *ius litigatoris*, es decir, la defensa del Derecho objetivo frente a los derechos e intereses legítimos de los justiciables[216]. El derecho de acceso al recurso de estos últimos, y su eventual continuación ante el tribunal de casación, no es más que una palanca que acciona el mecanismo de la construcción jurisprudencial en el esclarecimiento de las normas, según resulte de las infracciones y del debate plasmado en el litigio, pero que relega los derechos de las partes en el mismo a un segundo plano en aras de priorizar la función institucional de la casación.

Pretende la reforma dotar al ordenamiento jurídico de previsibilidad y seguridad jurídica mediante la formación de doctrina jurisprudencial. La propia Ley Orgánica 7/2015 enmarca su objetivo en términos de eficiencia y agilidad. Con el fin de que la casación «no se convierta en una tercera instancia» (si es que alguna vez lo ha sido), sino que «cumpla estrictamente su función nomofiláctica» –como declara su exposición de motivos–, introduce el mecanismo del interés casacional en la admisión de los recursos, permitiendo al tribunal de

---

[215]   Así p. ej., la STC 9/2015, de 2 de febrero, declara que «para la admisión de un recurso no es suficiente la mera lesión de un derecho fundamental o libertad pública del recurrente tutelable en amparo [arts. 53.2 y 161.b) CE y 41 LOTC], sino que además es indispensable (…) la especial trascendencia constitucional».

[216]   En efecto, como afirma BLASCO GASCÓ (2002: 36), «por interés casacional se puede entender aquel que trasciende el interés de las partes, por tanto, más allá del *ius litigatoris*».

casación llevar a cabo una selección discrecional de los supuestos en los que aprecie dicho interés. La idoneidad del asunto en cuestión para asegurar la formación de doctrina jurisprudencial mediante el estudio del interés casacional representa una reforma estructural de la casación, no simplemente de su procedimiento. Sólo se decidirán aquellos asuntos en los que se aprecie la necesidad de establecer una determinada interpretación del ordenamiento, según resulte del análisis del mismo. Los asuntos de que conozca el tribunal de casación, particularmente el Tribunal Supremo, serán los que él mismo incluya en su agenda, ya que ningún recurso accederá automáticamente y sin pasar por este crucial filtro previo.

Pues bien, ese poder de selección discrecional recibe aquí una segunda influencia de los sistemas jurídicos de la *common law*, y particularmente del denominado *writ of certiorari* del Tribunal Supremo de Estados Unidos[217], en la medida en que el trámite de admisión se convierte ahora en un primer examen encaminado a escoger aquellos asuntos que, atendiendo a las infracciones jurídicas alegadas, merezcan ser estudiados en cuanto al fondo[218].

Con todo, no cabe trasladar miméticamente y sin ningún oportuno matiz el sistema judicial norteamericano y el sistema del *certiorari*. Es evidente que Estados compuestos tan significativos como Estados Unidos de América y Alemania han promovido la unidad de acción, ideando fórmulas organizativas basadas en el equilibrio, los frenos y contrapesos, mientras que en España apenas si existen mecanismos eficientes de articulación y equilibrio entre las distintas instancias territoriales ni una articulación de conjunto que evite las duplicidades y las sinergias disfuncionales.

Es más, la introducción del *certiorari* en Estados Unidos vino precedida del establecimiento de tribunales intermedios de apelación (*circuit courts of appeals*), permitiendo así al Tribunal Supremo de

---

217   Cfr. AHUMADA RUIZ (1994: 89 y ss.); CANCIO FERNÁNDEZ, R. C.: *El nuevo recurso de casación contencioso-administrativo*, Thomson Reuters Aranzadi, Pamplona, 2015, págs. 54 y ss.; GARCÍA GÓMEZ DE MERCADO, F.; YÁÑEZ DÍAZ, C. y VIZÁN PALOMINO, M.: *El recurso de casación contencioso-administrativo*, Comares, Granada, 2016, págs. 124-125; LÓPEZ SÁNCHEZ (2002: nota 27), y MORENILLA RODRÍGUEZ (1968).

218   *Vid.* SANTAMARÍA (2015: 39).

ese país –compuesto de nueve jueces– centrarse en la interpretación del Derecho federal, como función institucional básica, y arrinconar la revisión de las resoluciones de los tribunales de instancias inferiores (*review of correctness*)[219]. En cambio, en España el control jurisdiccional se ha atomizado, siendo casi exclusivo el control del Derecho autonómico por parte de las Salas de lo Contencioso-Administrativo de los Tribunales Superiores de Justicia, erigidos *de facto* en el poder judicial propio de las Comunidades Autónomas, quedando privado el Tribunal Supremo de su función constitucional de reducir a la unidad el ejercicio de la jurisdicción por parte del conjunto orgánico constituido por los juzgados y tribunales en los que se estructura el poder judicial.

Que cada Tribunal Superior de Justicia cuente con una suerte de sucedáneo de la casación contencioso-administrativa, no facilita la uniformidad en la interpretación del ordenamiento jurídico en los distintos territorios ante disposiciones legislativas prácticamente idénticas en unas y otras Comunidades. Es notorio que la implantación del interés casacional se traducirá en la práctica en que muchos conflictos con la Administración quedarán resueltos en una sola instancia, sin posibilidad de revisión por otra de carácter superior, lo cual no se compadece con la función constitucional del orden contencioso-administrativo, que es el control del poder público y el aseguramiento de la garantía de servicio al interés general (artículos 106.1 y 103.1 de la CE), siendo perfectamente posible que resoluciones judiciales con evidentes deficiencias formales y aun de fondo, no accedan al tribunal de casación.

Aunque hay muchos asuntos sobre los que reflexionar y establecer criterio, que no han accedido durante estos años al Tribunal Supremo en razón de los rígidos límites que han venido operando por razón de la materia, de la cuantía o del procedimiento, lo cierto es que los repertorios de jurisprudencia al uso están repletos de construcciones jurisprudenciales sobre las más variadas parcelas de la actividad de la Administración, que incluso son acogidos con frecuencia por el legislador al incorporarlos a las leyes. Tan importante como fijar criterio en asuntos sensibles que requieran la atención del Tribunal habría de

---

[219]   *Vid.* AHUMADA RUIZ (1994: 94 y 97) y LOZANO CUTANDA [2015: (I)].

ser la justicia material del caso concreto, en razón de la propia estructura del sistema judicial y del régimen de los recursos, que veda ahora,
definitivamente, cualquier intento de introducir en el orden contencioso-administrativo una doble instancia ante decisiones judiciales
arbitrarias en ámbitos tan sensibles como la potestad sancionadora
o la potestad expropiatoria[220]. Ahí radica, francamente, la extrañeza
del jurista continental ante el *self-restraint* del Tribunal, más interesado en canalizar sus fuerzas en aquellos asuntos que, a su parecer, lo
merezcan, que en constituirse en jurisdicción revisora como cúspide
de un sistema judicial especializado que no admite fisuras en la interpretación de las normas y la defensa objetiva del Derecho.

El tribunal de casación decidirá lo que no va a decidir, y en esa
paradoja radica la clave del buen funcionamiento del sistema. Y dado
que se pretende relacionar la reforma de la casación con este modelo comparado estadounidense, no obstante los matices que, en rigor,
deben realizarse, parece necesario llamar la atención sobre la enorme
trascendencia que tendrán las decisiones de admisión e inadmisión
que adopte el Tribunal Supremo español, cuyo acierto dependerá, en
última instancia, no de que expurgue eficazmente los asuntos de que
conozca, sino de que el interés casacional sirva justificadamente al
propósito de dar respuesta allí donde sea preciso y de unificar la interpretación del ordenamiento jurídico con la adhesión de todos los
operadores jurídicos. De ello dependen tanto la autoridad de sus resoluciones como el prestigio del hacer jurídico contenido en las mismas.

---

[220] Como señalan GARCÍA DE ENTERRÍA y FERNÁNDEZ RODRÍGUEZ
(2015, II, 684), «es muy probable, desde luego, que el número de recursos de
casación descienda notablemente, esto es, que se preparen por los justiciables
muchos menos recursos, y es seguro que el número de los que se admitan será
extraordinariamente reducido, lo que significa que [en] la inmensa mayoría de
los asuntos más importantes, que son, obviamente, aquellos de los que conocen
en única instancia las Salas de la jurisdicción de los Tribunales Superiores de Justicia y de la Audiencia Nacional, los justiciables no contarán sino con una sola
oportunidad de que su caso sea enjuiciado por un Tribunal, lo cual no deja de
ser inquietante con carácter general e inaceptable cuando se trate de sanciones
administrativas, materia ésta en la que la doble instancia viene impuesta por los
Tratados Internacionales suscritos por nuestro país (art. 15 del Pacto Internacio-
nal de Derechos Civiles y art. 6 del Convenio Europeo de Derecho Humanos)».

Para ello, debería dar razones, aunque sea mediante una motivación sucinta en las providencias, más amplia en los autos, de la suerte que correrán los distintos recursos, a fin de justificar en cada caso el carácter discrecional del ejercicio de la jurisdicción[221]. La interdicción de la arbitrariedad en la selección discrecional de los asuntos, basada en un concepto jurídico indeterminado, parece exigir que se especifique la razón que justifica la elección o el descarte de cada uno. El carácter objetivo del interés casacional reclama un control de la decisión discrecional, por lo que es esencial que la inadmisión contenga una explicación. Solo un contadísimo número de recursos tendrá acceso a la casación, por lo que dicha decisión debe legitimarse en mayor medida por los asuntos que quedan privados de la revisión, sin perjuicio de reconocer la importancia que revestirán los autos de admisión para fijar un criterio y unas pautas orientativas a las que atenerse los operadores jurídicos.

Tal vez la deriva del sistema judicial, su contención en las distintas instancias, el rigorismo que ha prendido en ellas, hacían lógica la introducción, tarde o temprano, de una solución como la del interés casacional. Lo importante es que las decisiones que se adopten en la conformación de la doctrina jurisprudencial puedan penetrar en las distintas instancias judiciales[222], pues de nada serviría que una inter-

---

[221]   No está de más recoger las palabras del profesor de Stanford, Jeffrey Fisher, en un artículo publicado en *New York Times* de 24 de septiembre de 2015 (pág. A35) –citado por RAZQUIN (2015: nota 88)–, bajo el título «The Supreme Court's Secret Power», cuando señala lo siguiente: «From the roughly 8,000 petitions that arrive at the court each year, the justices select about 75 cases. If four or more justices vote to take a case, it is added to the docket; otherwise, review is denied. Either way, an explanation for the court's decision is almost never given, nor is it customary to indicate how the individual justices voted». También acaba llamando la atención sobre la necesidad de levantar ese secreto: «the justices should lift the veil of secrecy that shrouds this power», lo cual permite hacer una reflexión sobre los límites de la discrecionalidad desde una perspectiva amplia, límites que vinculan al juez en el ejercicio de la jurisdicción y le obligan a ofrecer las razones en las que descansan todas y cada una de sus decisiones. Como ha repetido Tomás Ramón FERNÁNDEZ RODRÍGUEZ, «el único poder que la Constitución acepta como legítimo es el que se presenta como resultado de una voluntad racional» (*vid. Del arbitrio y de la arbitrariedad judicial*, Iustel, Madrid, 2005, pág. 121).

[222]   En este sentido MESTRE DELGADO (2016: 1.031) apela al establecimiento de mecanismos procesales que permitan que los criterios jurisprudenciales con-

pretación autorizada se diluya en otros tantos procesos sin alcanzar la uniformidad que reclama. Como tampoco tendría ninguna eficacia un sistema casacional que no logre canalizar los asuntos más relevantes ante la cuasi-universalidad de las resoluciones que pueden tener acceso al mismo y los trámites eminentemente formales que el legislador ha decidido potenciar, que pueden acabar eclipsando al Tribunal, en vez de descargarle de asuntos para cumplir eficazmente la compleja tarea que tiene por delante en esta etapa.

Conviene examinar, a continuación, los distintos supuestos en los que opera el interés casacional de acuerdo con la reforma acometida, a expensas del verdadero alcance que resulte de la interpretación de los mismos en la práctica cotidiana del tribunal de casación. No en vano, el interés casacional primeramente pasa por definir este concepto jurídico indeterminado; no ya sólo con relación a los supuestos configurados positivamente por el legislador, sino por referencia a aquellas otras circunstancias reveladoras de interés casacional y que se integran en la cláusula general del artículo 88.2 (en el inciso «entre otras circunstancias»), que en el día a día aconsejen un pronunciamiento de la Sala.

3.3.2. Las circunstancias indiciarias del interés casacional (artículo 88.2 de la LJCA)

El primer grupo de supuestos que enuncia el artículo 88.2 está constituido por circunstancias indicativas o indiciarias[223] de la posibilidad de apreciar la existencia de interés casacional objetivo. El artículo 88.2 utiliza la forma verbal «podrá» para facultar al tribunal de casación para admitir el recurso cuando concurra alguna o algunas

---

tenidos en las sentencias de casación sean aceptados y aplicados por todos los órganos judiciales y también por las Administraciones Públicas.

[223] En este sentido FERNÁNDEZ FARRERES (2015: 110) considera que se trata de supuestos o «circunstancias indiciarias» y que el precepto determina un límite negativo, relativo y flexible, pero no positivo. Quiere ello decir que «alguna de las circunstancias previstas (...) sin perjuicio de otras posibles, tendrán que concurrir para la admisión del recurso. Sin embargo, lo decisivo –y lo que marca el cambio sustancial respecto del actual régimen– es que su concurrencia no significa que el TS tenga necesariamente u obligadamente que admitirlo».

de las circunstancias. El precepto no pretende expresar que la Sala puede admitir o inadmitir el recurso cuando concurra alguno de tales supuestos, sino que justamente habrá de basarse en alguno(s) de ellos como presupuesto habilitante para declarar la admisión del recurso, cumpliendo así el objetivo de ofrecer una interpretación del ordenamiento jurídico en relación con las cuestiones controvertidas en el pleito y de cuya decisión depende la resolución del asunto. A lo que debe añadirse que no se trata de un listado cerrado de supuestos, pues el citado precepto utiliza un inciso tendencialmente aperturista («entre otras circunstancias») que posibilita apreciar el interés casacional en otros supuestos diferentes a los que el precepto enuncia.

A diferencia de lo que acontece con el modelo tradicional de casación, que convivirá durante unos meses con el nuevo modelo hasta que se resuelva el último recurso que accedió con arreglo a aquél, el tribunal de casación no necesita motivar la inadmisión de los recursos cuando los mismos pretendan ampararse en alguno o algunos de los supuestos del artículo 88.2 de la LJCA. En similares términos a como sucede con la inadmisión del recurso de amparo por ausencia del requisito de la especial trascendencia constitucional (artículo 50.3 de la LOTC), la inadmisión del recurso de casación no necesitará estar motivada, sino que bastará una simple providencia para notificar la inadmisión del recurso [artículo 90.3.a) de la LJCA]. El legislador pretende que el Tribunal centre sus esfuerzos en los autos de admisión, que habrán de estar expresamente motivados. En ellos se habrán de expresar los criterios que conducen a la admisión del recurso en cada uno de los supuestos, tanto en los legalmente previstos como en aquellos otros que, en su caso, establezca el tribunal de casación. Quiere decirse con ello que la expresión de las circunstancias en las que se admite un recurso adquiere un protagonismo crucial, toda vez que los autos de admisión están destinados a conformar un cuerpo de doctrina detallado y exhaustivo que esclarezca los criterios que sigue el Tribunal para admitir los recursos en cada supuesto, así como aquellos otros que, directa o indirectamente, permitan deducir que tales criterios no concurren y que, consiguientemente, su ausencia es determinante de la inadmisión a trámite del recurso.

El artículo 88.2 de la LJCA enumera, orientativamente, distintas circunstancias de las que puede inferirse la existencia de interés casacional, y que permiten al tribunal de casación basarse en ellas para admitir o inadmitir el recurso. El Tribunal de casación podrá apreciar –libremente– que existe interés casacional objetivo, motivándolo expresamente en el auto de admisión, cuando, entre otras circunstancias, la resolución que se impugna:

a) Sea contradictoria (esto es, que establezca una doctrina que, en supuestos sustancialmente iguales, sea contradictoria con la que hubieran establecido otros órganos jurisdiccionales).

Esta primera circunstancia coincide parcialmente con la desaparecida modalidad del recurso de casación para la unificación de doctrina. La diferencia reside en que, en lugar de exigir la triple identidad (objetiva, subjetiva y de fundamento), únicamente se refiere el precepto a la identidad de cuestiones jurídicas en las que se haya alcanzado una disparidad de criterios por otros órganos jurisdiccionales[224]. El supuesto es congruente con la preeminencia del *ius constitutionis* en la nueva casación.

La contradicción lo ha de ser con la interpretación del Derecho estatal o comunitario europeo, conociendo entonces el Tribunal Supremo, puesto que si la contradicción resulta de la interpretación del Derecho autonómico será competente el Tribunal Superior de Justicia.

Como el precepto se refiere a otros órganos jurisdiccionales, las sentencias del propio tribunal de casación no serán susceptibles de revisión por esta vía. Las eventuales divergencias habrán de ser resueltas en aplicación del artículo 264.1 de la LOPJ, en virtud del cual la diversidad de criterios interpretativos de la ley en asuntos sustancialmente iguales por distintas Secciones se puede reconducir a la unidad mediante la convocatoria de un Pleno de carácter jurisdiccional que conozca de uno o varios de dichos asuntos para unificar el criterio. Tampoco tendrán acceso a la casación, como es lógico, los recursos interpuestos contra resoluciones que se ajusten a la doctrina jurisprudencial del tribunal de casación respectivo, pues el criterio determinante es la contradicción jurisprudencial.

---

[224]   Sobre esta primera circunstancia y las diferencias con el recurso para la unificación de la doctrina abunda HINOJOSA (2016: 132 y ss.).

b) Siente una doctrina que pueda ser gravemente dañosa para los intereses generales.

Esta segunda circunstancia concuerda con uno de los requisitos, junto a la extensión de efectos, para poder impugnar las sentencias de los órganos jurisdiccionales de carácter unipersonal, a las cuales ya se hizo mención. Baste reseñar que el requisito del grave daño a los intereses generales entronca con el extinto recurso de casación en interés de la ley, que operaba con carácter subsidiario respecto de las otras modalidades de casación y de una forma más restrictiva aún, tanto por la limitación normativa de los sujetos legitimados para su interposición –Administraciones territoriales y corporativas y el Ministerio Fiscal–, como por sus efectos, ya que la sentencia establecía la denominada «doctrina legal» con valor normativo vinculante, pero sin alterar la situación jurídica individual derivada de la sentencia recurrida.

Dos son las diferencias principales. La sentencia que recaiga en el nuevo recurso sí puede afectar a la situación jurídica de las partes, en virtud del artículo 93.1 de la LJCA. La sentencia no establece ahora una doctrina legal vinculante, sino que esclarece el sentido de las normas cuya interpretación se ha puesto en tela de juicio, procediendo seguidamente a resolver «las cuestiones y pretensiones deducidas en el proceso». Además, la legitimación para recurrir las sentencias de los Juzgados se reconoce ahora a quienes hayan sido parte en el proceso o debieran haberlo sido (artículo 89.1 de la LJCA), no necesariamente a los sujetos legitimados en la casación en interés de la ley.

Es posible, no obstante, que se extiendan los criterios restrictivos que la Sala Tercera del Tribunal Supremo ha mantenido respecto de la apreciación del grave daño en el marco de la casación en interés de la ley, expuestos en su momento.

c) Afecte a un gran número de situaciones, bien en sí misma o por trascender del caso objeto del proceso.

Esta circunstancia está tomada del anterior 93.2.e) de la LJCA, que permitía inadmitir el recurso de casación cuando careciera de interés casacional, bien por no afectar a un gran número de situaciones o por no poseer el suficiente contenido de generalidad.

Respecto del primer supuesto que ahora consagra el artículo 88.2.c) de la LJCA, redactado esta vez en términos positivos (concurrirá interés casacional si la resolución impugnada afecta a un gran número de situaciones), la Sala Tercera del Tribunal Supremo ha señalado reiteradamente que lo más común es que la interpretación y aplicación de una norma jurídica siempre trascienda el caso litigioso y se proyecte en otros pleitos[225], pues siguen siendo excepcionales las normas de caso único. De interpretarse en términos literales, cualquier asunto sería susceptible de revestir interés casacional. Sucede, sin embargo, que si la nueva casación pretende filtrar los asuntos que merecen ser examinados, este supuesto de interés casacional habrá de concretarse y delimitarse por el tribunal de casación, que necesitará explicar en qué circunstancias la resolución recurrida podrá trascender el caso objeto del proceso[226].

d) Se pronuncie sobre la validez constitucional de una norma con rango de ley.

En este caso el interés casacional reside en una resolución judicial que resuelva un debate a resultas del cual no se ha elevado ante el Tribunal Constitucional una cuestión de inconstitucionalidad. La decisión tomada en la instancia de no elevar la cuestión puede revestir interés casacional cuando no ha sido «suficientemente esclarecida», es decir, no cuando sea jurídicamente incorrecta, sino cuando la decisión presente dudas sobre su corrección[227].

Hay que recordar que el planteamiento de una cuestión de inconstitucionalidad es una prerrogativa exclusiva de los ór-

---

[225] Por todos pueden verse los AATS de 28/10 y 25/11 de 2010 (RRC 3287/2009 y 2785/2009), reiterados por otros muchos que han inadmitido sistemáticamente los recursos de casación en materias tales como nacionalidad, marcas o licencias de armas.

[226] Como ha manifestado FERNÁNDEZ FARRERES (2015: nota 17), «la autonomía de este supuesto es más que dudosa: más bien se trata de una circunstancia que debe estar vinculada a otras (…). Que la sentencia recurrida afecte a un gran número de situaciones o trascienda el caso objeto del recurso, no parece que pueda encerrar por sí solo "interés casacional objetivo", sino que más bien viene a cualificar a las circunstancias que sí pueden comportar ese interés casacional».

[227] *Vid.* HINOJOSA (2016: 152).

ganos judiciales, ya que el artículo 35 de la LOTC no obliga al órgano judicial a plantear la cuestión cuando lo pida una parte, sino que el planteamiento sólo ha de producirse cuando el órgano judicial considere que la norma de cuya validez depende el fallo a adoptar pueda ser contraria a la Constitución (STC 149/2004, de 20 de septiembre, y STS de 4/3/2002, RC 9170/1997). No existe, pues, un derecho de las partes a instar la inconstitucionalidad de una ley con ocasión de un proceso, ni una correlativa obligación del órgano judicial de elevar la cuestión, sino tan sólo una facultad que ahora podrá ser examinada por el tribunal de casación[228].

e) Interprete y aplique una doctrina constitucional con aparente error como fundamento de la decisión.

En este caso no se trata de demostrar que la interpretación y aplicación de la doctrina constitucional ha sido errónea, sino solamente que aparente serlo. En cualquier caso, el supuesto se define positivamente, sin referir nada acerca de la inaplicación u omisión de la doctrina constitucional, tanto más grave que la aplicación errónea, por lo que podría considerarse incluida esta posibilidad de interpretación en atención a lo dispuesto en el artículo 5.1 de la LOPJ, que dispone que los jueces y tribunales «interpretarán y aplicarán las leyes y los reglamentos según los preceptos y principios constitucionales, conforme a la interpretación de los mismos que resulte de las resoluciones dictadas por el Tribunal Constitucional en todo tipo de procesos»[229].

f) Interprete y aplique normas del ordenamiento europeo de forma aparentemente contradictoria con la jurisprudencia del Tribunal de Justicia de la Unión Europea, o en supuestos en que pueda ser exigida su intervención en virtud de una cuestión prejudicial.

---

[228] A juicio de LOZANO CUTANDA [2015: (I)], este supuesto parece dirigido a corregir esta doctrina constitucional. Por su parte, GARCÍA GÓMEZ DE MERCADO, YÁÑEZ DÍAZ y VIZÁN PALOMINO (2016: 138) advierten de que la consecuencia indeseada que puede deparar este supuesto es que «se plantee a menudo ante los tribunales de instancia la posible inconstitucionalidad de la ley aplicable con la esperanza de abrir así camino a una futura casación».

[229] Secunda esta interpretación FERNÁNDEZ FARRERES (2015: nota 19).

Parece lógico que pueda apreciarse interés casacional en este supuesto, que nuevamente ha de alcanzar a una interpretación no solamente errónea, sino a la aplicación indebida o al puro y simple desconocimiento por los órganos jurisdiccionales del Derecho de la Unión Europea[230].

El artículo 4 bis de la LOPJ obliga a los jueces y tribunales a aplicar el Derecho de la Unión Europea de conformidad con la jurisprudencia del Tribunal de Justicia de la Unión Europea. Además, como es sabido, están obligados a plantear cuestión prejudicial ante el mismo los órganos jurisdiccionales cuyas decisiones no sean susceptibles de ulterior recurso judicial de Derecho interno, siempre que se plantee una cuestión relativa al Derecho de la Unión Europea, salvo que concurra alguna de las siguientes excepciones: a) que la cuestión no sea pertinente; b) que la disposición del ordenamiento europeo ya haya sido interpretada por el Tribunal de Luxemburgo; y c) que la correcta aplicación del Derecho de la Unión se imponga con tal evidencia que no deje lugar a duda razonable alguna (doctrina del «acto claro»)[231].

Al igual que en supuesto anterior, relativo a la aplicación aparentemente errónea de doctrina constitucional, en este caso también es suficiente con que la contradicción con la doctrina jurisprudencial comunitaria sea sólo aparente. Además, esta circunstancia indiciaria del interés casacional será privativa del recurso que se promueva ante el Tribunal Supremo, no así de su modalidad autonómica, dada la naturaleza de las normas.

---

[230] *Vid.* FERNÁNDEZ FARRERES (2015: nota 20), quien recuerda en este punto la doctrina constitucional sobre la aplicación e inaplicación de la ley nacional, sin mediar el planteamiento de cuestión prejudicial, y su impacto sobre el derecho a la tutela judicial efectiva y a un proceso con todas las garantías, concluyendo que el Tribunal Supremo «puede casar aquellas sentencias que se hayan limitado a aplicar el Derecho nacional con desconocimiento del Derecho de la Unión Europea, si bien, en un caso tal, la consecuencia será la de que, si ello conlleva la inaplicación de la ley nacional, se tenga que (…) acreditar plenamente que no es preciso el planteamiento previo de la correspondiente cuestión prejudicial ante el TJUE»

[231] Entre otras muchas puede verse la sentencia de 9/9/2015 (asunto C-160-14, *Ferreira da Silva*) del Tribunal de Justicia de la Unión Europea, que condensa la doctrina del Tribunal sobre el planteamiento de la cuestión prejudicial.

g) Resuelva un proceso en el que se hubiera impugnado, directa o indirectamente, una disposición de carácter general.

Con arreglo a la anterior redacción del artículo 86.3 de la LJCA era posible la impugnación, en todo caso, de las sentencias de la Sala de lo Contencioso-Administrativo de la Audiencia Nacional o de los Tribunales Superiores de Justicia que anulasen o declarasen conforme a Derecho una disposición de carácter general. Se venía admitiendo la impugnación directa y también la impugnación indirecta de las normas reglamentarias –o asimiladas a ellas– en el caso en el que confluyese en la Audiencia Nacional o en el Tribunal Superior de Justicia la doble competencia para conocer del recurso indirecto y del recurso directo contra la disposición general cuestionada.

Pues bien, el supuesto de interés casacional que ahora recoge el artículo 88.2.g) de la LJCA habrá de apreciarlo el tribunal de casación correspondiente, de suerte que si la sentencia de instancia desestima el recurso contencioso-administrativo, confirmando la validez de la norma reglamentaria, el recurso de casación habrá de poner de manifiesto el interés del asunto para la formación de la doctrina jurisprudencial. En cambio, si la sentencia recurrida declara la nulidad del reglamento se refuerza la viabilidad de la casación porque entonces se presumirá la existencia de interés casacional conforme al artículo 88.3.c) de la LJCA, salvo que, a su vez, la sentencia que declare nulo el reglamento «con toda evidencia carezca de trascendencia suficiente».

Como todo recurso de casación ha de basarse en la infracción del ordenamiento jurídico, tanto sustantiva como procesal, conforme al artículo 88.1 de la LJCA, parece que, en este punto, la reforma de la LJCA modifica el criterio que había venido manteniendo el Tribunal Supremo. Conforme a su doctrina tradicional no es posible denunciar simples vicios formales en el procedimiento de elaboración cuando se trata de la impugnación indirecta de disposiciones generales, ya que el contenido sustantivo de las normas es el único que puede producir efectos invalidantes del acto de aplicación individual[232]. Parece

---

[232]   SSTS de 26/12/2011 (RC 2124/2008) y 9/10/2000 (RC 5878/1995).

que ahora la impugnación indirecta de los reglamentos podrá basarse en vicios sustantivos y formales.

El nuevo régimen de revisión de resoluciones judiciales contra reglamentos es, en síntesis, más extenso y complejo que en la redacción inicial de la LJCA, pero el cambio fundamental es que el recurso de casación no cabe «en todo caso», sino que se somete ahora a un juicio de valoración sobre la concurrencia de interés casacional y sobre su trascendencia, según que se haya desestimado o estimado el recurso promovido en la instancia, de forma respectiva. Lo habitual será que se recurran sentencias, como las que declaran la nulidad de un reglamento *ex* artículo 88.3.c) de la LJCA, pero también es imaginable, a diferencia de la redacción anterior, que puedan ser recurridos los autos cuando pongan fin al proceso de impugnación de un reglamento.

h) Resuelva un proceso en el que se hubiera impugnado un convenio entre Administraciones Públicas.

En relación con los convenios interadministrativos, regulados en los artículos 47 a 53 de la Ley 4/2015, de 1 de octubre, de Régimen Jurídico del Sector Público, la competencia objetiva para conocer de los mismos se atribuye a las Salas de lo Contencioso-Administrativo de los Tribunales Superiores de Justicia cuando las competencias de las Administraciones se ejerzan en el ámbito territorial autonómico [artículo 10.1.g) de la LJCA)] y, de forma residual, a la Sala de lo Contencioso-Administrativo de la Audiencia Nacional en los demás casos [artículo 11.1.c) de la LJCA]. Ambos preceptos aluden a los recursos interpuestos «en relación con» los convenios, lo que ha llevado al Tribunal Supremo a dar cabida, además de a la impugnación de los mismos, a aquellos otros recursos en los que se discute su cumplimiento[233]. Sin embargo, el artículo 88.2.h) de la LJCA, al delimitar el posible interés casacional, alude expresamente a los procesos en los que se hubiera impugnado un convenio y no simplemente discutido sobre su cumplimiento[234].

---

[233] ATS de 3/7/2014 (cuestión de competencia n° 12/2014).
[234] *Vid.* HINOJOSA (2016: 164).

En este ámbito existen figuras conexas o de difícil delimitación jurídica, más otros tantos convenios suscritos directamente con los particulares que no encajarían en este apartado (referido a los convenios interadministrativos), y que no obstante podrían revestir interés casacional si así lo decide el tribunal de casación como otra posible circunstancia libremente apreciada.

i) Se dicte en el procedimiento especial de protección de derechos fundamentales.

Este último supuesto que delimita el legislador constituye, en cierto modo, una continuación respecto de las resoluciones recurribles en casación, dictadas en el procedimiento especial de protección de los derechos fundamentales (artículos 114-121 de la LJCA), con la excepción del derecho fundamental de reunión (artículos 86.2 y 122 de la LJCA). Aquellas resoluciones eran inmunes al límite cuantitativo por razón de la cuantía, por lo que el recurso de casación tenía garantizado el acceso, con tal de que estuviera correctamente preparado y formalizado y no incurriera en la excepción relativa a la materia de personal.

La diferencia entre el anterior supuesto y el actual es idéntica a la ya expresada sobre el tratamiento de los recursos que versan sobre disposiciones reglamentarias: la necesidad de apreciar la concurrencia de interés casacional. Poco o nada añade, pues, que un supuesto como éste figure en la LJCA, más allá del reconocimiento del legislador y de la consideración que merecen los derechos fundamentales o, mejor, la elaboración de doctrina jurisprudencial sobre la intervención administrativa en los mismos.

3.3.3. Los supuestos en los que se presume la existencia del interés casacional (artículo 88.3 de la LJCA)

Junto a las anteriores circunstancias de carácter indiciario, el artículo 88.3 establece un segundo grupo de circunstancias o supuestos, de desigual alcance, en relación con los cuales se presume la existencia del interés casacional objetivo. La apreciación de este presupuesto de admisibilidad no ha de motivarse expresamente como en el caso anterior, sino que tan sólo se dictará auto motivado para acordar la inadmisión por las causas contempladas en los apartados a), d) y e) de dicho precepto, justificando que «concurren las salvedades que en aquél se establecen» [artículo 90.3.b) de la LJCA]. En estos casos el Tribunal podrá, motivadamente, inadmitir a trámite el recurso cuando «aprecie que el asunto carece manifiestamente de interés casacional objetivo para la formación de jurisprudencia». Se formula una mera presunción *iuris tantum* en relación con estos supuestos, correspondiendo al Tribunal la última palabra en el examen de los problemas de interpretación que se planteen en cada caso y, en definitiva, en el interés casacional que revista el asunto. Esta misma lógica también se extiende al apartado c) del artículo 88.3 de la LJCA, referido a que la sentencia recurrida declare nula una disposición de carácter general, toda vez que inmediatamente el apartado incorpora la salvedad de que «con toda evidencia, carezca de trascendencia suficiente», pudiendo, en consecuencia, ser inadmitido el recurso por esta razón.

Así pues, son supuestos en los que el legislador sienta una presunción favorable a la admisión del recurso que puede quedar enervada mediante auto, justificando que es manifiesta la carencia del interés casacional [apartados a), d) y e)] o que la sentencia que anula la disposición general se pronuncia sobre cuestiones menores, de escasa o nula importancia para la formación de la jurisprudencia. El único supuesto en el que el legislador sienta una presunción *iuris et de iure*, viene recogido en el apartado b) del artículo 88.3 de la LJCA, como a continuación veremos.

En relación con este segundo grupo de supuestos o circunstancias se presume la existencia de interés casacional por cuanto que la resolución impugnada:

a) Aplica normas sobre las que no exista jurisprudencia.

   En este primer supuesto el interés casacional se presume cuando la resolución impugnada haya aplicado normas, en las que se sustente la razón de decidir, sobre las que no exista doctrina jurisprudencial. Se ha señalado que esta circunstancia se inspira en el artículo 477.3 de la LEC[235], que precisamente considera que existe interés casacional cuando la sentencia recurrida

---

235 *Vid.* HINOJOSA (2016: 165) y FERNÁNDEZ FARRERES (2015: nota 24), quien considera que las normas no siempre requieren una interpretación que

«aplique normas que no lleven más de cinco años en vigor, siempre que, en este último caso, no existiese doctrina jurisprudencial del Tribunal Supremo relativa a normas anteriores de igual o similar contenido».

Ante la aprobación de una nueva norma que contenga pasajes ambiguos o de difícil discernimiento, especialmente en el ámbito de la legislación básica del Estado aplicable a las Administraciones Públicas, puede estar justificado en virtud del principio de seguridad jurídica que se establezcan criterios de interpretación unívocos que conjuren el riesgo de pronunciamientos contradictorios.

b) Se aparta deliberadamente de la jurisprudencia por considerarla errónea.

En este caso es obligada la admisión del recurso, pues como se ha dicho sienta una presunción *iuris et de iure*. El legislador se refiere a supuestos en los que el juzgado o tribunal de instancia se aparta deliberadamente de la jurisprudencia (o, mejor, de la doctrina jurisprudencial)[236] que existe sobre una determinada materia al considerarla errónea. No es que la doctrina jurisprudencial comporte una rígida vinculación al precedente, ya que los órganos jurisdiccionales pueden apartarse de la misma y el tribunal de casación habrá de reconsiderar, en su caso, la interpretación dada al ordenamiento jurídico[237].

---

aclare su sentido, por lo que no se trata de una circunstancia que esté especialmente justificada entre las que recoge el artículo 88.3 de la LJCA.

[236] Véase el apartado 2.3.5 sobre infracción de la jurisprudencia.

[237] *Vid.* BLASCO GASCÓ (2002: 121 y ss.), quien afirma que «la eficacia vinculante o persuasiva no se entiende como un vínculo indisoluble o inalterable con un precedente sino como la facultad de separarse de la doctrina jurisprudencial por razón relevante y de manera expresa y motivada». Lo que impediría la evolución jurisprudencial –añade– «sería el sometimiento absoluto y necesario al precedente del Tribunal Supremo, mientras que aquí lo que se mantiene es precisamente la facultad de separarse de tal precedente, pero de manera razonada y motivada». Desde otro punto de vista, GÓMEZ-FERRER RINCÓN (2007: 636) considera que «la concepción del interés casacional como un instrumento destinado a la consecución de una jurisprudencia uniforme supone un obstáculo a la evolución de la jurisprudencia. Y ello porque dicha evolución se hace depender esencialmente de la iniciativa de los órganos judiciales inferiores que

Nótese que el precepto no contempla aquellos supuestos en los que tal doctrina no resulta aplicable al caso controvertido, ni tampoco aquellos otros en los que sencillamente se omite la aplicación de la jurisprudencia por mero desconocimiento o descuido del juzgador. Se exige la concurrencia de un doble componente de subjetividad que ha de figurar o desprenderse de la resolución recurrida: el apartarse de la doctrina jurisprudencial de forma deliberada por considerarla errónea. Este supuesto difiere de la casación civil, donde el interés casacional se concreta en la mera oposición a la doctrina jurisprudencial del Tribunal Supremo (artículo 477.3 de la LEC).

c) Declara nula una disposición de carácter general.

A este supuesto se ha hecho referencia con ocasión del análisis del artículo 88.2.g) de la LJCA, al que se formula una remisión. La presunción contemplada en este otro artículo 88.3.c) viene referida a sentencias, no a autos, y el interés casacional decae si la disposición carece de trascendencia suficiente; concepto jurídico indeterminado que habrá de ser precisado para conocer con mayor certeza cuándo o en qué circunstancia un reglamento carece de trascendencia suficiente como para privar –normalmente a la Administración autora– de una revisión judicial.

d) Resuelve recursos contra actos o disposiciones de los organismos reguladores o de supervisión o agencias estatales cuyo enjuiciamiento corresponda a la Audiencia Nacional.

El legislador presume que existe interés casacional en razón del órgano del que procede el acto o la disposición impugnada en la instancia. Por una parte, el artículo 88.3.d) de la LJCA se está remitiendo a los organismos de resolución o supervisión cuyos actos y disposiciones sean enjuiciados por la Sala de lo Contencioso-Administrativo de la Audiencia Nacional, que en virtud de los apartados g) y h) del artículo 11.1 y de la disposición adicional cuarta de la LJCA, incluyen el Banco de España, la Comisión Nacional del Mercado de Valores y el Fondo de Reestructuración Ordenada Bancaria, así como los actos de la

consideren que la jurisprudencia del Tribunal Supremo es errónea y se aparten de ella»

Comisión Nacional de los Mercados y de la Competencia en defensa de la unidad de mercado. Todos ellos ejercen poderosas competencias que el legislador ha querido que cuenten con una nueva oportunidad de revisión por parte en este caso del Tribunal Supremo.

Llama la atención que en el segundo inciso se incluyan las agencias estatales, que han sido suprimidas por la Ley 40/2015, de 1 de octubre, de Régimen Jurídico del Sector Público, y que tienen su fecha de caducidad el 2 de octubre de 2019, una vez transcurrido el plazo de adaptación de tres años desde la entrada en vigor de dicha Ley (disposición adicional cuarta y disposición derogatoria única *in fine*).

e) Resuelve recursos contra actos o disposiciones de los Gobiernos o Consejos de Gobierno de las Comunidades Autónomas.

Este último supuesto o circunstancia también parece responder a un criterio orgánico. Partiendo de la base de que el control se extiende a los actos y disposiciones jurídicas, no así a las decisiones o actos políticos –salvando los contados casos en los que se someten a control jurisdiccional *ex* artículo 2.a) de la LJCA–, en este supuesto el legislador parece haber querido centralizar la fiscalización de las resoluciones judiciales de los distintos Tribunales Superiores de Justicia que conozcan de tales actos por infracciones de Derecho estatal o comunitario europeo. Los actos y disposiciones sujetos al Derecho autonómico podrán dar lugar al recurso de casación autonómico.

Nótese que en las disposiciones reglamentarias autonómicas se presume el interés casacional, mientras que en los reglamentos estatales únicamente se presume cuando la sentencia los declare nulos, total o parcialmente[238].

---

[238] Contradicción que pone de manifiesto FERNÁNDEZ FARRERES (2015: nota 28).

Capítulo VII
Procedimiento

1. INTRODUCCIÓN

La reforma introducida en la casación contencioso-administrativa por la Ley Orgánica 7/2015 no ha supuesto una alteración de la estructura general del procedimiento de este recurso, pero sí ha incorporado numerosas innovaciones que conviene examinar en detalle.

En síntesis, aunque la Ley no las configure como tales, se puede seguir hablando de cuatro fases o trámites en la casación contenciosa: preparación, admisión, interposición-oposición y resolución. La LJCA establece una división de tareas entre órganos jurisdiccionales, de suerte que la Sala o Juzgado de instancia realizará un primer examen sobre la concurrencia de los requisitos procesales y podrá inadmitir el recurso si los mismos no se cumplen; decisión que puede ser recurrida en queja ante el tribunal de casación (artículo 89.4 de la LJCA). Cumplidos tales requisitos, tendrá por preparado el recurso, emplazará a las partes y remitirá las actuaciones al tribunal de casación, que será competente para declarar la admisión o inadmisión a trámite del recurso y para decidir sobre el mismo (artículos 89.5, 90 y 93 de la LJCA).

2. PREPARACIÓN DEL RECURSO

2.1. Su significado y finalidad

Como la nueva casación se orienta fundamentalmente a la formación de doctrina jurisprudencial, lo lógico habría sido simplificar la tramitación del recurso para que el tribunal de casación pudiera tramitarlo por entero. No ha sido así. Desoyendo la propuesta contenida en el Informe que inspira la reforma y no pocas críticas doctrinales[239], la Ley Orgánica 7/2015 no sólo no suprime el trámite de preparación del recurso ante el órgano que dicta la resolución recurrida, sino que lo institucionaliza. Lo que antes eran requisitos formales deducidos por la propia Sala Tercera del Tribunal Supremo de la Ley jurisdiccional, ahora se legalizan con todo detalle[240], condicionando la viabilidad del recurso a su exacto cumplimiento.

---

[239] En lo que respecta al escrito de preparación, el detalle sobre la evolución de los criterios aplicados por la Sala Tercera del Tribunal Supremo, desde su doctrina más tradicional a los nuevos criterios interpretativos a partir de 2010, puede verse en MESTRE DELGADO (2016: nota 4). Se ha dicho que en la práctica se ha convertido en un «avance del de interposición» [vid. SANTAMARÍA (2015: 21)], no en un mero anuncio, que es como juega en el recurso contencioso-administrativo y lo que parecía interpretarse del contenido que la LJCA asignaba a dicho escrito: una «sucinta exposición de la concurrencia de los requisitos de forma exigidos». También se ha afirmado que el posterior escrito de interposición es una duplicación del escrito preparatorio [vid. SORIANO GARCÍA, J. E.: «¿Alguna esperanza de flexibilización en la casación?», REDA nº 113 (2002), págs. 89-92]. Por su parte, COSCULLUELA MONTANER, L. [vid. Manual de Derecho Administrativo, tomo I, Thomson-Civitas, Madrid, 26ª ed., 2015, pág. 579] considera contrario al principio antiformalista y al principio de favor acti que se justifique la inadmisión del recurso de casación sobre la base exclusivamente de lo expresado en el escrito de preparación, máxime a la vista de que cuando se inadmite el recurso por este motivo, el Tribunal Supremo ya tiene en su poder el escrito de interposición [en referencia al modelo anterior de casación, aunque el argumento es válido en el nuevo]; escrito en el que se articulan los motivos propiamente dichos del recurso y se establecen las normas que se reputan infringidas, postulando de lege ferenda la eliminación del escrito de preparación y que el recurso de casación sea interpuesto directamente ante el tribunal sentenciador. En un sentido similar, vid. SÁNCHEZ MORÓN, M.: Derecho Administrativo. Parte General, Tecnos, Madrid, 10ª ed., 2014, págs. 875-876 y 878. También se ha criticado abiertamente la «creación normativa jurisprudencial» que se deduce de la interpretación de los requisitos de acceso a los recursos, que además se ha aplicado retroactivamente en algún caso [vid. FERNÁNDEZ FARRERES (2015: nota 13)], y ALONSO FURELOS, J. M.: Juicio de relevancia y casación administrativa, Instituto Vasco de Administración Procesal, San Sebastián, 2006, pág. 37, quien propugna la desaparición del requisito del juicio de relevancia «que nada añade ni quita al escrito preparador ni afecta al ulterior de interposición y que sea el mismo de la casación de las sentencias dictadas por la Audiencia Nacional».

[240] Manifiesta RAZQUIN (2016: 155) que con ello se solventan «las críticas a la ausencia de fundamento legal de la práctica seguida por el TS». Se había venido reprochando, por todos PAREJO (2014: 959), «la independización de la interpretación judicial respecto del texto de la ley gracias al uso y abuso del margen ofrecido por los conceptos jurídicos indeterminados empleados por el legisla-

En efecto, además de la exigencia de fundamentar «con singular referencia al caso» la concurrencia de alguno o algunos de los supuestos que permiten apreciar el interés casacional, el artículo 89.2 de la LJCA positiviza varios requisitos formales que no figuraban en la anterior redacción[241], sino que derivan de la doctrina jurisprudencial consolidada de la Sala Tercera. Entre ellos, como se analizará enseguida, cumplir los requisitos reglados en orden al plazo, la legitimación y la recurribilidad de la resolución que se impugna; identificar con precisión las normas o la jurisprudencia que se consideran infringidas

---

dor», en referencia a distintos requisitos tales como la «sucinta exposición de la concurrencia» o la «justificación de que la infracción (…) ha sido relevante y determinante del fallo», lo cual debiera haber llevado, en opinión del autor, a una interpretación estricta de la ley por cuanto que «la configuración legal no libera de la interpretación del derecho configurado de la manera más favorable a la efectividad de la tutela judicial».

[241] En la anterior redacción del artículo 89.1 de la LJCA parecía que la preparación no era más que un mero trámite, despojado de la importancia práctica que en realidad ha llegado alcanzar en lo sucesivo. Dicho precepto tan sólo exigía que el escrito de preparación debía manifestar la intención de interponer el recurso «con sucinta exposición de la concurrencia de los requisitos de forma exigidos». Esta última expresión inducía a pensar que el escrito de preparación consistía en un mero anuncio del recurso revestido de unas exigencias elementales. Sin embargo, la Sala Tercera del Tribunal Supremo dedujo del citado precepto distintas formalidades que se han exigido con todo rigor. En particular, «la necesidad de hacer constar el carácter recurrible de la resolución que se intenta impugnar, la legitimación de la parte recurrente, el cumplimiento del plazo legalmente fijado para presentar el escrito de preparación y la intención de interponer el recurso de casación contra la sentencia o auto impugnados» (AATS de 11 y 18/7 de 2007, y 16/10/2008, RRCC 9741/2003, 2132/2004 y 4184/2007, entre otros muchos). Requisitos todos ellos, obvios por lo demás, que se completaron con la interpretación conjunta de los artículos 86.4 y 89.2 de la LJCA en lo atinente al «juicio de relevancia», que aludía y alude a la necesidad de justificar, en el mismo escrito de preparación del recurso, el carácter relevante y determinante de la infracción de las normas de Derecho estatal o de Derecho comunitario europeo en el fallo de la sentencia dictada por la Sala de lo Contencioso-Administrativo del correspondiente Tribunal Superior de Justicia, siempre que tales normas o jurisprudencia hubieran sido invocadas oportunamente por el recurrente en la instancia o consideradas por la Sala sentenciadora. Y, en fin, sobre esa situación vino a incidir el ATS de 10/2/2011 (RC 2927/2010), que dio una nueva vuelta de tuerca a las exigencias formales del escrito de preparación, ya que a los requisitos tradicionales, mencionados anteriormente, añadió la necesidad de anticipar en el mismo escrito de preparación los concretos motivos o cauces procesales en los se fundamentará el escrito de interposición.

y justificar que tales infracciones han sido relevantes y determinantes del fallo de la resolución que se pretende recurrir.

El denominado «escrito de preparación» del recurso de casación constituye el acto de iniciación del proceso de impugnación de la resolución judicial que se somete a casación. Cumple la misma función que el escrito de interposición en el recurso contencioso-administrativo en el proceso ordinario (artículo 45 de la LJCA), toda vez que, presentado ese escrito y admitido por el Tribunal *a quo*, la parte recurrente formaliza el recurso mediante el llamado «escrito de interposición», que se presenta ya ante el Tribunal *ad quem*, es decir, ante el tribunal de casación, ya sea el Tribunal Supremo o el Tribunal Superior de Justicia.

2.2. Contenido del escrito de preparación

El recurso de casación se inicia mediante el denominado escrito de preparación, que deberá presentarse ante el órgano jurisdiccional *a quo* (el Juzgado o la Sala que hubiere dictado la resolución recurrida), en el plazo de treinta días contados desde el siguiente al de la notificación de aquélla[242]. Dicho escrito habrá de contener una extensa serie de manifestaciones, enumeradas en el artículo 89.2 de la LJCA, indispensables para que la preparación se tenga por correctamente formulada.

Como contenido propio del escrito de preparación, el sujeto legitimado activamente[243] ha de cumplir las seis exigencias formales que, con carácter tasado, se recogen en los apartados a) a f) del referido artículo 89.2. Además, debe cumplimentar el escrito en apartados separados encabezados con epígrafes expresivos de su contenido, si-

---

[242]   En este punto, la reforma de la Ley jurisdiccional se compadece con las mayores exigencias formales que debe reunir el escrito de preparación; en especial, con la fundamentación del interés casacional. El plazo de diez días contemplado en la anterior redacción, manifiestamente exiguo a la vista de la creciente complejidad que ha alcanzado la fase de preparación, pasa ahora a treinta días. Como recuerda HINOJOSA (2016: 208), los días inhábiles vienen referidos a la localidad donde tenga su sede el órgano al que se dirige el escrito, es decir, el Juzgado o Sala sentenciadora, no a la del tribunal de casación. En este sentido, *vid.* GONZÁLEZ PÉREZ (2016: 914).

[243]   Esto es, quien haya sido parte en la instancia o debiera haberlo sido, conforme al artículo 89.1 de la LJCA. En este punto conviene formular una remisión al apartado sobre legitimación, ya expuesto anteriormente.

guiendo la extensión máxima y las condiciones extrínsecas recogidas en el anexo acompañado a este trabajo.

En detalle, las seis exigencias formales son las siguientes:

a) El cumplimiento de los requisitos formales del recurso: plazo, legitimación del recurrente y recurribilidad de la resolución que se impugna [artículo 89.2.a) de la LJCA].

Se trata de requisitos obvios que no plantean ninguna dificultad, pero que habrán de cumplimentarse so pena, como se verá seguidamente, de que el recurso se inadmita sin trámite de subsanación.

b) La identificación precisa de las normas o la jurisprudencia que se consideran infringidas, justificando que fueron alegadas en el proceso, o tomadas en consideración por la Sala de instancia, o que ésta hubiera debido observarlas aun sin ser alegadas [artículo 89.2.b) de la LJCA].

La fundamentación jurídica del recurso, como ya nos consta, debe ser muy precisa, tanto en lo que respecta a la identificación del precepto o preceptos en los que se contienen las normas supuestamente infringidas, como en lo atinente a la doctrina jurisprudencial que se pretende hacer valer. No basta con la sola referencia al texto normativo extractado ni con la sola mención del precepto discutido o del título de la disposición de que se trate. Tampoco cumple el recurrente su carga impugnatoria con la mera cita de las sentencias por su sola fecha, si al mismo tiempo no explica, siquiera sea brevemente, el supuesto de hecho que fue enjuiciado, su razón de decidir y su vinculación con el objeto del recurso que se prepara.

Este requisito pretende guardar una línea de continuidad lógica con las normas invocadas y consideradas por el Tribunal de instancia, pero en correspondencia con la finalidad esencial del recurso de casación y su contribución a la formación de la doctrina jurisprudencial, también se pueden hacer valer otras normas que debió haber observado el juzgador de instancia[244], más allá de las que fueron examinadas o consideradas por el mismo.

---

[244] SANTAMARÍA (2015: 26) alaba este artículo 89.2.b) de la LJCA porque completa lo dispuesto en el anterior artículo 86.4, en el sentido de permitir la invocación de normas o jurisprudencia no alegadas en la instancia o consideradas por

c) Cuando la infracción que se imputa lo fuera de normas o jurisprudencia relativas a los actos y garantías procesales, ha de acreditarse que se produjo indefensión como efecto de aquélla y que en la instancia se pidió la subsanación de la falta o transgresión, de existir momento procesal oportuno para ello [artículo 89.2.c) de la LJCA].

Se refiere este requisito a la infracción de las normas procesales en el desarrollo del proceso en la instancia, aunque también parece lógico entender, dado el formalismo que preside el recurso, que el recurrente deberá identificar no sólo la norma o la jurisprudencia en cuestión, sino también el acto o la garantía procesal concreta que haya causado presuntamente la irregularidad, así como en qué medida y por qué la misma ha causado indefensión.

Como se ha referido en el apartado sobre la fundamentación, la infracción se predica de las normas procesales y también de

---

la resolución recurrida. No obstante, en esa virtud también encuentra un defecto debido a la escasa utilidad del requisito, considerando que el tribunal de casación podrá pronunciarse sobre la interpretación de cualesquiera otras normas cuando así lo aconseje el desarrollo del debate (artículo 90.4 de la LJCA).

Nótese, en cualquier caso, que el anterior artículo 86.4 de la Ley jurisdiccional se refería a las sentencias de las Salas de lo Contencioso-Administrativo de los Tribunales Superiores de Justicia, mientras que el artículo 89.2.b) de la Ley jurisdiccional vigente entronca tanto con las sentencias como con los autos recurribles, no ya sólo de los Tribunales Superiores de Justicia, sino de los demás órganos jurisdiccionales de dicho orden, conforme a los artículos 86 y 87. Nuevamente la distinción entre la casación ante el Tribunal Supremo y la casación autonómica gira en torno al Derecho que se aplica, en esa artificial visión fraccionada del legislador.

Otra diferencia es que, en la anterior redacción, las normas o la jurisprudencia que se consideraban infringidas constituían el contenido propio del escrito de interposición en virtud del artículo 92.1, pero la doctrina jurisprudencial de la Sala Tercera del Tribunal Supremo acabó extendido esa exigencia al escrito de preparación –particularmente desde los AATS de 14/10/2010 (RC 951/2010) y de 10/2/2011 (RC 2927/2010)–, de forma y manera que, tempranamente en dicho escrito, han de indicarse los concretos preceptos o jurisprudencia que se reputan infringidos, o al menos referir el contenido de las infracciones normativas o jurisprudenciales que se pretendan denunciar y desarrollar en el escrito de interposición del recurso de casación. El legislador de 2015 ha consagrado así esa exigencia jurisprudencial.

la jurisprudencia recaída sobre las mismas. No ha de tratarse de una mera irregularidad no invalidante, sino de la lesión efectiva de las normas legales que rigen el proceso. Para ser tal, la contravención debe generar indefensión de carácter real o material, no meramente formal, al traducirse en una limitación del derecho de defensa. Con todo, el requisito más importante es que el recurrente haya pedido la subsanación de la falta o transgresión en la instancia, de existir momento procesal oportuno, mediante la interposición del correspondiente recurso[245].

d) La justificación del carácter relevante y determinante de las infracciones imputadas a la decisión adoptada en la resolución que se recurre [artículo 89.2.d) de la LJCA].

El incumplimiento del requisito del denominado «juicio de relevancia», derivado de los antiguos artículos 86.4 y 89.2 de la LJCA, ha comportado la inadmisión en esta fase del recurso de casación por el hecho de no haber justificado el carácter relevante y determinante de las infracciones normativas y/o jurisprudenciales que se imputan a la resolución recurrida.

Nótese que la anterior redacción de tales preceptos determinaba que solamente fuesen recurribles en casación las sentencias dictadas por los Tribunales Superiores de Justicia, con abstracción de la Administración autora de la actuación impugnada, cuando el recurso pretendiera fundarse en infracciones de normas de Derecho estatal o comunitario europeo relevantes y determinantes del fallo recurrido. En eso consistía el juicio de relevancia, en justificar que la *ratio decidendi* de la sentencia

---

[245] El precepto es casi idéntico al artículo 88.2 de la anterior redacción, con la diferencia de que se puede hacer valer la doctrina jurisprudencial que haya recaído sobre las normas procesales, de suerte que en casación puede esgrimirse no ya sólo la doctrina que interpreta el Derecho sustantivo, sino también las cuestiones de orden procesal. No está exento de dificultades este requisito, que en ocasiones puede resultar un tanto difícil, cuando no imposible. Como señala oportunamente SANTAMARÍA (2015: 27), en muchos casos no es posible apreciar si una posible irregularidad cometida por el órgano jurisdiccional *a quo* va a causar indefensión o si va a resultar irrelevante, convirtiéndose, por lo demás, en «una exigencia disfuncional, que inclina a las partes a protestar y recurrir toda decisión interlocutoria del órgano de instancia con carácter puramente preventivo, trufando el proceso de recursos e incidentes continuos y dilatando su tramitación».

sería otra distinta en caso de no haberse producido aquellas infracciones.

La nueva regulación mantiene el juicio de relevancia en relación con estas últimas sentencias en el apartado e) del artículo 89.2, que entronca con el párrafo primero del artículo 86.3. Sirve esa exigencia como norma de atribución competencial al Tribunal Supremo, ya que la infracción del Derecho autonómico sirve para fundamentar el recurso de casación autonómico ante los Tribunales Superiores de Justicia. Sin embargo, el requisito no se queda ahí, sino que se extiende de forma indiscriminada a todo tipo de resoluciones (sentencias y autos) procedentes de todos los órganos jurisdiccionales de este orden. Si este requisito venía referido exclusivamente a las sentencias de los Tribunales Superiores de Justicia en razón de las infracciones de Derecho estatal o de la Unión Europea, ahora el legislador añade una nueva exigencia o presupuesto del escrito de preparación que parece predicable, indistintamente, de cualesquiera autos y sentencias recurribles en casación, dictados por órganos unipersonales y colegiados de la jurisdicción.

Este requisito del apartado d) del artículo 89.2 de la LJCA parece referirse a las infracciones jurídicas imputadas en la instancia a la resolución judicial, es decir, a las infracciones invocadas por el recurrente o tomadas en consideración por el órgano *a quo*. Así enunciado, por referencia a normas que fueron invocadas en su día, entra en contradicción con el apartado b) del mismo precepto, que permite alegar normas distintas, cuando se justifique que debieron ser observadas en la instancia. La interpretación más razonable tal vez sea considerar que el recurso será admisible si se justifica tal extremo, aunque las normas no hayan sido alegadas o invocadas en su momento[246].

Si el elemento central del nuevo recurso es el interés casacional para la formación de la doctrina jurisprudencial, no se en-

---

[246] De esta opinión participa FERNÁNDEZ FARRERES (2015: 119), quien advierte este problema interpretativo. Ciertamente podría resultar excesivo aplicar una interpretación tan restrictiva como la inadmisión a trámite de un recurso en atención a un requisito expresado en estos términos ambiguos y contradictorios.

tendería que requisitos eminente formales, como pueden ser la expresión del juicio de relevancia o el requisito contenido en el apartado c) del mismo precepto, que no tienen incidencia alguna sobre el fondo de la cuestión debatida, puedan impedir que el Tribunal seleccione los asuntos que verdaderamente puedan contribuir a aquella finalidad característica del modelo de casación vigente[247].

Además, carece de sentido exigir esta justificación en la fase de preparación ante el órgano *a quo*; en especial cuando se trata de resoluciones que adoptan la forma de autos, que son aquellos previstos de forma tasada en el artículo 87.1 de la LJCA. El régimen de impugnación de los autos no parece que pueda deparar grandes novedades desde la perspectiva del interés casacional y de la depuración de las normas jurídicas. Si poca operatividad puede desplegar el artículo 87 de la LJCA en el nuevo modelo, ninguna trascendencia habría de tener que se justifiquen las infracciones presuntamente producidas, mayoritariamente de carácter procesal.

Bien habría hecho el legislador en prescindir de esta fase de preparación, o, cuanto menos, de suprimir este requisito inútil, no ya sólo porque carece de trascendencia alguna para sentar doctrina, sino porque no se formula en interés de ninguna de las partes. Para el recurrente es un obstáculo más que sortear, pues debe formular un escrito razonado en el que dé cuenta precisa de la incidencia de distintas normas en el fallo de la resolución recurrida, a pesar de que, en muchos casos, puede ser más que obvia la norma discutida y, en otros tantos, puede ser aventurado sostener la relevancia de unas normas u otras en el debate y en la ulterior fiscalización en sede casacional. Para el recurrido, por su parte, supone conocer por anticipado las razones en las que basa su recurso el recurrente. Le permite ganar tiempo a la hora de confeccionar su escrito de oposición, que no se producirá sino hasta un momento posterior, una vez que el recurrente haya formalizado el recurso con argumentos más pormenorizados y precisos, que no podrán apartarse, según el artículo 92.3.a) de la

---

247   *Vid.* SANTAMARÍA (2015: 27-28).

LJCA, de las normas o la jurisprudencia consideradas en la fase de preparación.

e) Si la resolución hubiera sido dictada por la Sala de un Tribunal Superior de Justicia, ha de justificarse que la norma infringida forma parte del Derecho estatal o del de la Unión Europea [artículo 89.2.e) de la LJCA].

Este requisito, como se acaba de indicar, debe interpretarse sistemáticamente con el artículo 86.3 de la LJCA, que sirve de criterio delimitador de la competencia en atención al origen estatal o autonómico de la norma. La Sala Tercera ha venido aplicando con todo rigor este requisito, previsto en los anteriores artículos 86.4 y 89.2 de la Ley jurisdiccional, a fin de atribuir al ámbito de su conocimiento objetivo la infracción de las normas de Derecho estatal o comunitario europeo. Por el contrario, los recursos basados en la infracción del Derecho autonómico se han inadmitido repetidamente por carencia manifiesta de fundamento. Aquellos otros en los que la cuestión litigiosa controvertida conducía a un juicio sobre la aplicación e interpretación de la normativa autonómica han acabado remitiéndose al conocimiento de las Salas de lo Contencioso-Administrativo de los Tribunales Superiores de Justicia. Lo insatisfactorio de esta situación radica en que la devolución de actuaciones es particularmente problemática, si no inviable, en aquellos supuestos en los que aparecen entrelazadas cuestiones y argumentos de impugnación basados en normas autonómicas y estatales[248]. En

---

[248] Ni el más sutil ejercicio de disección normativa permite en todos los casos separar lo estatal de lo autonómico ni lo básico de lo no básico. Como se ha manifestado en este trabajo, en opinión del autor el Tribunal Supremo está facultado para aplicar e interpretar el Derecho objetivo, ya sea estatal, comunitario o autonómico, en consonancia con su posición constitucional como máximo órgano jurisdiccional (artículo 123 CE) y conforme a la reserva de jurisdicción que establece en su favor el artículo 152.1 cuando se refiere a que los Tribunales Superiores de Justicia culminarán la organización judicial en el ámbito territorial autonómico con la expresa salvedad «sin perjuicio de la jurisdicción que corresponde al Tribunal Supremo». La exigencia contenida en este último precepto en el sentido de que las sucesivas instancias procesales se diluciden ante órganos jurisdiccionales situados en el ámbito territorial de la Comunidad Autónoma, se formula con independencia de que la controversia deducida en esas instancias procesales venga regida por normas estatales o autonómicas.

cualquier caso, parece evidente que este requisito obligará al tribunal de casación de que se trate a delimitar el régimen jurídico al que está sujeto el recurso.

En efecto, existen numerosas zonas fronterizas y entrecruzamientos ordinamentales entre los distintos subsistemas normativos que harán decantar la controversia desde los primeros compases de la tramitación del juicio casacional. Como los Tribunales Superiores de Justicia actúan como jueces ordinarios de la legalidad autonómica, la Ley de la jurisdicción presume que las controversias con la Administración autonómica estarán basadas en el Derecho autonómico. Sin embargo, como es sabido, existen múltiples ámbitos de actividad administrativa donde convergen distintos títulos competenciales y normas jurídicas de diversa naturaleza que obligan a discriminar si la controversia se somete a preceptos no solamente autonómicos. El artículo 86.3 de la LJCA pretende distribuir los recursos de una forma un tanto artificiosa y torpe, dejando un notable margen de interpretación jurídica al órgano sentenciador. Recuérdese en este punto el distinto régimen de las cuestiones de Derecho autonómico cuyo examen por el Tribunal Supremo está admitido y excluido, según lo expuesto más atrás.

Por la misma razón, el legislador da por hecho que las resoluciones dictadas por los Juzgados Centrales y la Audiencia Nacional se basan en Derecho estatal, por lo que no será preciso justificar el origen estatal de las normas, atendiendo a la delimitación de competencias objetivas que enmarcan los artículos 9 y 11 de la LJCA, de forma respectiva. Distinta podría ser la conclusión respecto a las sentencias distadas por los Juzgados provinciales, a las que analógicamente podría extenderse la justificación sobre la pertenencia de la norma o normas infringidas al Derecho estatal o de la Unión Europea. En la compleja amalgama de competencias comprendida en el artículo 8 de la LJCA se distinguen materias regidas por normas comprendidas en distintos ordenamientos, así que la justificación sobre el origen estatal o autonómico podría contribuir en este ámbito a consolidar la interpretación ultima de cada una de ellas por parte del Tribunal Supremo o de los Tribunales Superiores de Justicia, según el caso.

Sea como fuere, a propósito del juicio de relevancia del Derecho estatal o comunitario europeo es constante la doctrina jurisprudencial que ha venido exigiendo los siguientes requisitos[249]: a) que el recurso de casación pretenda fundarse en infracción de normas de Derecho estatal o comunitario europeo que sea relevante y determinante del fallo recurrido; b) que esas normas, que el recurrente reputa infringidas, hubieran sido invocadas oportunamente por éste o consideradas por la Sala sentenciadora; y c) que el recurrente justifique en el escrito de preparación del recurso que la infracción de las mismas ha sido relevante y determinante del fallo de la sentencia.

En la anterior regulación la carga de justificar la infracción del Derecho aplicable jugaba respecto del motivo basado en la infracción de las normas jurídicas o de la jurisprudencia, pero en el nuevo modelo, desaparecidos los motivos casacionales, el juicio de relevancia se extiende, como se ha visto, a cualesquiera resoluciones, ya sean sentencias o autos, tanto por razones de Derecho sustantivo como procesal. Pero no tiene sentido esgrimir la infracción de estos últimos, que en su inmensa mayoría, por no decir todos, llevan aparejada la infracción de la propia LJCA, que obviamente pertenece al Derecho estatal en virtud de la competencia exclusiva del Estado en materia de legislación procesal, siendo así que en este caso el juicio de relevancia se convierte en una formalidad que está sobrando porque carece de contenido material, todo lo cual proporciona un argumento más sobre la inutilidad de dicho juicio.

f) La efectiva concurrencia de algunas de las circunstancias que permiten apreciar el interés casacional y la conveniencia de un pronunciamiento por el tribunal de casación [artículo 89.2.f) de la LJCA].

De entre los distintos requisitos previstos en el artículo 89.2 de la LJCA el interés casacional del asunto es el que debe recibir una atención especial por parte del recurrente, que habrá de fundamentar la concurrencia de alguno o algunos de los su-

---

[249] Por citar las más recientes, entre otras tantas, pueden verse las SSTS de 4/5/2016 (RC 2508/2013) y 28/1/2016 (RC 3897/2014).

puestos que permiten apreciar o presumir la existencia de interés casacional (apartados 2 y 3 del artículo 88.1 de la LJCA) y, consecuentemente, la conveniencia de un pronunciamiento del tribunal de casación. El recurrente habrá de justificar de forma individualizada la concurrencia de aquellos supuestos. El precepto utiliza el adverbio «especialmente» y la locución «con singular referencia al caso» para enfatizar la trascendencia de este requisito en el marco de la controversia jurídica planteada en sede casacional. No en vano, si se tiene por preparado el recurso, y una vez remitidas las actuaciones y el expediente administrativo al tribunal *ad quem*, la admisión o inadmisión del mismo dependerán por entero de que presente interés casacional.

2.3. *La tramitación de la fase de preparación ante el órgano jurisdiccional de instancia*

El artículo 89 de la LJCA contempla hasta tres posibles escenarios en la fase de preparación:

- Que el escrito de preparación no se presente en el plazo de treinta días, en cuyo caso la sentencia o auto devendrá firme, declarándolo así el Letrado de la Administración de Justicia mediante decreto. Contra dicha decisión podrá interponerse el recurso directo de revisión regulado en el artículo 102 bis de la LJCA, según dispone su artículo 89.3.

- Si el escrito de preparación, a juicio del órgano jurisdiccional de instancia, no cumple los requisitos anteriormente expuestos, el mismo «tendrá por no preparado el recurso» (es decir, lo inadmitirá) mediante auto motivado, de forma que la resolución recurrida devendrá igualmente firme. Dicho auto podrá ser recurrido en queja ante el tribunal de casación (artículo 89.4 de la LJCA).

- Si el escrito de preparación cumple aquellos requisitos o presupuestos necesarios, el órgano jurisdiccional de instancia lo «tendrá por preparado» (lo admitirá inicialmente) mediante auto motivado, procediendo a emplazar a las partes para que comparezcan ante la Sala de lo Contencioso-Administrativo del Tribunal Supremo dentro del plazo de treinta días (artículo 89.5 LJCA), así como a remitir a ésta los autos originales y el expediente administrativo.

Así pues, en resumen, en el caso de que el escrito de preparación sea extemporáneo bastará un decreto para acordar la firmeza de la resolución recurrida. Si el escrito de preparación no cumple alguno o algunos de los requisitos se inadmitirá mediante auto motivado susceptible de recurso de queja. Y si el escrito cumple todos los requisitos se acordará la admisión del recurso, también mediante auto motivado, así como la continuación del procedimiento en sede casacional[250].

Interesa destacar que el procedimiento de decisión podrá mantener su continuidad cuando se cumplan los requisitos mencionados, y que el auto del órgano *a quo* habrá de motivar suficientemente la concurrencia de los mismos, como señala el artículo 89.5. Dicho auto, a diferencia del que deniegue la preparación, no será susceptible de recurso alguno, pero ello no impide a la(s) parte(s) recurrida(s) oponerse a su admisión manifestándolo en el acto de comparecencia ante el tribunal de casación (artículo 89.6 de la LJCA), abriendo así un incidente de oposición que podrá fundamentarse en la falta de concurrencia de alguno de los seis requisitos establecidos –incluyendo el interés casacional– o en que la resolución impugnada no es susceptible de recurso de casación.

El artículo 89.5 *in fine* de la LJCA contempla, como novedad, un mecanismo facultativo de colaboración entre los órganos *a quo* y *ad quem*. El primero podrá adjuntar al oficio de remisión de los autos originales y del expediente administrativo, «opinión sucinta y fundada sobre el interés objetivo del recurso para la formación de jurisprudencia». Caso de emitirse este informe, su consecuencia es que la inadmisión acordada por el tribunal de casación deberá adoptarse mediante auto motivado [artículo 90.3.a) *in fine* de la LJCA], no me-

---

[250] Llama la atención que los apartados 3 y 4 del artículo 89 de la LJCA se refieran a la «Sala de instancia» o a la «Sala», cuando lo cierto es que la resolución recurrida puede proceder de un Juzgado como órgano jurisdiccional *a quo*. En cualquier caso, dicho órgano (Sala o Juzgado) habrá de proceder a analizar la concurrencia de los requisitos o presupuestos que contempla el artículo 89.2, de manera que si no se justifican debidamente se podrá denegar la preparación de forma motivada.

diante una simple providencia, siempre que dicha opinión, además de fundada, sea favorable a la admisión del recurso en atención a su interés casacional. Este informe facultativo, que parece lógico que se emitirá en casos excepcionales, se formula como un parecer netamente jurídico del órgano *a quo*. Difiere este informe de la decisión sobre la concurrencia del requisito del interés casacional, que habrá de justificarse en el escrito preparatorio[251]. En el auto de admisión no podrá someterse a censura el acierto o desacierto de la fundamentación del recurrente, pero el órgano *a quo* podrá formular una opinión fundada sobre el interés casacional que presente el asunto, bien en sentido favorable sobre su efectiva concurrencia, bien en sentido contrario, justificando el «desinterés» casacional del asunto.

Finalmente, la preparación del recurso no impide la ejecución provisional de la sentencia recurrida. El órgano *a quo* también podrá proceder, a instancia de la parte favorecida, a ejecutar provisionalmente la sentencia recurrida en casación durante todo el trámite de este recurso, con sujeción a lo dispuesto en el artículo 91 de la LJCA[252].

2.4. *La personación ante el tribunal de casación*

Cuando el órgano *a quo* haya tenido por preparado el recurso concederá un plazo de treinta días para llevar a cabo la personación ante el tribunal de casación[253]. Si quien preparó el recurso ante el órgano *a quo* no se persona ante el tribunal *ad quem* se declarará desierto y se devolverán las actuaciones al órgano de procedencia en virtud del artículo 128.1 de la LJCA –relativo a la caducidad de los plazos procesales–, y de la aplicación analógica del artículo 92.2 de la misma Ley[254].

---

[251]   Como señala HINOJOSA (2016: 217-218), «aun teniendo por preparado el recurso (...) el órgano de instancia puede no apreciar la existencia de interés casacional a la hora de emitir la opinión a la que se refiere la norma».

[252]   Al respecto, *vid.* HINOJOSA (2016: 289-294).

[253]   En este caso los treinta días hábiles deben referirse a la localidad donde tiene su sede el tribunal de que se trate, es decir, la capital del Estado por encontrarse allí la sede del Tribunal Supremo, o la localidad donde tenga su sede el tribunal de casación autonómico.

[254]   *Vid.* HINOJOSA (2016: 221-222).

Se trata de un simple trámite sin contenido técnico propiamente dicho, pues las partes comparecen y manifiestan su intención de interponer el recurso de casación o de oponerse al mismo, en calidad de partes recurrentes o recurridas, respectivamente. De ahí que el plazo de treinta días pueda ser juzgado como excesivo, ya que demora la decisión definitiva acerca de la admisión del recurso y su subsiguiente interposición[255].

En ese plazo de personación podrá oponerse la parte recurrida en virtud del artículo 89.6 de la LJCA, como se ha señalado anteriormente. El escrito de oposición representa una primera oportunidad de la(s) parte(s) recurrida(s) para manifestar su disconformidad con el recurso, pero tan sólo podrán solicitar la inadmisión a trámite del mismo en esta fase procesal por la falta de concurrencia de alguno o algunos de los requisitos establecidos en el artículo 89.2 de la LJCA. Más adelante existe una segunda oportunidad de oposición, pero cualitativamente distinta. Si el recurso es admitido y el escrito de interposición cumple con todos los requerimientos legales, la parte o partes recurridas y personadas podrán volver a oponerse al recurso en el plazo común de treinta días, pero esta vez no podrán pretender la inadmisión del recurso (artículo 92.5 de la LJCA), sino su desestimación.

Conforme a la redacción anterior de la LJCA la parte recurrida solamente podía oponerse a la admisión del recurso por las causas previstas en el artículo 93.2.a), es decir, porque el escrito preparatorio del recurso fuese defectuoso al no haberse observado los requisitos exigidos al efecto o porque la resolución impugnada no fuese susceptible de recurso de casación. No se podía oponer, sin embargo, por otras causas de inadmisión que podía plantear exclusivamente la Sala de casación, tales como la carencia de fundamento del recurso, la desestimación en cuanto al fondo de recursos sustancialmente iguales o la falta de interés casacional. La oposición infructuosa de la parte recurrida ha llevado aparejada en estos años la condena en costas a la cantidad de 1.500 euros, ya que la desestimación del incidente de oposición conlleva la imposición de las costas en virtud del artículo

---

[255] *Vid.* SANTAMARÍA (2015: 29).

139.1 de la Ley Jurisdiccional, tras la reforma del mismo por Ley 37/2011, de 10 de octubre, de Medidas de Agilización Procesal[256].

Podría plantearse si estas restricciones pueden ser planteadas con arreglo a la nueva redacción, pero lo cierto es que no existe un precepto que limite las posibles causas de oposición[257]. El artículo 89.6 de la LJCA establece que la parte recurrida no podrá recurrir la decisión de tener por preparado el recurso, pero podrá oponerse a su admisión al tiempo de comparecer ante el Tribunal Supremo, si lo hiciere dentro del término del emplazamiento. No limita el precepto las posibles causas de inadmisión, por lo que puede oponerse por considerar que el escrito preparatorio no reúne los requisitos que de forma cumulativa han de concurrir *ex* artículo 89.2. En tal caso, aunque la Ley guarde silencio, parece que deberá darse audiencia al recurrente y que el tribunal de casación resolverá por auto la admisión o inadmisión del recurso, ajustándose a lo dispuesto en el artículo 90.4, que exige precisar la cuestión o cuestiones en las que se entiende que existe interés casacional e identificar la norma o normas jurídicas que en principio serán objeto de interpretación.

3. LA ADMISIÓN DEL RECURSO

3.1. *La composición del órgano de admisión*

Si se tiene por preparado el recurso fundado en la infracción de normas de Derecho estatal o de jurisprudencia, el artículo 90.1 de la LJCA establece que, recibidos los autos de instancia y el expediente administrativo en la Sala Tercera del Tribunal Supremo, la admisión o

---

[256] Así lo han declarado, entre otros muchos, los AATS de 3/12/2015 (RC 1632/2015) y 19/11/2015 (RC 505/2015), pese a que el artículo 139.1 se refiere a los incidentes que se promuevan ante el órgano jurisdiccional de primera o única instancia.

[257] Por el contrario, HINOJOSA (2016: 223) entiende que las limitaciones de la anterior regulación deben considerarse subsistentes y que la parte recurrida no podrá oponerse ni por la falta de relevancia para el fallo de las infracciones denunciadas ni por la ausencia de interés casacional; causas estas últimas que el autor considera que el Tribunal Supremo sí podrá emplear a tal fin en el ulterior trámite de admisión de acuerdo con los apartados a) y b) del artículo 90.4 de la LJCA.

inadmisión a trámite del recurso corresponderá a una Sección especial constituida en la Sala, cuya composición detalla el artículo 90.2 de la LJCA. Estará integrada por el Presidente de la Sala y por al menos un Magistrado de cada una de sus restantes Secciones.

Como se anticipó con ocasión del estudio de los presupuestos subjetivos del recurso, esa Sección está sujeta a una rotación conjunta semestral. Tal vez el legislador ha pretendido implicar a buena parte de los magistrados de la Sala en la compleja tarea de desentrañar los criterios que aplicará en lo sucesivo para apreciar el interés casacional, convirtiéndolos en copartícipes y corresponsables, por turnos, del esclarecimiento de las normas jurídicas. La Sección de admisión sólo tendrá fijeza durante el primer año, decisivo sin duda en el asentamiento de unas bases interpretativas de la exigencia del interés casacional como presupuesto de admisibilidad. A partir de entonces se irá renovando cada seis meses, al contrario de lo que ha sucedido en estos años con la Sección Primera de la Sala, integrada por su Presidente y por los Presidentes de las respectivas Secciones, que tan sólo se ha ido renovando de forma puntual, a medida que los magistrados, por jubilación, dejaban de ocupar el cargo de Presidentes de Sección y cedían su puesto al siguiente magistrado más antiguo. Desde luego esa Sección ha funcionado como un reloj en estos años, con pocas fisuras en el asentamiento de criterios de admisión y un elevado nivel de consenso. La nueva Sección de admisión tendrá ante sí un reto aún mayor, ya que no se pronunciará sobre aspectos puramente formales y de escasa complejidad, sino sobre cuestiones atinentes a la interpretación de las normas jurídicas con una vocación creadora de doctrina jurisprudencial con efectos de primera magnitud en el ordenamiento jurídico. Es por eso que la composición de esta Sala, ya que el legislador ha decidido que carezca de fijeza, habrá de seguir algún criterio objetivo que asegure el cumplimiento del magno encargo que tiene conferido ahora el Tribunal: valorar en cada caso la existencia del interés casacional.

Por otra parte, si el recurso se basa en la infracción del Derecho autonómico, el tribunal de casación competente no será ya el Tribunal Supremo, sino una Sección de la Sala de lo Contencioso-Administrativo que tenga su sede en el Tribunal Superior de Justicia compuesta por el Presidente de dicha Sala, por el Presidente o Presidentes de las demás Salas de lo Contencioso-Administrativo y, en su caso, de las

Secciones de las mismas, en número no superior a dos, y por los magistrados de la referida Sala o Salas hasta completar un total de cinco miembros. Cuando la Sala o Salas cuenten con más de una Sección, cada año judicial la Sala de Gobierno del Tribunal Superior de Justicia ha de establecer el turno con arreglo al cual los Presidentes de Sección ocuparán los puestos de la Sección encargada de la admisión, así como de los magistrados de la Sala o Salas (artículo 86.3, párrafos segundo y tercero, de la LJCA).

3.2. La tramitación de la fase de admisión ante el tribunal de casación

3.2.1. Aspectos generales

En defecto de referencias explícitas a la tramitación del recurso autonómico, nuevamente han de entenderse comunes las reglas que configura la LJCA en relación con el recurso del que conoce el Tribunal Supremo. Habrá de aludirse nuevamente, pues, al «tribunal de casación» como concepto comprensivo de las instancias casacionales con jurisdicción en todo el territorio del Estado (Tribunal Supremo) y en la Comunidad Autónoma respectiva (Tribunal Superior de Justicia).

Una vez recibidos en el Tribunal Supremo los autos originales del litigio y el expediente administrativo, la Sección especial de admisión a la que se ha hecho referencia en el apartado anterior procederá a examinar el recurso y decidir su admisión o inadmisión[258], en función del cumplimiento de todos los requisitos a los que ya se ha hecho mención y, en especial, a la apreciación de si el asunto presenta o no interés casacional objetivo.

En este punto dos son las novedades fundamentales de la nueva regulación de la casación contencioso-administrativa: la primera de ellas consiste en que la admisión se decide exclusivamente a la vista del escrito de preparación, es decir, antes de que se interponga for-

---

[258] Como observa AGÚNDEZ (1996: 120) «estamos ante un trámite procesal de la mayor trascendencia para el recurrente, porque en él se dilucida el futuro de sus pretensiones casacionales ante la posibilidad de ser rechazadas sin entrar el Tribunal al examen del contenido sustantivo y material del recurso».

malmente el recurso; la segunda es que el trámite de audiencia parece haberse convertido en una facultad exclusiva del tribunal de casación, ya que el recurso puede inadmitirse mediante una simple providencia, sin que las partes tengan derecho a formular alegaciones, al contrario de lo que prescribía la anterior regulación. En este sentido, existe un doble límite: positivo, por cuanto que debe acreditarse la existencia de interés casacional mediante la concurrencia de alguno o algunos de los supuestos indicativos que contemplan los apartados 2 y 3 del artículo 88 de la LJCA, y negativo, pues no podrá ser defectuoso o incompleto el escrito de preparación.

En lo que se refiere al trámite de audiencia, efectivamente se contempla con carácter excepcional, pues el artículo 90.1 de la LJCA prevé que la Sección encargada de la admisión podrá oír previamente a las partes personadas ante el tribunal de casación, por plazo común de treinta días, acerca de la efectiva concurrencia del interés casacional, pero esa audiencia tan sólo está contemplada «excepcionalmente y sólo si las características del asunto lo aconsejan». La regla general es que el recurso se puede inadmitir sin oír a las partes, de suerte que las mismas no tienen derecho a exigir el trámite de audiencia[259]. Será el tribunal quien decida sobre la pertinencia de someter la decisión a las partes para que completen o aclaren algún extremo del escrito de preparación, cuando las características del asunto, bien por su singularidad o por su especial complejidad, aconsejen la audiencia.

No deja de ser discutible la desaparición del trámite, tan fundamental desde la perspectiva del principio *audiatur et altera pars*. Y es que, en efecto, si ya puede ser difícil de explicar que se inadmita un recurso porque no se consideren interesantes las cuestiones que plantea, desentendiéndose por completo del *ius litigatoris*, no parece apropiado desde la perspectiva del principio de contradicción que no se permita a los justiciables tener la oportunidad de exponer sus razones, más allá de las expresadas en el escrito preparatorio. Máxime teniendo en cuenta que el mismo legislador que exige eficiencia y agilidad en la resolución de los asuntos, establece unos tiempos muertos

---

[259] A juicio de SANTAMARÍA (2015: 31), la supresión del trámite de audiencia se ha aplicado por el Tribunal Constitucional con ocasión del recurso de amparo, donde se ha querido justificar en «la posible escasa utilidad de un debate procesal sobre una cuestión estrictamente opinable y no objetivable».

excesivos que dilatan la decisión final y, por ende, la depuración del ordenamiento jurídico. Es el caso de los treinta días para personarse, que se convierten en más de cuarenta días al excluir del cómputo los sábados, domingos y días festivos. Habría sido, desde luego, más respetuoso con las garantías de los ciudadanos enriquecer la decisión de un elemental trámite de audiencia que revistiera carácter general.

En cualquier caso, el trámite a cargo de la Sección encargada de la admisión comporta distintas consecuencias según decida la admisión o la inadmisión del recurso.

3.2.2. La inadmisión del recurso

La inadmisión del recurso podrá producirse por dos circunstancias: (i) por ausencia de interés casacional (artículo 90.3 de la LJCA); y (ii) por el incumplimiento de los presupuestos o requisitos inherentes al escrito de preparación.

En cuanto a lo primero, la resolución que acuerde la inadmisión adoptará la forma de providencia cuando la apreciación de la carencia de interés casacional se refiera a alguno de los supuestos contemplados en el artículo 88.2 de la LJCA. Si se refiere en cambio a alguno de los supuestos que enumera el artículo 88.3 de la LJCA, en los que se presume la existencia de interés casacional, se dictará un auto motivado, al igual que en aquellos casos en los que el órgano *a quo* hubiera dictado una opinión fundada y favorable a la admisión del recurso.

El recurso podrá inadmitirse, en segundo lugar, también por providencia, si incumple los requisitos del escrito de preparación, ya sea porque así lo advierta el tribunal de casación o bien porque la parte recurrente plantee un incidente de oposición al tiempo de comparecer ante el tribunal de casación (artículo 89.6 de la LJCA). En este último caso parece cuestionable que se prescinda del trámite de audiencia, debiendo resolverse mediante auto motivado. Pero también constituye una decisión difícil de explicar, desde la perspectiva del principio de contradicción, que se prescinda de dicho trámite cuando se omite o se infringe alguno de los requisitos procesales, como se ha expresado anteriormente.

Sea como fuere, el artículo 90.4 de la LJCA atribuye al tribunal de casación la facultad de dictar providencia de inadmisión, no obstante haberse tenido por preparado el recurso, si apreciare en el trámite de admisión que no se han observado los requisitos reglados de plazo, legitimación o recurribilidad de la resolución impugnada; que se han incumplido las exigencias que el artículo 89.2 impone para el escrito de preparación; que no es relevante y determinante del fallo ninguna de las infracciones denunciadas[260], o que no se ha hecho mención al interés casacional en el referido escrito. Esa circunstancia parece oportuno que se haga constar en la providencia, pues debería contener esa motivación al menos, explicando, siquiera sea brevemente, que concurre alguna de esas circunstancias[261].

Con el anterior modelo venía sucediendo que las Salas de instancia no siempre –por no decir en contados casos– examinaban el cumplimiento de los requisitos formales del escrito de preparación, limitándose a elevar los autos y el expediente al Tribunal Supremo, que asumía esta labor de forma cotidiana, a pesar de que eran aquéllas las encargadas de examinar la viabilidad formal del recurso. Con el actual modelo no sería de extrañar que acabara sucediendo algo similar, a pesar de la exhaustividad y el grado de detalle con el que se contempla el trámite de preparación y el rol que se supone que han de cumplir los órganos *a quo*. Lo que no tiene sentido es que el tribunal de casación vuelva a examinar este escrito, en lugar de centrarse en calibrar la existencia de interés casacional y resolver la cuestión de fondo. Esta es una razón más para abogar por la desaparición de un trámite superfluo. La racionalización y la eficiencia en el ejercicio de la jurisdicción podrían verse comprometidas si el tribunal de casación

---

[260]   Pueden verse los estudios detallados sobre las causas de inadmisión de MONTOYA MARTÍN (1997: 182 y ss.) y MEDINA GONZÁLEZ (2009: 71 y ss.).

[261]   Trae a colación HINOJOSA (2016: 235) la doctrina del Tribunal Europeo de Derechos Humanos contenida en las sentencias de 25/10/2011 (Almenar Álvarez contra España) y de 20/1/2015 (Agustín Arribas Antón contra España), que consideran conforme al Tratado Europeo la inadmisión del recurso de amparo con la sola indicación del precepto de Derecho interno, «aunque ha impuesto la justificación en cada providencia de admisión de la causa de especial trascendencia constitucional apreciada». O también la previsión del párrafo segundo del artículo 889 de la Ley de Enjuiciamiento Criminal, introducido por el artículo único.14 de la Ley 41/2015, de 5 de octubre, que exige ahora que la inadmisión del recurso de casación penal por falta de interés casacional se acuerde «por providencia sucintamente motivada».

se entretiene de nuevo en el examen de esos aspectos[262]. Ciertamente el examen es en este caso simple y superficial y no requiere la apertura del trámite de audiencia según la Ley. Puede acordarse la inadmisión por una mera providencia que no es susceptible de recurso alguno (artículo 90.5 de la LJCA). Pero tanto si la decisión de inadmitir el recurso es adoptada por el órgano de instancia (siendo en tal caso recurrible en queja el auto ante el tribunal de casación, en virtud del artículo 89.4 de la LJCA), como si el recurso se tiene por bien preparado en la instancia, la decisión final sobre la viabilidad del recurso recae sobre el tribunal de casación, por más que la nueva configuración del mismo aconseje centrar la atención en la construcción de la doctrina jurisdiccional y no retrasar, ni menos aún obstaculizar, su pronunciamiento.

Inadmitido el recurso, el Letrado de la Administración de Justicia de Sala ha de comunicarlo inmediatamente al órgano jurisdiccional de instancia (la Sala, dice el artículo 90.6 de la LJCA) y devolverle las actuaciones procesales y el expediente administrativo. También habrá de cursar comunicación cuando se admita el recurso.

La inadmisión a trámite del recurso de casación comporta asimismo la imposición de las costas a la parte recurrente, pudiendo limitarse a una parte o hasta una cifra máxima (artículo 90.8 de la LJCA). Esa imposición puede resultar extraña si la parte recurrida no ha tenido oportunidad de formular alegaciones, como seguramente sucederá en la mayoría de los casos, al no contemplarse como obligatorio el trámite de audiencia.

3.2.3. La admisión del recurso y su publicidad

Si, por el contrario, la Sección encargada de la admisión decide admitir el recurso, dicha decisión revestirá la forma de auto y habrá de motivarse, según precisa el artículo 90.3.a) de la LJCA. En aquellos asuntos en los que se presuma la existencia de interés casacional, el ar-

---

[262] El esfuerzo de examinar los requisitos y presupuestos legales debe recaer sobre el órgano jurisdiccional *a quo*. Como señala MARTÍN VALDIVIA (2016: 1.109), «este esfuerzo exegético se incrementa ahora para los tribunales cuya resolución se recurre, que tendrán que motivar la concurrencia de los requisitos y exigencias legales para la admisión del recurso».

tículo 90.3.b) de la LJCA no establece si la admisión deberá contener-se en una providencia o en un auto. En todo caso, parece que la deci-sión de admitir el recurso debe motivarse siempre, pues dichos autos, contra los que no cabe recurso (artículo 90.5 de la LJCA), deberán precisar el alcance de la casación conforme al artículo 90.4, es decir, habrán de enumerar la cuestión o cuestiones en las que se entiende que existe interés casacional objetivo, así como identificar la norma o normas jurídicas que serán objeto de interpretación (sin perjuicio de que la sentencia haya de extenderse a otras, si así lo exigiese el debate que tenga lugar a raíz de los escritos de interposición y oposición).

Y es que revisten particular importancia las decisiones sobre la admisión que deben por ello responder a una labor minuciosa. El tribunal de casación ha de volcar con toda pertinencia en los autos que dicte los criterios que permitan conocer cómo opera el nuevo sistema y qué cuestiones son las que necesitan enjuiciamiento. Debe explicar razonadamente, de manera coherente y precisa, los criterios que definen el contenido del interés casacional, pues no de otra forma podrá lograrse la finalidad que justifica la introducción de esta técnica jurídica en el orden contencioso-administrativo. Si en el modelo de casación que conocíamos hasta ahora operaban reglas mayoritaria-mente objetivas, como la cuantía o las materias, en el actual modelo de casación hay que decidir caso por caso su admisión, valorando las cuestiones que se planteen desde la óptica del interés casacional como concepto jurídico indeterminado.

Finalmente, el artículo 90.7 de la LJCA , y con objeto de dar publi-cidad a las normas cuya interpretación habrá de efectuarse en la sen-tencia, ordena que los autos de admisión del recurso se publiquen en la página web del Tribunal Supremo; y que, con periodicidad semes-tral, se publique también, en la mencionada página web y en el Bole-tín Oficial del Estado, el listado de recursos de casación admitidos a trámite, con mención sucinta de la norma o normas que serán objeto de interpretación, así como de la programación para su resolución[263].

---

[263] Coinciden en advertir FERNÁNDEZ FARRERES (2015: 123) y SANTAMA-RÍA (2015: 32) la utilidad de esta publicación para los órganos jurisdiccionales que estén conociendo de algún asunto en el que deba aplicarse la norma que será objeto de interpretación. Parece inevitable que la pendencia de la casación surta efectos en los procesos que se estén tramitando, y que se posponga *de*

4. LA INTERPOSICIÓN DEL RECURSO

4.1. La tramitación del escrito de interposición

El artículo 92 de la LJCA regula los trámites de interposición y oposición del recurso, que se desarrollan ante el tribunal de casación, a quien corresponde su decisión. La ordenación del debate mediante la presentación sucesiva de dichos escritos se regula en términos sustancialmente idénticos a la regulación anterior. La nota distintiva, ya señalada, es que la decisión de admitir el recurso se ha producido a estas alturas del proceso a la vista del escrito preparatorio. La admisión no se produce, como antes, una vez presentado el escrito de interposición y de las alegaciones que pudieran evacuar las partes en el caso de que la Sala advirtiera alguna causa de inadmisión o de que la parte recurrida se opusiera a la admisión, sino que se anticipa a la interposición[264].

Así pues, admitido el recurso, la Sección de admisión habrá de remitir las actuaciones a la Sección competente para su tramitación y ulterior resolución. En la misma diligencia de ordenación en la que

---

facto la resolución de los asuntos en los que se pueda ver comprometida la interpretación jurídica de una norma [*vid.* HINOJOSA (2016: 243)]. Por otra parte, habría sido lógico proceder a la publicación de los autos de inadmisión –y aun de las providencias–, con finalidad exclusivamente informativa, así como de las sentencias que finalmente recaigan. También se pronuncia en similar sentido MARTÍN VALDIVIA (2016: 1.124), quien aboga por publicitar los criterios interpretativos de Derecho estatal o comunitario del Tribunal Supremo. De todas formas, aunque la LJCA no exija su publicación, nada impide que en la web institucional del tribunal de casación –en este caso la LJCA menciona el Tribunal Supremo, con olvido o marginación deliberada de los Tribunales Superiores de Justicia–, proceda a publicar los pronunciamientos que juzgue de interés general de los operadores jurídicos.

En cualquier caso, por referencia al criterio de la especial trascendencia constitucional, que emparenta con el interés casacional por afinidad, la referida sentencia de 20/1/2015 (Agustín Arribas Antón contra España) del Tribunal Europeo de Derechos Humanos se refiere a la necesidad de explicitar el contenido y alcance de dicho criterio y «su aplicación a los casos declarados admisibles con el fin de asegurar una buena administración de justicia»

264   Ha advertido RAZQUIN (2016: 170) de las consecuencias desde el punto de vista de los costes económicos (en términos de tasa judicial y de honorarios), pues obviamente un recurso inadmitido no seguirá ya de la del escrito de interposición, con la consiguiente reducción de costes en lo económico.

se disponga la remisión de actuaciones se concederá al recurrente un plazo de treinta días para presentar en la Secretaría de esa Sección competente el escrito de interposición del recurso de casación. Durante este plazo, las actuaciones procesales y el expediente administrativo estarán de manifiesto en la Oficina Judicial[265]. Al escrito de interposición habrá de acompañarse el justificante de pago de la tasa judicial[266], conforme a los artículos 2.e) y 5.1.h) de la Ley 10/2012, de 20 de noviembre, así como el depósito para recurrir, acompañando un justificante[267].

Transcurrido ese plazo sin que se haya interpuesto el recurso, será declarado desierto mediante decreto recurrible y se devolverán las actuaciones al órgano de procedencia en virtud de los artículos 92.2 y 128.1 de la LJCA. No se prevé la imposición de costas cuando se declara desierto el recurso, pero sí podrán ser impuestas contra la desestimación del recurso que se interponga, que en este caso será el recurso directo de revisión regulado en el artículo 102 bis de la LJCA, al igual que sucede cuando deviene firme la resolución impugnada por el hecho de no haberse presentado el escrito de preparación *ex* artículo 89.3 de la LJCA.

---

[265]   Apunta SANTAMARÍA (2015: 33-34) que los letrados no podrán pedir la entrega de los autos y del expediente para formalizar sus escritos, sino que habrán de desplazarse a la oficina judicial del Tribunal Supremo, con la consiguiente repercusión en el derecho de defensa. Una objeción que podría neutralizarse si todos los documentos incorporados a las actuaciones y al expediente estuvieran en formato electrónico, lo cual dista aún de ser una realidad en la Administración de Justicia española, por más que se hayan hecho algunos avances y esté en marcha la Ley 42/2015, de 5 de octubre, que generaliza la presentación de escritos por medios telemáticos. Sigue siendo más común de lo que parece, por poner un ejemplo, que algunas resoluciones judiciales no figuren en las bases de datos oficiales del Centro de Documentación Judicial.

[266]   Debe recordarse que están exentas de esta tasa las personas físicas, además de las personas jurídicas a las que se les haya reconocido el derecho a la asistencia jurídica gratuita; el Ministerio Fiscal; la Administración General del Estado, las de las Comunidades Autónomas, las Entidades locales y los organismos públicos dependientes de todas ellas, y las Cortes Generales y las Asambleas Legislativas de las Comunidades Autónomas.

[267]   La disposición adicional 15ª.3.d) de la LOPJ exige la constitución de un depósito de 50 euros. Están exentos el Ministerio Fiscal, el Estado, las Comunidades Autónomas, las entidades locales y los organismos públicos dependientes (apartado 5 de la misma disposición adicional).

4.2. El contenido del escrito de interposición

Conforme al artículo 92.3 de la LJCA, el escrito de interposición ha de reunir determinadas formalidades de las que se ha dado cuenta en el apartado relativo a la fundamentación jurídica del recurso. Baste ahora con sintetizarlas.

- El escrito de interposición debe estructurarse en apartados separados que se encabezarán con un epígrafe expresivo de aquello de lo que tratan.

- Se ha de exponer razonadamente por qué se han infringido las normas o la doctrina jurisprudencial que se identificaron en el escrito preparatorio.

- Así pues, ha de mantenerse una perfecta concordancia entre el escrito de interposición y el escrito de preparación, en el sentido de que las normas o jurisprudencia que entonces quedaron identificadas no pueden extenderse –con ocasión de la interposición– a otra u otras no consideradas entonces. Ello no obstante, el artículo 90.4 de la LJCA hace posible que el debate se extienda a otras normas no anunciadas, por lo que esa correlación es, cuanto menos, relativa.

- En el caso de las sentencias, «es preciso analizar, y no sólo citar, las sentencias del Tribunal Supremo que a juicio de la parte son expresivas de aquella jurisprudencia, para justificar su aplicabilidad al caso».

- Como ya nos consta y puede comprobarse en el anexo sobre las normas de estilo que se acompaña a este trabajo, la Sala de Gobierno del Tribunal Supremo ha establecido la «extensión máxima y otras condiciones extrínsecas» del escrito de interposición en virtud del artículo 87 bis.3 de la LJCA; normas de estilo que han de acompasarse a la generalización progresiva de la utilización de medios telemáticos.

- Ha de precisarse el sentido de las pretensiones que se deducen y de los pronunciamientos que solicita el recurrente. Tales pretensiones deben tener por objeto, necesariamente, «la anulación, total o parcial, de la sentencia o auto impugnado y, en su caso, la devolución de los autos al tribunal de instancia o la resolución del litigio por la Sala de lo Contencioso-Administrativo del Tribunal Supremo dentro de los términos en que apareciese planteado el debate» (artículo 87 bis.2 de la LJCA).

En este caso, el incumplimiento de alguno de estos requisitos no parece susceptible de subsanación, sino que conduce, sin más trámite que la audiencia a la parte recurrente, a la inadmisión del recurso por sentencia (artículo 92.4 de la LJCA)[268]. En dicha sentencia se impondrán las costas causadas, pudiendo tal imposición ser limitada a una parte de ellas o hasta una cifra máxima. Esta previsión carece nuevamente de todo sentido, a no ser que se permita a la parte recurrida formular alegaciones en el trámite de audiencia conferido al efecto; trámite para el que, por otra parte, la Ley no fija ningún plazo[269], pero que subsidiariamente podría entenderse que es de diez días en virtud del artículo 138.1 de la LJCA. La inadmisión del recurso comportará la pérdida del depósito constituido (disposición adicional 15ª.9 de la LOPJ).

4.3. El escrito de oposición

Si el escrito de interposición fuese presentado en plazo y reuniese los requisitos que se acaban de señalar, se dará traslado del mismo a la parte o partes recurridas y personadas para que puedan presentar el escrito de oposición al recurso; lo que habrá de hacerse, igualmente, en el plazo común de treinta días. En dicho escrito, la parte o parte recurridas no podrán pretender la inadmisión del recurso, sino la des-

---

[268]   El precepto parece convertir la audiencia en un trámite inútil, ya que si se confirma el incumplimiento detectado («si entendiera tras la audiencia que el incumplimiento fue cierto», dice el precepto) se dictará sentencia de inadmisión sin más trámites. Lo lógico sería que se permitiera la subsanación, pero el tenor literal del precepto y el carácter formalista del recurso de casación parece que lo impiden. Confirma esta consecuencia el carácter no subsanable con el que se ha abordado la inadmisión del recurso por las deficiencias observadas en los escritos de preparación y de interposición (por todos, AATS de 21/4/2016, RRCC 3448/2015 y 2698/2015). Partidario de la subsanación con ocasión de este trámite se muestra MARTÍN VALDIVIA en una interpretación *pro actione* (2016: 1.127-1.128).

[269]   Llama la atención SANTAMARÍA (2015: 36) sobre ambas cuestiones. También sobre la obligación de oír a la parte recurrente en este trámite y no así cuando se inadmite el recurso por el incumplimiento de los requisitos formales del escrito de preparación a que ya se ha hecho referencia.

estimación del mismo (artículo 92.5 de la LJCA). No podrán adherirse tampoco al recurso, dada la naturaleza extraordinaria del mismo.

Si dentro del plazo conferido no se presentara este escrito, o incluso si fuese tardía su presentación, ninguna repercusión tendrá esa circunstancia sobre el recurso de casación, que continuará su curso hasta sentencia, ya que no se trata de un plazo de caducidad, sino que tiene naturaleza preclusiva. Que no se presente el escrito no implica que el recurrido asuma las razones esgrimidas por el recurrente o que se allane en relación con las suyas propias. El tribunal de casación habrá de fallar el recurso en la forma que considere más ajustada a Derecho.

4.4. Celebración de vista, votación y fallo

Transcurrido el plazo para presentar el escrito de oposición, el artículo 92.6 de la LJCA prevé la posibilidad de que el tribunal de casación acuerde la celebración de vista, bien de oficio o a instancia de cualquiera de las partes, mediante petición formulada por otrosí en los escritos de interposición y oposición. También podrá acordar la no celebración de este trámite si entendiera que la índole del asunto lo hace innecesario.

Por los términos en los que se expresa el artículo 92.6 de la LJCA («acordará la celebración de vista pública salvo que entendiera que la índole del asunto la hace innecesaria»), parece que la celebración de vista será la regla, a diferencia del carácter ornamental que ha revestido a lo largo de estos años. Podría entenderse que el legislador generaliza esa vista[270], salvo que no se considere necesaria o que las partes no realicen petición al respecto. En cualquier caso, tanto si se celebra la vista como si se fija un día para la votación y fallo, habrá de respetarse la programación que, atendiendo prioritariamente al criterio de mayor antigüedad del recurso, se haya podido establecer. No parece que deba descartarse que se adelante la fecha cuando esté jus-

---

[270]   También lo ha entendido así MARTÍN VALDIVIA (2016: 1.125 y 1.128). Por el contrario, RAZQUIN (2016: 173) entiende que la celebración de vista seguirá siendo excepcional. Ciertamente puede suceder que la «índole del asunto» se interprete en términos restrictivos, de suerte que se haga innecesaria, las más de las veces, la celebración de vista, poco común en procesos predominantemente escritos como los contenciosos.

tificado en atención a la relevancia del asunto para la conformación de un criterio.

El artículo 92.7 de la LJCA establece que cuando la índole del asunto lo aconseje el Presidente de la Sala de lo Contencioso-Administrativo del Tribunal Supremo, de oficio o a petición de la mayoría de los magistrados de la Sección encargada del conocimiento del recurso, podrá acordar que los actos de vista pública o de votación y fallo tengan lugar ante el Pleno de la Sala. En relación con el recurso de casación autonómico, como se adelantó en su momento, si las resoluciones son dictadas en única instancia o en apelación por la Sala o Salas de lo Contencioso-Administrativo, el recurso no será entonces devolutivo, sino que ese mismo órgano jurisdiccional habrá de ocuparse de todas las fases del recurso, salvo que se acuerde la avocación por el Pleno de la votación y fallo (artículo 92.7 de la LJCA).

Aunque puede interpretarse lo contrario, cabe llamar la atención de que no se trata de una facultad del Presidente, pues no parece que pueda dejar de atender la petición mayoritaria que cursen los magistrados de la Sección encargada del conocimiento del recurso. Es crucial mantener una homogeneidad básica en los criterios de interpretación que fijen las distintas Secciones para la buena marcha y la credibilidad de la propia casación contencioso-administrativa.

5. LA RESOLUCIÓN DEL RECURSO

5.1. La sentencia y el plazo para dictarla

La sentencia de la Sección competente o del Pleno habrá de dictarse en el plazo de diez días desde que termine la deliberación para votación y fallo (artículo 92.8 de la LJCA). En puridad, el plazo de diez días es el que tiene el ponente para redactar la sentencia, firmarla con el resto de componentes de la Sección y notificarla a las partes.

5.2. Contenidos de la sentencia

Dado que la finalidad de la nueva casación contencioso-administrativa es la depuración del ordenamiento jurídico, el contenido principal de la sentencia es, conforme al artículo 93.1 de la LJCA, precisar la interpretación que se considere correcta de las normas correspondientes (esto es, del Derecho de la Unión Europea y del Derecho estatal en la casación ante el Tribunal Supremo, y de Derecho autonómico en la casación ante los Tribunales Superiores de Justicia). Ese pronunciamiento interpretativo figurará previamente definido en el auto de admisión dictado por la Sección de admisiones, pues conforme al artículo 90.4 de la LJCA tales autos precisarán la cuestión o cuestiones en las que se entiende que existe interés casacional objetivo e identificarán la norma o normas jurídicas que en principio serán objeto de interpretación. No obstante, aun cuando el ámbito de conocimiento del recurso viene delimitado por la conexión entre las cuestiones y las normas precisadas en el auto de admisión, la sentencia puede ampliar dicho ámbito y enjuiciar otras cuestiones cuando así lo considere oportuno en la labor de interpretación de las normas.

Así pues, el primer contenido de la sentencia es establecer la interpretación de las normas correspondientes[271]. Tratándose de normas de Derecho de la Unión Europea concretará la interpretación «que tenga por establecida o clara», de suerte que en otro caso parece que habrá de plantear cuestión prejudicial ante el Tribunal de Justicia de la Unión Europea.

En segundo lugar, la sentencia, aplicando la interpretación que haya establecido, resolverá las cuestiones y pretensiones deducidas en el proceso, bien anulando la sentencia o auto recurrido, en todo o en parte, bien confirmándolos. Lo que no podrá hacer, en principio, la sentencia es inadmitir el recurso en esta fase decisoria[272]. La inad-

---

[271]   El artículo 93.1 de la LJCA utiliza el verbo «fijar» («fijará la interpretación», dice literalmente el precepto), lo que lleva a HINOJOSA (2016: 262-263) a considerarlo desacertado, toda vez que, a diferencia del recurso de casación en interés de la ley, la actual casación no pretende fijar la doctrina legal, siendo necesario que las declaraciones contenidas en la sentencia sean reiteradas en al menos otro pronunciamiento para que constituyan doctrina jurisprudencial, en el sentido expresado en el artículo 1.6 del Código Civil. Es por ello que propone la utilización de otros verbos como concretar, precisar o establecer, que no comprometan en definitiva la interpretación de los órganos jurisdiccionales inferiores; en particular, en lo referido a la interpretación de normas europeas (pág. 265).

[272]   Así lo interpreta también FERNÁNDEZ FARRERES (2015: 126), cuando señala que una vez admitido el recurso la sentencia de la Sección o del Pleno deberá entrar a conocer del fondo del asunto. Como apunta SANTAMARÍA (2015:

misión se prevé en un momento anterior, esto es, en el supuesto que contempla el artículo 92.3 de la LJCA, ya examinado. Una vez que ha concluido la tramitación del recurso y sólo resta dictar sentencia, la misma habrá de establecer la interpretación de las normas correspondientes y pronunciarse en un sentido estimatorio o desestimatorio.

Si la sentencia considera que la resolución recurrida se ajusta a la interpretación de la norma cuestionada, desestimará el recurso sin realizar ninguna otra consideración, lo que conllevará la firmeza de aquélla. En caso contrario, si la resolución impugnada no se ajusta a la interpretación establecida, anulará la sentencia o el auto impugnado, total o parcialmente, y entrará a examinar las cuestiones precisadas en el auto de admisión, así como las pretensiones deducidas por las partes. En tal caso el tribunal de casación actuará como órgano de instancia con competencia funcional, toda vez que habrá de dar satisfacción, en su caso, a los derechos e intereses que se plantearon en su día. Por otra parte, aunque la Ley guarde silencio en este punto, no parece que exista inconveniente en que la sentencia estimatoria pueda reconocer situaciones jurídicas individualizadas, en congruencia con el objeto del proceso contencioso-administrativo y las pretensiones de anulación y de plena jurisdicción que pueden deducir los recurrentes en el seno del mismo.

En caso de considerarse que deben aplicarse normas autonómicas, una vez examinada la cuestión atinente al Derecho estatal o comunitario europeo, habrá de remitirse el proceso al órgano jurisdiccional correspondiente para que dicte nueva sentencia, en aplicación de la doctrina jurisprudencial consolidada del Tribunal Supremo, referida

---

36-37), el legislador parece haber excluido la facultad de la Sección competente para resolver el recurso de contradecir el criterio de la Sección de admisiones. «Esta conclusión –añade– parece lógica y defendible en lo que se refiere a la apreciación del interés casacional, pero no lo es tanto en lo que se refiere a la estimación de defectos formales (recurribilidad de la sentencia o auto, plazo de preparación y/o de interposición, etc.)». En opinión de GONZÁLEZ PÉREZ (2016: 935), la sentencia puede declarar la inadmisibilidad en lo relativo a la falta de jurisdicción o de competencia. Por su parte, HINOJOSA (2016: 261) estima que la sentencia puede inadmitir el recurso «por la concurrencia de causas que pudieron ser apreciadas con anterioridad, salvo en lo que respecta a las relacionadas con el grave daño a los intereses generales y con el interés casacional, cuya apreciación inicial no podrá ser descartada posteriormente».

más atrás, salvo que concurra la misma competencia en el Tribunal Superior de Justicia.

Además del conocimiento sobre el fondo del asunto, el artículo 93.1 de la LJCA autoriza al tribunal de casación a retrotraer las actuaciones a un determinado momento del proceso seguido en la instancia, una vez anulada la resolución recurrida. La concurrencia de vicios procesales en el desarrollo del proceso de instancia, ya examinados en otro lugar, desencadena que se devuelvan las actuaciones al órgano jurisdiccional *a quo* para que, una vez subsanado el vicio cometido, siga el curso ordenado por la ley hasta su culminación[273]. Con todo, esa retroacción se contempla en términos bastante imprecisos. No es preceptiva, sino que está prevista «cuando justifique su necesidad», lo cual permite al propio tribunal de casación, en aras del principio de economía procesal, resolver por sí mismo los vicios procesales y fallar sobre el fondo del asunto, si tales vicios no lo impiden.

En virtud del artículo 93.2 de la LJCA, caso de considerarse que el orden jurisdiccional contencioso-administrativo carece de competencia para conocer de las pretensiones ejercitadas en el proceso de instancia, o que no es competente el órgano jurisdiccional que intervino en la instancia, la sentencia de casación deberá anular la resolución recurrida, indicando, en el primer caso, el concreto orden jurisdiccional que se estima competente (a los efectos de que las partes puedan comparecer ante él, en la forma y con los efectos que prevé el artículo 5.3 de la LJCA); y, en el segundo, remitiendo las actuaciones al órgano judicial que hubiera debido conocer de ellas para seguir el curso del proceso, como prevé el artículo 7.3 de la LJCA. En ambos casos no procede dictar sentencia de inadmisión, sino actuar en la forma referida debido a la concurrencia de un vicio de falta de jurisdicción o de competencia, determinante de la nulidad radical de la resolución recurrida.

Como se ha referido con anterioridad, el tribunal de casación debe limitarse a las cuestiones de Derecho, con exclusión de las cuestio-

---

[273] Es oportuna la cita del trabajo de BAÑO LEÓN, J. Mª: «La retroacción de actuaciones: ¿denegación de justicia o garantía del justiciable?», en E. García de Enterría y R. Alonso García (coord.): *Administración y justicia: un análisis jurisprudencial: liber amicorum Tomás-Ramón Fernández*, vol. I, cit., págs. 579 y ss.

nes de hecho. Por tanto, no es posible revisar los hechos declarados probados en el proceso de instancia. No obstante, al igual que en la anterior redacción, el artículo 93.3 de la LJCA admite que la sentencia que resuelva el recurso integre los hechos –los tome en consideración– cuando los mismos hubiesen sido omitidos por la resolución recurrida[274], siempre que tales hechos se encuentren suficientemente justificados en las actuaciones y que su toma en consideración resulte necesaria para apreciar la infracción alegada de las normas del ordenamiento jurídico o de la jurisprudencia, incluso la desviación de poder.

Por último, en cuanto a las costas de instancia hay que estar a lo dispuesto en el artículo 139 de la LJCA, mientras que en las costas del recurso de casación cada parte habrá de abonar las causadas a su instancia y las comunes por mitad, sin perjuicio de que puedan imponerse a una sola de ellas «cuando la sentencia aprecie, y así lo motive, que ha actuado con mala fe o temeridad» (artículo 93.4 de la LJCA), pudiendo a su vez limitarse en su cuantía. Difícil será, no obstante, que pueda apreciarse mala fe o temeridad una vez que se haya admitido el recurso de casación y que, consiguientemente, se haya declarado la concurrencia de interés casacional.

---

[274]   A la facultad de integración de hechos probados y su interpretación jurisprudencial se refiere BETANCOR (2012: 129-146), concluyendo que es una facultad vinculada o accesoria con respecto a la resolución del recurso y, en segundo lugar, que solamente se pueden integrar los hechos nuevos que «1) han sido omitidos por la sentencia de instancia; 2) no obstante estar suficientemente justificados según las actuaciones y 3) cuya toma en consideración resulta necesaria para apreciar la infracción alegada de las normas del ordenamiento jurídico o de la jurisprudencia, incluida la desviación de poder» (pág. 130).

Apéndice legislativo

LEY 29/1998, DE 13 DE JULIO, REGULADORA
DE LA JURISDICCIÓN CONTENCIOSO-ADMINISTRATIVA
(artículos 86 a 93)

Sección 3.ª Recurso de casación

Artículo 86.

1. Las sentencias dictadas en única instancia por los Juzgados de lo Contencioso-administrativo y las dictadas en única instancia o en apelación por la Sala de lo Contencioso-administrativo de la Audiencia Nacional y por las Salas de lo Contencioso-administrativo de los Tribunales Superiores de Justicia serán susceptibles de recurso de casación ante la Sala de lo Contencioso-administrativo del Tribunal Supremo.

En el caso de las sentencias dictadas en única instancia por los Juzgados de lo Contencioso-administrativo, únicamente serán susceptibles de recurso las sentencias que contengan doctrina que se reputa gravemente dañosa para los intereses generales y sean susceptibles de extensión de efectos.

2. Se exceptúan de lo establecido en el apartado anterior las sentencias dictadas en el procedimiento para la protección del derecho fundamental de reunión y en los procesos contencioso-electorales.

3. Las sentencias que, siendo susceptibles de casación, hayan sido dictadas por las Salas de lo Contencioso-administrativo de los Tribunales Superiores de Justicia sólo serán recurribles ante la Sala de lo Contencioso-administrativo del Tribunal Supremo si el recurso pretende fundarse en infracción de normas de Derecho estatal o de la Unión Europea que sea relevante y determinante del fallo impugnado, siempre que hubieran sido invocadas oportunamente en el proceso o consideradas por la Sala sentenciadora.

Cuando el recurso se fundare en infracción de normas emanadas de la Comunidad Autónoma será competente una Sección de la Sala de lo Contencioso-administrativo que tenga su sede en el Tribunal Superior de Justicia compuesta por el Presidente de dicha Sala, que la presidirá, por el Presidente o Presidentes de las demás Salas de lo Contencioso-administrativo y, en su caso, de las Secciones de las mismas, en número no superior a dos, y por los Magistrados de la referida Sala o Salas que fueran necesarios para completar un total de cinco miembros.

Si la Sala o Salas de lo Contencioso-administrativo tuviesen más de una Sección, la Sala de Gobierno del Tribunal Superior de Justicia establecerá para cada año judicial el turno con arreglo al cual los Presidentes de Sección ocuparán los puestos de la regulada en este apartado. También lo establecerá entre todos los Magistrados que presten servicio en la Sala o Salas.

4. Las resoluciones del Tribunal de Cuentas en materia de responsabilidad contable serán susceptibles de recurso de casación en los casos establecidos en su Ley de Funcionamiento.

Artículo 87.

1. También son susceptibles de recurso de casación los siguientes autos dictados por la Sala de lo Contencioso-administrativo de la Audiencia Nacional y por las Salas de lo Contencioso-administrativo de los Tribunales Superiores de Justicia, con la misma excepción e igual límite dispuestos en los apartados 2 y 3 del artículo anterior:

a) Los que declaren la inadmisión del recurso contencioso-administrativo o hagan imposible su continuación.

b) Los que pongan término a la pieza separada de suspensión o de otras medidas cautelares.

c) Los recaídos en ejecución de sentencia, siempre que resuelvan cuestiones no decididas, directa o indirectamente, en aquélla o que contradigan los términos del fallo que se ejecuta.

d) Los dictados en el caso previsto en el artículo 91.

e) Los dictados en aplicación de los artículos 110 y 111.

2. Para que pueda prepararse el recurso de casación en los casos previstos en el apartado anterior, es requisito necesario interponer previamente el recurso de súplica*.

---

* La referencia al «recurso de súplica» se entiende hecha al «recurso de reposición», según establece la disposición adicional 8 de la LJCA, añadida por el artículo 14.67 de la Ley 13/2009, de 3 de noviembre.

Artículo 87 bis.

1. Sin perjuicio de lo dispuesto en el artículo 93.3, el recurso de casación ante la Sala de lo Contencioso-administrativo del Tribunal Supremo se limitará a las cuestiones de derecho, con exclusión de las cuestiones de hecho.

2. Las pretensiones del recurso de casación deberán tener por objeto la anulación, total o parcial, de la sentencia o auto impugnado y, en su caso, la devolución de los autos al Tribunal de instancia o la resolución del litigio por la Sala de lo Contencioso-administrativo del Tribunal Supremo dentro de los términos en que apareciese planteado el debate.

3. La Sala de Gobierno del Tribunal Supremo podrá determinar, mediante acuerdo que se publicará en el "Boletín Oficial del Estado", la extensión máxima y otras condiciones extrínsecas, incluidas las relativas a su presentación por medios telemáticos, de los escritos de interposición y de oposición de los recursos de casación.

Artículo 88.

1. El recurso de casación podrá ser admitido a trámite cuando, invocada una concreta infracción del ordenamiento jurídico, tanto procesal como sustantiva, o de la jurisprudencia, la Sala de lo Contencioso-Administrativo del Tribunal Supremo estime que el recurso presenta interés casacional objetivo para la formación de jurisprudencia.

2. El Tribunal de casación podrá apreciar que existe interés casacional objetivo, motivándolo expresamente en el auto de admisión, cuando, entre otras circunstancias, la resolución que se impugna:

a) Fije, ante cuestiones sustancialmente iguales, una interpretación de las normas de Derecho estatal o de la Unión Europea en las que se fundamenta el fallo contradictoria con la que otros órganos jurisdiccionales hayan establecido.

b) Siente una doctrina sobre dichas normas que pueda ser gravemente dañosa para los intereses generales.

c) Afecte a un gran número de situaciones, bien en sí misma o por trascender del caso objeto del proceso.

d) Resuelva un debate que haya versado sobre la validez constitucional de una norma con rango de ley, sin que la improcedencia de plantear la pertinente cuestión de inconstitucionalidad aparezca suficientemente esclarecida.

e) Interprete y aplique aparentemente con error y como fundamento de su decisión una doctrina constitucional.

f) Interprete y aplique el Derecho de la Unión Europea en contradicción aparente con la jurisprudencia del Tribunal de Justicia
o en supuestos en que aun pueda ser exigible la intervención de
éste a título prejudicial.

g) Resuelva un proceso en que se impugnó, directa o indirectamente, una disposición de carácter general.

h) Resuelva un proceso en que lo impugnado fue un convenio ce-
lebrado entre Administraciones públicas.

i) Haya sido dictada en el procedimiento especial de protección
de derechos fundamentales.

3. Se presumirá que existe interés casacional objetivo:

a) Cuando en la resolución impugnada se hayan aplicado normas
en las que se sustente la razón de decidir sobre las que no exista
jurisprudencia.

b) Cuando dicha resolución se aparte deliberadamente de la jurisprudencia existente al considerarla errónea.

c) Cuando la sentencia recurrida declare nula una disposición de
carácter general, salvo que esta, con toda evidencia, carezca de
trascendencia suficiente.

d) Cuando resuelva recursos contra actos o disposiciones de los
organismos reguladores o de supervisión o agencias estatales
cuyo enjuiciamiento corresponde a la Sala de lo Contencioso-administrativo de la Audiencia Nacional.

e) Cuando resuelva recursos contra actos o disposiciones de los
Gobiernos o Consejos de Gobierno de las Comunidades Autónomas.

No obstante, en los supuestos referidos en las letras a), d) y e)
el recurso podrá inadmitirse por auto motivado cuando el Tribunal
aprecie que el asunto carece manifiestamente de interés casacional
objetivo para la formación de jurisprudencia.

Artículo 89.

1. El recurso de casación se preparará ante la Sala de instancia en
el plazo de treinta días, contados desde el siguiente al de la notifica-

ción de la resolución que se recurre, estando legitimados para ello quienes hayan sido parte en el proceso, o debieran haberlo sido.

2. El escrito de preparación deberá, en apartados separados que se encabezarán con un epígrafe expresivo de aquello de lo que tratan:

a) Acreditar el cumplimiento de los requisitos reglados en orden al plazo, la legitimación y la recurribilidad de la resolución que se impugna.

b) Identificar con precisión las normas o la jurisprudencia que se consideran infringidas, justificando que fueron alegadas en el proceso, o tomadas en consideración por la Sala de instancia, o que ésta hubiera debido observarlas aun sin ser alegadas.

c) Acreditar, si la infracción imputada lo es de normas o de jurisprudencia relativas a los actos o garantías procesales que produjo indefensión, que se pidió la subsanación de la falta o transgresión en la instancia, de haber existido momento procesal oportuno para ello.

d) Justificar que la o las infracciones imputadas han sido relevantes y determinantes de la decisión adoptada en la resolución que se pretende recurrir.

e) Justificar, en el caso de que ésta hubiera sido dictada por la Sala de lo Contencioso-administrativo de un Tribunal Superior de Justicia, que la norma supuestamente infringida forma parte del Derecho estatal o del de la Unión Europea.

f) Especialmente, fundamentar con singular referencia al caso, que concurren alguno o algunos de los supuestos que, con arreglo a los apartados 2 y 3 del artículo anterior, permiten apreciar el interés casacional objetivo y la conveniencia de un pronunciamiento de la Sala de lo Contencioso-administrativo del Tribunal Supremo.

3. Si el escrito de preparación no se presentara en el plazo de treinta días, la sentencia o auto quedará firme, declarándolo así el Letrado de la Administración de Justicia mediante decreto. Contra esta decisión sólo cabrá el recurso directo de revisión regulado en el artículo 102 bis de esta Ley.

4. Si, aun presentado en plazo, no cumpliera los requisitos que impone el apartado 2 de este artículo, la Sala de instancia, mediante auto

motivado, tendrá por no preparado el recurso de casación, denegando el emplazamiento de las partes y la remisión de las actuaciones al Tribunal Supremo. Contra este auto únicamente podrá interponerse recurso de queja, que se sustanciará en la forma establecida por la Ley de Enjuiciamiento Civil.

5. Si se cumplieran los requisitos exigidos por el apartado 2, dicha Sala, mediante auto en el que se motivará suficientemente su concurrencia, tendrá por preparado el recurso de casación, ordenando el emplazamiento de las partes para su comparecencia dentro del plazo de treinta días ante la Sala de lo Contencioso-administrativo del Tribunal Supremo, así como la remisión a ésta de los autos originales y del expediente administrativo Y, si lo entiende oportuno, emitirá opinión sucinta y fundada sobre el interés objetivo del recurso para la formación de jurisprudencia, que unirá al oficio de remisión.

6. Contra el auto en que se tenga por preparado el recurso de casación, la parte recurrida no podrá interponer recurso alguno, pero podrá oponerse a su admisión al tiempo de comparecer ante el Tribunal Supremo, si lo hiciere dentro del término del emplazamiento.

Artículo 90.

1. Recibidos los autos originales y el expediente administrativo, la Sección de la Sala de lo Contencioso-administrativo del Tribunal Supremo a que se refiere el apartado siguiente podrá acordar, excepcionalmente y sólo si las características del asunto lo aconsejan, oír a las partes personadas por plazo común de treinta días acerca de si el recurso presenta interés casacional objetivo para la formación de jurisprudencia.

2. La admisión o inadmisión a trámite del recurso será decidida por una Sección de la Sala de lo Contencioso-administrativo del Tribunal Supremo integrada por el Presidente de la Sala y por al menos un Magistrado de cada una de sus restantes Secciones. Con excepción del Presidente de la Sala, dicha composición se renovará por mitad transcurrido un año desde la fecha de su primera constitución y en lo sucesivo cada seis meses, mediante acuerdo de la Sala de Gobierno del Tribunal Supremo que determinará sus integrantes para cada uno de los citados periodos y que se publicará en la página web del Poder Judicial.

3. La resolución sobre la admisión o inadmisión del recurso adoptará la siguiente forma:

a) En los supuestos del apartado 2 del artículo 88, en los que ha de apreciarse la existencia de interés casacional objetivo para la formación de jurisprudencia, la resolución adoptará la forma de providencia, si decide la inadmisión, y de auto, si acuerda la admisión a trámite. No obstante, si el órgano que dictó la resolución recurrida hubiera emitido en el trámite que prevé el artículo 89.5 opinión que, además de fundada, sea favorable a la admisión del recurso, la inadmisión se acordará por auto motivado.

b) En los supuestos del apartado 3 del artículo 88, en los que se presume la existencia de interés casacional objetivo, la inadmisión se acordará por auto motivado en el que se justificará que concurren las salvedades que en aquél se establecen.

4. Los autos de admisión precisarán la cuestión o cuestiones en las que se entiende que existe interés casacional objetivo e identificarán la norma o normas jurídicas que en principio serán objeto de interpretación, sin perjuicio de que la sentencia haya de extenderse a otras si así lo exigiere el debate finalmente trabado en el recurso. Las providencias de inadmisión únicamente indicarán si en el recurso de casación concurre una de estas circunstancias:

a) ausencia de los requisitos reglados de plazo, legitimación o recurribilidad de la resolución impugnada;

b) incumplimiento de cualquiera de las exigencias que el artículo 89.2 impone para el escrito de preparación;

c) no ser relevante y determinante del fallo ninguna de las infracciones denunciadas; o

d) carencia en el recurso de interés casacional objetivo para la formación de jurisprudencia.

5. Contra las providencias y los autos de admisión o inadmisión no cabrá recurso alguno.

6. El Letrado de la Administración de Justicia de Sala comunicará inmediatamente a la Sala de instancia la decisión adoptada y, si es de inadmisión, le devolverá las actuaciones procesales y el expediente administrativo recibidos.

7. Los autos de admisión del recurso de casación se publicarán en la página web del Tribunal Supremo. Con periodicidad semestral, su Sala de lo Contencioso-administrativo hará público, en la mencionada página web y en el «Boletín Oficial del Estado», el listado de recursos de casación admitidos a trámite, con mención sucinta de la norma o normas que serán objeto de interpretación y de la programación para su resolución.

8. La inadmisión a trámite del recurso de casación comportará la imposición de las costas a la parte recurrente, pudiendo tal imposición ser limitada a una parte de ellas o hasta una cifra máxima.

Artículo 91.

1. La preparación del recurso de casación no impedirá la ejecución provisional de la sentencia recurrida.

Las partes favorecidas por la sentencia podrán instar su ejecución provisional. Cuando de ésta pudieran derivarse perjuicios de cualquier naturaleza, podrán acordarse las medidas que sean adecuadas para evitar o paliar dichos perjuicios. Igualmente podrá exigirse la presentación de caución o garantía para responder de aquéllos. No podrá llevarse a efecto la ejecución provisional hasta que la caución o la medida acordada esté constituida y acreditada en autos.

2. La constitución de la caución se ajustará a lo establecido en el artículo 133.2 de esta Ley.

3. El Tribunal de instancia denegará la ejecución provisional cuando pueda crear situaciones irreversibles o causar perjuicios de difícil reparación.

4. Cuando se tenga por preparado un recurso de casación, el Letrado de la Administración de Justicia dejara testimonio bastante de los autos y de la resolución recurrida a los efectos previstos en este artículo.

Artículo 92.

1. Admitido el recurso, el Letrado de la Administración de Justicia de la Sección de Admisión de la Sala de lo Contencioso-administrativo del Tribunal Supremo dictará diligencia de ordenación en la que dispondrá remitir las actuaciones a la Sección de dicha Sala competente para su tramitación y decisión y en la que hará saber a la parte

recurrente que dispone de un plazo de treinta días, a contar desde la notificación de aquélla, para presentar en la Secretaría de esa Sección competente el escrito de interposición del recurso de casación. Durante este plazo, las actuaciones procesales y el expediente administrativo estarán de manifiesto en la Oficina judicial.

2. Transcurrido dicho plazo sin presentar el escrito de interposición, el Letrado de la Administración de Justicia declarará desierto el recurso, ordenando la devolución de las actuaciones recibidas a la Sala de que procedieran. Contra tal declaración sólo podrán interponerse los recursos que prevé el artículo 102 bis de esta Ley.

3. El escrito de interposición deberá, en apartados separados que se encabezarán con un epígrafe expresivo de aquello de lo que tratan:

a) Exponer razonadamente por qué han sido infringidas las normas o la jurisprudencia que como tales se identificaron en el escrito de preparación, sin poder extenderse a otra u otras no consideradas entonces, debiendo analizar, y no sólo citar, las sentencias del Tribunal Supremo que a juicio de la parte son expresivas de aquella jurisprudencia, para justificar su aplicabilidad al caso; y

b) Precisar el sentido de las pretensiones que la parte deduce y de los pronunciamientos que solicita.

4. Si el escrito de interposición no cumpliera lo exigido en el apartado anterior, la Sección de la Sala de lo Contencioso-administrativo del Tribunal Supremo competente para la resolución del recurso acordará oír a la parte recurrente sobre el incumplimiento detectado y, sin más trámites, dictará sentencia inadmitiéndolo si entendiera tras la audiencia que el incumplimiento fue cierto. En ella, impondrá a dicha parte las costas causadas, pudiendo tal imposición ser limitada a una parte de ellas o hasta una cifra máxima.

5. En otro caso, acordará dar traslado del escrito de interposición a la parte o partes recurridas y personadas para que puedan oponerse al recurso en el plazo común de treinta días. Durante este plazo estarán de manifiesto las actuaciones procesales y el expediente administrativo en la Oficina judicial. En el escrito de oposición no podrá pretenderse la inadmisión del recurso.

6. Transcurrido dicho plazo, háyanse presentado o no los escritos de oposición, la Sección competente para la decisión del recurso, de

oficio o a petición de cualquiera de las partes formulada por otrosí en los escritos de interposición u oposición, acordará la celebración de vista pública salvo que entendiera que la índole del asunto la hace innecesaria, en cuyo caso declarará que el recurso queda concluso y pendiente de votación y fallo. El señalamiento del día en que haya de celebrarse la vista o en que haya de tener lugar el acto de votación y fallo respetará la programación que, atendiendo prioritariamente al criterio de mayor antigüedad del recurso, se haya podido establecer.

7. Cuando la índole del asunto lo aconsejara, el Presidente de la Sala de lo Contencioso-administrativo del Tribunal Supremo, de oficio o a petición de la mayoría de los Magistrados de la Sección antes indicada, podrá acordar que los actos de vista pública o de votación y fallo tengan lugar ante el Pleno de la Sala.

8. La Sección competente, o el Pleno de la Sala en el caso previsto en el apartado anterior, dictará sentencia en el plazo de diez días desde que termine la deliberación para votación y fallo.

Artículo 93.

1. La sentencia fijará la interpretación de aquellas normas estatales o la que tenga por establecida o clara de las de la Unión Europea sobre las que, en el auto de admisión a trámite, se consideró necesario el pronunciamiento del Tribunal Supremo. Y, con arreglo a ella y a las restantes normas que fueran aplicables, resolverá las cuestiones y pretensiones deducidas en el proceso, anulando la sentencia o auto recurrido, en todo o en parte, o confirmándolos. Podrá asimismo, cuando justifique su necesidad, ordenar la retroacción de actuaciones a un momento determinado del procedimiento de instancia para que siga el curso ordenado por la ley hasta su culminación.

2. Si apreciara que el orden jurisdiccional contencioso-administrativo no es competente para el conocimiento de aquellas pretensiones, o que no lo era el órgano judicial de instancia, anulará la resolución recurrida e indicará, en el primer caso, el concreto orden jurisdiccional que se estima competente, con los efectos que prevé el artículo 5.3 de esta Ley, o remitirá, en el segundo, las actuaciones al órgano judicial que hubiera debido conocer de ellas.

3. En la resolución de la concreta controversia jurídica que es objeto del proceso, el Tribunal Supremo podrá integrar en los hechos

admitidos como probados por la Sala de instancia aquellos que, habiendo sido omitidos por ésta, estén suficientemente justificados según las actuaciones y cuya toma en consideración resulte necesaria para apreciar la infracción alegada de las normas del ordenamiento jurídico o de la jurisprudencia, incluso la desviación de poder.

4. La sentencia que se dicte en el momento procesal a que se refiere el apartado 8 del artículo anterior, resolverá sobre las costas de la instancia conforme a lo establecido en el artículo 139.1 de esta ley y dispondrá, en cuanto a las del recurso de casación, que cada parte abone las causadas a su instancia y las comunes por mitad. No obstante, podrá imponer las del recurso de casación a una sola de ellas cuando la sentencia aprecie, y así lo motive, que ha actuado con mala fe o temeridad; imposición que podrá limitar a una parte de ellas o hasta una cifra máxima.

Normas de estilo de los escritos procesales

Por acuerdo de 20 de abril de 2016 (publicado en el Boletín Oficial del Estado de 6/7/2016), la Sala de Gobierno del Tribunal Supremo ha aprobado «la extensión máxima y otras condiciones extrínsecas de los escritos procesales referidos al recurso de casación ante la Sala Tercera».

A continuación se resumen las condiciones que han de reunir los distintos escritos que se presenten ante la Sala Tercera del Tribunal Supremo.

Escritos de interposición y oposición

1. Extensión máxima.

50.000 caracteres con espacio, equivalentes a 25 folios. Solamente se utilizará una cara de folio. Esa extensión máxima incluye las normas a pie de página, esquemas o gráficos que se acompañen.

2. Formato.

«Times New Roman» con un tamaño de 12 puntos en el texto y de 10 puntos en las notas (o en la transcripción literal de preceptos o párrafos de sentencias que se incorporen).

Interlineado de 1,5.

Márgenes verticales y horizontales de 2,5 cms.

Los folios deben numerarse en la esquina superior derecha.

Los documentos que se acompañen deberán identificarse y numerarse como «documento» o «anexo» 1, 2, 3 y sucesivos.

El formato electrónico del folio será A4, sin rayas ni elementos que dificulten la lectura o tratamiento informático.

3. Estructura.

Los escritos deben ir precedidos de una carátula con expresión del número de recurso de casación; identificación de la Sala o Sección a la que se dirige; nombre del recurrente o recurrentes, ordenados alfabéticamente y con su número de identificación respectivo; nombre del Procurador y número de colegiado; nombre del Letrado/s y número de colegiado;

identificación de la resolución recurrida en casación (tribunal, sala o sección de procedencia, fecha y número de procedimiento) e identificación del tipo de escrito que se presenta (interposición u oposición).

El escrito de interposición debe estructurarse en párrafos separados y debidamente numerados que se encabezarán con un epígrafe expresivo de su contenido, de acuerdo con el artículo 92.3 de la LJCA. Esta exigencia también se aplica al escrito de oposición, que debe reflejar en el encabezamiento de cada apartado la cuestión que abordará como respuesta a los contenidos del escrito de interposición o a los extremos controvertidos.

Escritos de preparación y de oposición a la admisión

1. Extensión máxima.

35.000 caracteres con espacio, equivalentes a 15 folios, escritos por una sola cara. Se incluyen en ese espacio máximo las notas a pie de página, esquemas o gráficos que se acompañen.

2. Formato.

El mismo que en los escritos de interposición y oposición.

3. Estructura.

Los escritos deben ir precedidos de una carátula con expresión de los mismos datos que se prevén para los escritos de interposición y oposición, con excepción del número de recurso de casación, que se desconoce en esa fase procesal. También ha de acompañarse un rótulo denominado objeto, asunto o similar, donde se describa brevemente la materia sobre la que verse el litigio (contratación administrativa, personal, marcas, etc.) para su pronta identificación.

Los escritos de preparación y de oposición a la admisión deben estructurarse en párrafos separados y debidamente numerados que se encabezarán con un epígrafe expresivo de su contenido, de acuerdo con el artículo 89.2 de la LJCA.

Escritos de alegaciones

Por referencia al escrito de alegaciones al que se refiere el artículo 90.1 de la LJCA, su extensión máxima será la que acuerde la Sección de admisión, sin que en ningún caso pueda superar a la del escrito de preparación.

Bibliografía

AGÚNDEZ FERNÁNDEZ, A.: *El recurso de casación contencioso*-administrativo, Comares, Granada, 1996.

AHUMADA RUIZ, Mª Á.: «El "certiorari". Ejercicio discrecional de la jurisdicción de apelación por el Tribunal Supremo de los Estados Unidos», *Revista Española de Derecho Constitucional* nº 41 (1994).

ALEGRE ÁVILA, J. M.: «La casación en lo contencioso-administrativo y la tutela judicial efectiva», *Justicia Administrativa* nº 9 (2000).

ALONSO FURELOS, J. M.: *Juicio de relevancia y casación administrativa*, Instituto Vasco de Administración Procesal, San Sebastián, 2006.

ALONSO MAS, Mª J.:
— «La necesaria reforma de la justicia administrativa», en J. Mª Baño León (coord.): *Memorial para la reforma del Estado, Estudios en homenaje al profesor Santiago Muñoz Machado*, vol. I, Centro de Estudios Políticos y Constitucionales, Madrid, 2016.
— «El acceso al recurso de casación en el orden contencioso-administrativo: una oportunidad perdida», *RAP* nº 197 (2015).
— «Recurso de casación en el orden contencioso-administrativo y Derecho autonómico», *RAP* nº 190 (2013).

ARAGÓN REYES, M.: «La STC 37/2012, de 19 de marzo. Cuestión de inconstitucionalidad sobre la jurisprudencia del Tribunal Supremo», *Estudios Jurídicos en Homenaje al Profesor José María Miquel*, coord. por Luis Díez-Picazo y Ponce de León, vol. I, Dykinson, Madrid, 2014.

BAÑO LEÓN, J. Mª: «La retroacción de actuaciones: ¿denegación de justicia o garantía del justiciable?», en E. García de Enterría y R. Alonso García (coord.): *Administración y justicia: un análisis jurisprudencial: liber amicorum Tomás-Ramón Fernández*, vol. I, Civitas Thomson Reuters, Madrid, 2012.

BETANCOR RODRÍGUEZ, A.: *La revisión casacional de la prueba en el contencioso-administrativo*, Thomson Reuters, Madrid, 2012.

BLASCO GASCÓ, F. D.: *El interés casacional. Infracción o inexistencia de doctrina jurisprudencial en el recurso de casación*, Aranzadi, Pamplona, 2002.

BOCANEGRA SIERRA, R.: «La potestad legislativa del Tribunal Supremo», en la obra colectiva *Por el derecho y la libertad: libro homenaje al profesor Juan Alfonso Santamaría Pastor*, vol. I, Iustel, Madrid, 2014.

BORRAJO INIESTA, I; DÍEZ-PICAZO GIMÉNEZ, I. y FERNÁNDEZ FARRERES, G.: *El derecho a la tutela judicial y el recurso de amparo. Una reflexión sobre la jurisprudencia constitucional*, Civitas, Madrid, 1995.

BOUAZZA ARIÑO, O.: *El recurso de casación contencioso-administrativo común*, Thomson Reuters Civitas, Madrid, 2013.

CALAMANDREI, P.: *La cassazione civile*, Storia e legislazione, vol. I, Turín, 1920, también publicado en Argentina: *La casación civil*, 3 vols., Buenos Aires, 1945.

CANCIO FERNÁNDEZ, R. C.: *El nuevo recurso de casación contencioso-administrativo*, Thomson Reuters Aranzadi, Pamplona, 2015.

CHINCHILLA MARÍN, C.: «Nuevos criterios para la admisión del recurso de casación contra sentencias y autos de la Audiencia Nacional», *Justicia Administrativa* nº 52 (2011).

CORDÓN MORENO, F.: «Algunas cuestiones sobre el recurso de casación en el proceso administrativo», en VV.AA.: *El recurso de casación*, Consejo General del Poder Judicial y Generalidad de Cataluña, Barcelona, 1994.

COSCULLUELA MONTANER, L.:
— *Manual de Derecho Administrativo*, tomo I, Thomson-Civitas, Madrid, 26ª ed., 2015.
— «El recurso en interés de ley», *RAP* nº 100-102, vol. II, 1983.

DE LA PLAZA NAVARRO, M.: *La casación civil*, Revista de Derecho Privado, 1944.

DOMÉNECH PASCUAL, G.: «Creación judicial del Derecho a través del recurso de casación en interés de la ley. Una crítica desde la perspectiva económica y evolutiva», en la obra colectiva *Por el derecho y la libertad: libro homenaje al profesor Juan Alfonso Santamaría Pastor*, vol. I, Iustel, Madrid, 2014.

FAIRÉN GUILLÉN, V.: «Sobre la recepción en España del recurso de casación francés», *Anuario de Derecho Civil*, julio-septiembre, tomo X, 1957.

FERNÁNDEZ FARRERES, G.:
— «Sobre la eficiencia de la jurisdicción contencioso-administrativa y el nuevo recurso de casación "para la formación de jurisprudencia"», *REDA* nº 174 (2015).
— *La contribución del Tribunal Constitucional al Estado Autonómico*, Iustel, Madrid, 1ª ed., 2005.

FERNÁNDEZ RODRÍGUEZ, T. R.: *Del arbitrio y de la arbitrariedad judicial*, Iustel, Madrid, 2005.

FERNÁNDEZ TORRES, J. R.:
— «¿Formalismo exacerbado o simple defensa de la legalidad?», *Revista de Urbanismo y Edificación* nº 33 (2015).
— *Historia legal de la jurisdicción contencioso-administrativa (1845-1998)*, Iustel, Madrid, 2007.
— *La formación histórica de la jurisdicción contencioso-administrativa (1845-1868)*, Civitas, Madrid, 1998.

GARCÍA DE ENTERRÍA, E. y FERNÁNDEZ RODRÍGUEZ, T. R.: *Curso de Derecho Administrativo*, (vol. I, 17ª ed.; vol. II, 14ª ed.), Civitas Thomson Reuters, Madrid, 2015.

GARCÍA DE ENTERRÍA, E.:
— *La lengua de los derechos. La formación del Derecho Público europeo tras la Revolución Francesa*, Civitas, Madrid, 3ª ed., 2009.
— *Revolución Francesa y Administración contemporánea*, Thomson-Civitas, Madrid, 4ª ed., 1994.

GARCÍA GÓMEZ DE MERCADO, F.; YÁÑEZ DÍAZ, C. y VIZÁN PALOMINO, M.: *El recurso de casación contencioso-administrativo*, Comares, Granada, 2016.

GÓMEZ-FERRER MORANT, R.: «Los principios de unidad y autonomía en la Constitución de 1978: Problemas actuales», en J. M. Jover Zamora (dir.): *La Historia de España de Menéndez Pidal. XLIII. La España de las Autonomías*, Espasa Calpe, Madrid, 2007.

GÓMEZ-FERRER RINCÓN, R.: «Recurso de casación y unidad del ordenamiento jurídico», *RAP* nº 174 (2007).

GONZÁLEZ PÉREZ, J.:
— *Comentarios a la Ley de la Jurisdicción Contencioso-Administrativa*, Civitas Thomson Reuters, Madrid, 8ª ed., 2016.
— «La casación en el proceso administrativo», *REDA* nº 66 (1990).
— «El recurso de revisión contencioso-administrativo», *RAP* nº 13 (1954).

GONZÁLEZ RIVAS, J. J.: *El recurso de casación en la jurisdicción contencioso-administrativa*, Aranzadi, Pamplona, 1996.

GUASP DELGADO, J.: *Derecho Procesal Civil II, Parte Especial*, Instituto de Estudios Políticos, 3ª ed., Madrid, 1968.

HINOJOSA MARTÍNEZ, E.: *El nuevo recurso de casación contencioso-administrativo*, Bosch, Barcelona, 2016.

IGLESIAS CANLE, I. C.: *El recurso de casación contencioso-administrativo*, Tirant lo Blanch, Valencia, 2000.

LEDESMA BARTRET en su trabajo «Tribunal Supremo y jurisdicción contencioso-administrativa», en *Diagnosis de la jurisdicción contencioso-administrativa. Perspectivas de futuro*, Cuadernos de Derecho Judicial, Consejo General del Poder Judicial, 2006.

LÓPEZ SÁNCHEZ, J.: *El interés casacional*, Civitas, Madrid, 2002.

LOZANO CUTANDA, B.:
— (I) «La reforma del recurso de casación contencioso-administrativo por la Ley Orgánica 7/2015: análisis de sus novedades», *Diario La Ley* nº 8.609, de 21 de septiembre de 2015.
— (II) «El TC estima el recurso de amparo interpuesto contra la inadmisión de un recurso de casación por no cumplir los nuevos criterios jurispru-

denciales sobre los escritos de preparación», *Diario La Ley* n° 8.508, de 23 de marzo de 2015.

MARTI DEL MORAL, A. J.: *El recurso de casación contencioso-administrativo. Estudio jurisprudencial de los motivos de casación*, McGraw Hill, Madrid, 1997.

MARTÍN REBOLLO, L.: «Los recursos de casación y revisión en la jurisdicción contencioso-administrativa tras la Ley 10/1992, de 30 de abril, de medidas urgentes de reforma procesal», *REDA* n° 76 (1992).

MARTÍNEZ ALCUBILLA, M.: *Diccionario de la Administración española*, Madrid, 5ª ed., 1894, tomo IX, voz «Tribunal Supremo».

MARTÍN VALDIVIA, S. Mª: *La jurisdicción contenciosa: análisis práctico*, Aranzadi, Pamplona, 2016.

MARTÍN-RETORTILLO, S.: *La defensa en Derecho del Estado: Aproximación a la historia del cuerpo de Abogados del Estado*, Civitas, Madrid, 2ª ed., 2013.

MASCARELL NAVARRO, Mª J.: «El derecho a recurrir en casación», en F. Bellido Penadés (dir.): *El recurso de casación civil*, Wolters Kluwer La Ley, Madrid, 2014.

MEDINA GONZÁLEZ, S.: *La inadmisión del recurso de casación contencioso-administrativo*, Thomson Civitas, Madrid, 2009.

MESTRE DELGADO, J. F.: «La configuración del recurso de casación en torno al interés casacional», en J. Mª Baño León (coord.): *Memorial para la reforma del Estado, Estudios en homenaje al profesor Santiago Muñoz Machado*, vol. I, Centro de Estudios Políticos y Constitucionales, Madrid, 2016.

MONTOYA MARTÍN, E.: *El recurso de casación contencioso-administrativo: en especial las causas de inadmisibilidad*, McGraw-Hill, Madrid, 1997.

MORENILLA RODRÍGUEZ, J. M.: *La organización de los tribunales y la reforma judicial en los Estados Unidos*, Instituto de Cultura Hispánica, Madrid, 1968.

MUÑOZ MACHADO, S.:

— *Tratado de Derecho Administrativo y Derecho Público General*, vols. II y VI, BOE, Madrid, 1ª ed., 2015.

— «Los poderes de oficio del juez administrativo», en la obra colectiva *Por el derecho y la libertad: libro homenaje al profesor Juan Alfonso Santamaría Pastor*, vol. I, Iustel, Madrid, 2014.

— *Informe sobre España. Repensar el Estado o destruirlo*, Crítica, Barcelona, 2012.

— *Derecho Público de las Comunidades Autónomas*, vol. II, Iustel, Madrid, 2ª ed., 2007.

NIETO GARCÍA, A.: «Valor legal y alcance real de la jurisprudencia», *Teoría y Realidad Constitucional* núms. 8-9 (2001-2002).

PACHECO, J. F.: «Comentario al decreto de 4 de noviembre de 1838, sobre recursos de nulidad», Madrid, Ramón Rodríguez de Rivera, 1847.

PAREJO ALFONSO, L.: «Diseño legal y realidad práctica del recurso de casación en el orden contencioso-administrativo: una reflexión a los veinte años de su implantación», en la obra colectiva *Por el derecho y la libertad: libro homenaje al profesor Juan Alfonso Santamaría Pastor*, vol. I, Iustel, Madrid, 2014.

PULIDO QUECEDO, M.: «¿Existe el recurso de casación en materia contencioso-administrativa?», *REDA* n° 66 (1990).

RAZQUIN LIZARRAGA: J. A.: «El recurso de casación en la jurisdicción contencioso-administrativa tras la Ley Orgánica 7/2015», *Revista Vasca de Administración Pública* n° 104 (2016).

RUIZ LÓPEZ, M. Á.:

— «El recurso de casación contra las resoluciones del Tribunal de Cuentas en materia de responsabilidad contable: un repaso de la jurisprudencia reciente», *Revista Española de Control Externo* n° 49 (2015).

— «La unidad jurisdiccional en el Estado autonómico: la posición constitucional del Tribunal Supremo», en la obra colectiva *Por el derecho y la libertad: libro homenaje al profesor Juan Alfonso Santamaría Pastor*, vol. I, Iustel, Madrid, 2014.

— «Las resoluciones recurribles en el recurso de casación común: sentencias y autos. Consideraciones generales», en J. M. Sieira Míguez (dir.) y J. P. Quintana Carretero (coord.): *El recurso de casación en la jurisdicción contencioso-administrativa. Doctrina de la Sala Tercera del Tribunal Supremo*, Aranzadi, Pamplona, 1ª ed., 2012.

— «La intensificación de las exigencias formales del recurso de casación (a propósito del Auto del Tribunal Supremo de 10 de febrero de 2011, rec. de casación n° 2.927/2010)», *REDA* n° 150 (2011).

— «Principio 'pro actione'», en Santamaría Pastor, J. A. (dir.): *Los principios jurídicos del Derecho Administrativo*, La Ley, Madrid, 2010.

— «La inadmisión del recurso de casación por competencia de los Juzgados ¿Hacia una doble instancia contencioso-administrativa? (a propósito de la STC 119/2008, de 13 de octubre)», *REDA* n° 141 (2009).

SÁNCHEZ MORÓN, M.: *Derecho Administrativo. Parte General*, Tecnos, Madrid, 10ª ed., 2014.

SANDEVOIR, P.: «Études sur le recours de pleine juridiction: l'apport de l'histoire a la théorie de la justice administrative», Librairie Générale de Droit et de Jurisprudence, 1964.

SANTAMARÍA PASTOR, J. A.:

— «Una primera aproximación al nuevo sistema casacional», *RAP* n° 198 (2015).

— *Principios de Derecho Administrativo General*, vol. II, Iustel, Madrid, 3ª ed., 2015.

— «De nuevo sobre el arbitrismo del legislador las reformas del proceso contencioso-administrativo hechas por la Ley 37/2011, de 10 de octubre», en E. García de Enterría y R. Alonso García (coord.): *Administración y justicia: un análisis jurisprudencial: liber amicorum Tomás-Ramón Fernández*, vol. I, Civitas Thomson Reuters, Madrid, 2012.

— *La Ley Reguladora de la Jurisdicción Contencioso-Administrativa. Comentario*, Iustel, Madrid, 2010.

SANTI ROMANO: *El ordenamiento jurídico*, Instituto de Estudios Políticos, Madrid, 1963.

SORIANO GARCÍA, J. E.: «¿Alguna esperanza de flexibilización en la casación?», *REDA* n° 113 (2002).

TOVAR MORAIS, A.: *El recurso de casación civil y el contencioso-administrativo*, Aranzadi, Pamplona, 1993.

XIOL RÍOS, J. A.: «Algunas cuestiones sobre el recurso de casación en el proceso administrativo», en VV.AA. *El recurso de casación*, Consejo General del Poder Judicial y Generalidad de Cataluña, Barcelona, 1994.